МАТИЦА СРПСКА
Косовскометохијски одбор

Главни и одговорни уредник
Проф. др Валентина ПИТУЛИЋ

Рецензенти
Академик Димитрије СТЕФАНОВИЋ
Др Јелена ЈОВАНОВИЋ, дописни члан САНУ
Др Селена РАКОЧЕВИЋ

Штампање ове књиге финансирало је
Министарство културе и информисања Републике Србије

САЊА РАНКОВИЋ
МИРЈАНА ЗАКИЋ

СРПСКО ПЕВАЧКО НАСЛЕЂЕ ЦЕНТРАЛНОГ ДЕЛА КОСОВА И МЕТОХИЈЕ

МАТИЦА СРПСКА
Нови Сад
2019

САДРЖАЈ

ПРЕДГОВОР

Музичкофолклорна традиција Косова и Метохије представља виталан и жанровски разноврстан сегмент нематеријалног културног наслеђа који годинама привлачи нашу професионалну пажњу. У жељи да употпунимо досадашња сазнања, фокусирале смо се на проучавање музичких појава у мање истраженим пределима, као што је то централни део ове територије. Током 2015. године започеле смо опсежна трогодишња испитивања, уз финансијску помоћ Министарства културе и информисања Републике Србије и Ансамбла народних игара и песама Косова и Метохије „Венац" из Грачанице.

На самом терену, у насељима која окружују Вучитрн, Приштину, Грачаницу, Липљане и Урошевац чекао нас је сусрет са мултиетничким и мултиконфесионалним простором на коме се данас доминантно сучељавају две културне матрице – српска и албанска. Иако стоје једна поред друге, оне се не додирују и развијају се у потпуно различитим правцима. Ове разноликости су најочитије када се дубље зађе у мешовита насеља у којима живи српско, ромско, албанско, турско и хрватско становништво. С тим у вези, безбедно кретање на терену и проналажење контаката било би готово немогуће без сарадње са директорком Ансамбла „Венац" у Грачаници – Снежаном Јовановић. Поред ње, мноштво је сарадника који су на различите начине допринели да што успешније реализујемо теренски рад. У евидентирању саговорника свесрдно су нам помагали и играчи „Венца": Мирољуб Аћанчић, Драган Тодоровић, Бобан Стевовић, Александар Симић, Срђан Костић, Лазар Лазаревић, Драган Ћирковић и Слободан Станојевић. Велику захвалност упућујемо и Тодору Станојевићу, житељу Грачанице, уз чију помоћ смо

7

долазиле до одређених локалитета. Током истраживања техничку подршку у видео-снимању и фотографисању пружио нам је студент мастер студија Катедре за етномузикологију Факултета музичке уметности у Београду Никола Побор.

При обиласку централног дела Косова и Метохије запазиле смо да је у већини српских насеља најбројније становништво млађе популације. У многочланим домаћинствима проналазиле смо изузетне певаче и познаваоце локалне традиције различитих генерација. Упознати са суштином нашег истраживања, они су постајали не само „објекти" испитивања већ и активни „коаутори" у исписивању страница ове студије. Највећу захвалност дугујемо управо носиоцима традиционалног наслеђа, који су нам са пуно стрпљења и поверења отварали врата својих домова и несебично предавали своје музичко искуство и знање. Многа надахнута извођења и садржајни наративи исказани у локалном дијалекту представљају вредна сведочанства људи који живе у својеврсном гету, са високом свешћу о својој прошлости и садашњости. Њима посвећујемо ову студију, у знак поштовања за то што су у име свих нас, и за све нас, сачували богату музичку ризницу. У том контексту, сматрамо да је од неизмерне важности публиковање ове студије од стране реномираног издавача, као што је Косовскометохијски одбор Матице српске из Новог Сада. Посебно импонује што су се међу рецензентима издања нашли академик др Димитрије Стефановић, музиколог, др Јелена Јовановић, етномузиколог, виши научни сарадник и дописни члан САНУ, и др Селена Ракочевић, етномузиколог и етнокореолог, ванредни професор Факултета музичке уметности у Београду, који су својим професионалним ауторитетима исказали поверење нашем раду. Техничкој реализацији студије допринела је Ивана Тодоровић, етномузиколог, која је стрпљиво радила на преписивању нотних примера, као и Драгољуб Штрбац из Географског института „Јован Цвијић" САНУ, који је израдио географску карту истражених насеља.

Уз сву подршку коју смо имале, процес писања монографије за нас је представљао велико задовољство али и одговорност, како према стручној и широј јавности, тако и према казивачима са терена. Наша жеља је да овим издањем иницирамо даље истраживачке пројекте, као и да подстакнемо отварање нових питања и перспектива у сагледавању музичког материјала Косова и Метохије. Поред тога, надамо се да ће студија инспирисати младе извођаче који се баве реинтерпретацијама традиционалне музике и обогатити њихов репертоар. Кроз процес даљег преношења забележеног певачког наслеђа наша студија добиће потпуни смисао и пружиће значајан допринос очувању нематеријалног наслеђа Косова и Метохије.

Ауторке

1. УВОД

Косово и Метохија представља територију коју чине два морфо-тектонска подручја, која су у духовном и културном смислу неодвојиво повезана и значајна за српски народ (Марковић 1970: 417). Према тумачењу Милована Радовановића, јужна српска покрајина садржи два геосистема: Косово (са секундарним котлинама Лабом, Горњом Моравом и Качаничком клисуром) и Метохију (која обухвата Горњу Метохију и Призренску котлину), као и четири „секундарне, интрарегионалне и ободне геосистемске целине": Ибарско-копаоничку планинско-долинску област, Дреницу, планински обод Метохије према Горњем Полимљу и Шарпланинску област (Радовановић 2008: 9).

Косово од Метохије одвајају природни граничници, које чине река Дреница и ниске планине Чичавица, Дреничка планина, Голеш и Црнољева (Марковић 1970: 398). У територијалном погледу, појам Косово обухвата Велико Косово или Право Косово, Мало Косово, Сириниђ испод Шаре, област Дреницу и Косовско Поморавље (Марковић 1970: 417, 418). Косовска котлина се протеже у меридијанском правцу у дужини од 85 км између Звечана на северозападу и Качаничке клисуре на југоистоку и изразито је уска, са највећом ширином од 15 км на потезу од Приштине до Дренице (Радовановић 2008: 11). Дно котлине је благо таласасто Косово поље, у оквиру којег је и Право Косово, кроз које протиче река Ситница (од Урошевца до Вучитрна). На овом, централном подручју Косова, доминирају бројна села сконцентрисана око већих насеља, попут Приштине, Грачанице, Вучитрна, Урошевца и Липљана.

Међу препознатљивим сегментима културне матрице Косова и Метохије свакако је и музичкофолклорна пракса, која, упркос спровођеним етномузиколошким испитивањима, није у потпуности познта стручној и широј јавности. Резултати теренских активности у претходном периоду једним делом су публиковани у виду нотних записа са пратећим стручним коментарима или у оквиру (краћих) студија, док је снимљени материјал у највећој мери похрањен у приватним колекцијама и архивима државних институција.[1]

Увидом у постојеће објављене изворе о музичкој баштини Косова и Метохије, почев од теренских записа Стевана Ст. Мокрањца 1896. године (Мокрањац 1996) па све до данас, запажа се недостатак обухватног сагледавања традиционалне музике ове територије. Томе у прилог говори чињеница да је студија Миодрага Васиљевића *Југословенски музички фолклор I: Народне мелодије које се певају на Космету*, објављена 1950. године, последња обимнија етномузиколошка публикација која реферише на музички фолклор означеног ареала. Управо

---

[1] Грађа која је забележена при досадашњим експедицијама има немерљив допринос за српску етномузикологију, а велики значај у њеном прикупљању дали су академски образовани музичари. Почетно интересовање за музички фолклор Косова и Метохије, с краја 19. и у првој половини 20. века, доминантно се јавља код српских композитора. Пионирски рад Стевана Мокрањца 1896. године (Мокрањац 1996) и касније, између два светска рата, Владимира Ђорђевића (Ђорђевић 1928), Косте Манојловића (Манојловић 1933) и Милоја Милојевића (Милојевић 2004) пружио је драгоцене информације о српској певачкој традицији. На њихово истраживачко искуство надовезује се активност оснивача етнокореологије Љубице и Данице Јанковић, које су бележиле музичку традицију везану за плесно наслеђе (Јанковић и Јанковић 1937; 1951). После Другог светског рата на Косову и Метохији боравио је Миодраг Васиљевић, чији изузетно вредни музички записи потичу из различитих крајева ове територије (Васиљевић 1950). Током 50-их и 60-их година прошлог века уследиле су организоване експедиције Музиколошког института САНУ у којима су учествовале Милица Илијин, Радмила Петровић, као и Драгослав Девић, а које су резултирале, пре свега, обимном колекцијом звучних снимака (Петровић 1988; Лајић Михаиловић и Јовановић 2018). Занимање за музички фолклор Косова и Метохије у седмој деценији 20. века показали су и инострани истраживачи: Американац Боб Либман (Bob Leibman), који је углавном боравио на терену Косовског Поморавља, Данкиња Бирте Треруп (Birthe Traerup), која је у више наврата обилазила подручје Призренске Горе (Traerup 1972; Треруп 1974; Traerup 1980), и на чија испитивања се надовезује теренски рад македонских истраживача Института „Марко Цепенков" (Бицевски 2001). Након 70-их година прошлог века пратимо смањено интересовање српских етномузиколога за подручје Косова и Метохије све до 90-их година, када музичка традиција појединих предеоних целина постаје фокус минуциознијих теренских истраживања (Станковић 1993; Шипић 1997; Закић 2015, Закић и Ранковић 2016, Марјановић 1998, Стоиљковић, 2016, Трифуновић 2016, Закић 2017).

из тог разлога, на Катедри за етномузикологију Факултета музичке уметности у Београду покренута је иницијатива за систематско испитивање музичког наслеђа Косова и Метохије, а посебно области које до сада нису биле довољно присутне у истраживачком фокусу. Као иницијатори ове идеје, одлучиле смо да почетни теренски рад усмеримо ка централном делу територије – од Вучитрна до Урошевца – чија је музичка пракса најмање обухваћена досадашњим проучавањима. Обиласци маркираног простора вршени су током трогодишњег периода, од 2015. до 2017. године, уз финансијску подршку Министарства за културу и информисање Републике Србије и Ансамбла народних игара и песама Косова и Метохије „Венац", са седиштем у Грачаници.[2]

На испитиваном подручју тренутно живе Срби, Албанци, Роми, Турци и Хрвати, те је почетна идеја о спровођењу теренског рада подразумевала упознавање са мултикултуралним музичким садржајем. Нажалост, услед нарушених међунационалних односа који су кулминирали након НАТО бомбардовања 1999. године, није било могуће потпуно спровођење иницијалне замисли. У жељи да се упознамо са традиционалном музиком свих народа који живе на централном делу Косова и Метохије, остварилe смо сусрете са челницима албанског професионалног ансамбла „Шота" из Приштине, који су нам дали драгоцене податке о деловању ове институције у протеклим деценијама, као и о музичком и плесном репертоару албанског становништва.[3] Некадашње и актуелно руководство ове институције упозорило нас је на то да још увек није прави тренутак за спровођење наших истраживања у албанској заједници.

Током обиласка насеља у околини Приштине интервјуисалe смо и део ромске популације у Грачаници, као и чланове савременог вокално-инструменталног дуа „Џими бенд" из Племетине, који чине

[2] Током 2015. и 2017. године Министарство за културу и информисање Републике Србије подржало је пројекте Катедре за етномузикологију ФМУ „Музичко наслеђе централног дела Косова и Метохије" и „Истраживање музичког наслеђа Срба у централном делу Косова и Метохије", а 2016. године снимање музичкофолклорног материјала је омогућено захваљујући материјалној подршци Ансамбла „Венац".

[3] Податке о музичкој и плесној пракси Албанаца пружили су нам: Дилавер К루езиу (Dilaver Kryeziu), претходни директор „Шоте", Скендер Тачи (Skender Thaqi), руководилац албанског ансамбла из Грачанице, Шефћет Ђоцај (Shefqet Gjocaj), директор „Шоте" од 2014. године, Уљбер Асланај (Ylber Asllanaj), уметнички директор „Шоте" и Џемал Бериша (Jamal Berisha), кореограф.

Мустафа Џемаљ (гитара) и Ерсад Буњаку (вокал). Ова два изођача негују „посебан, модеран" стил, базиран на реинтерпретацији, односно личним верзијама популарних ромских, српских, албанских и турских песама (претежно уз консултовање интернет мреже) и „компоновању мелодија, углавном жанровски прожимајућег, хибридног карактера" (Закић и Ранковић 2016: 69). Њихов репертоар се може окарактерисати као мултиетнички и мултижанровски, будући да успешно изводе музику на језицима различитих народа, која произилази из потребе за модерним и оригиналним представљањем.[4]

Малобројно хрватско становништво из Јањева било је веома расположено за комуникацију захваљујући католичком свештенику Матеју Палићу.[5] Његовим ангажовањем успоставиле смо контакт са породицом Родић и забележиле етнографске податке у вези са обредном праксом, као и неколико (доминантно двогласних) песама интерпретираних на специфичном локалном дијалекту.

Будући да информације добијене од појединих представника албанске, ромске и хрватске популације нису пружиле комплетније увиде у традиционалне облике музицирања ових етничких заједница,[6] у наведеним околностима теренски рад је кључно био базиран на испитивању српског музичког (донекле и плесног) наслеђа.

Након протеривања Срба из Приштине, после НАТО бомбардовања, један део становништва се преселио у Грачаницу, која је постала административно и културно седиште српске заједнице. Све установе које су значајне за функционисање Срба у овом делу Косова и Метохије налазе се у Грачаници и околним селима. Обилазак насеља у којима живе Срби на централном делу Косова и Метохије отежавала је чињеница да се ради о местима која нису груписана, већ су раштркана и помешана са албанским, тако да се налазе у својеврсним гетима. Без-

---

[4] Уз моћно емоционално деловање ромских музичара на публику у многим друштвима, косовским Ромима се нарочито приписује тежња ка разноликом репертоару, и у жанровском и у географски ширем – регионалном смислу, као и способност њиховог интерпретирања на разним језицима и на разним инструментима (Шире о томе, видети: Pettan 2010: 21–22)

[5] До НАТО бомбардовања у Јањеву је живело неколико хиљада Хрвата, а данас их има само пар стотина. Већина њих се одселила у село Кистање у Далмацији, у коме углавном живи српско становништво.

[6] Током боравка на Косову и Метохији покушале смо да успоставимо контакт и са турском мањином из Приштине, али она није била расположена за сарадњу.

беднијем боравку на терену и успостављању контаката са казивачима значајно је допринела сарадња са руководством и члановима Ансамбла народних игара и песама Косова и Метохије „Венац" у Грачаници.

Трогодишњи теренски рад подразумевао је опсежна и обухватна снимања музичкофолклорног материјала у 28 мултиетничких сеоских и урбаних насеља: Бабин Мост, Прилужје, Милошево, Племетина, Доња Брњица, Приштина, Косово Поље, Кузмин, Угљаре, Чаглавица, Ајвалија, Грачаница, Кишница, Лапље Село, Батусе, Радево, Лепина, Скуланево, Суви До, Ливађе, Јањево, Сушица, Доња Гуштерица, Добротин, Липљан, Рабовце, Бабљак и Урошевац (видети карту бр. 1).[7] При интервјуисању казивача (различитог генерацијског, родног и друштвеног профила) паралелно су текла аудио и видео снимања, а начињен је и велики број фотографија саговорника, обредних чинова, објеката и природних целина.

---

[7] Карту истражених насеља на централном делу Косова и Метохије израдио је Драгољуб Штрбац из Географског института „Јован Цвијић" САНУ.

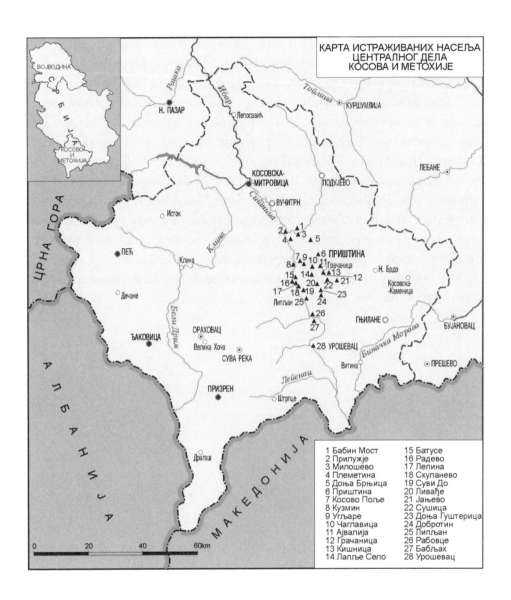

КАРТА ИСТРАЖИВАНИХ НАСЕЉА
ЦЕНТРАЛНОГ ДЕЛА
КОСОВА И МЕТОХИЈЕ

1 Бабин Мост	15 Батусе
2 Прилужје	16 Радево
3 Милошево	17 Лепина
4 Племетина	18 Скулањево
5 Доња Брњица	19 Суви До
6 Приштина	20 Ливађе
7 Косово Поље	21 Јањево
8 Кузмин	22 Сушица
9 Угљаре	23 Доња Гуштерица
10 Чаглавица	24 Добротин
11 Ајвалија	25 Липљан
12 Грачаница	26 Рабовце
13 Кишница	27 Бабљак
14 Лапље Село	28 Урошевац

16

2. ГЕОПОЛИТИЧКА И КУЛТУРНО-ИСТОРИЈСКА ОБЕЛЕЖЈА (ЦЕНТРАЛНОГ ДЕЛА) КОСОВА И МЕТОХИЈЕ

Сагледавањем просторне диспозиције Косова и Метохије, као и дијахронијског тока културно-историјских прилика, поставља се шири контекст у оквиру кога се развијала музичка пракса истраживане територије. Косово и Метохија има изузетно повољан геостратешки положај јер повезује путеве од долине Ибра ка Западној Морави, према Босни, Скопљу, Бугарској и јужно ка Солуну и Албанији. Таква позиција предодредила је историју читаве области, јер се „на томе сразмерно малом простору одиграло све оно што се десило на Балканском полуострву у целини" (Самарџић et al. 1989: 25). На овом ареалу су испреплетане интересне зоне великих сила заједно са сударом источне и западне цивилизације, које су базиране на потпуно различитим културним тековинама. Бурни историјски догађаји и сталне борбе за опстанак Срба дале су читавој територији митску димензију и значење српског Јерусалима. Зато је Косово и Метохија, више од било ког другог појма, „најскупља српска реч" (Бећковић: 1989) и инспирација научницима и уметницима различитих профила.[8]

Према научним и народним тумачењима, етимологија речи Косово произилази из словенске основе и потиче од имена птице **кос** (Радовановић 2008: 13). Томе у прилог говори податак да су у латинским документима из 1389. године коришћени називи *Campus turdorum* – шума

---

[8] Бројни уметници су стварали налазећи инспирацију у културном наслеђу Косова и Метохије, попут Стевана Ст. Мокрањца, Паје Јовановића, Надежде Петровић и других.

дроздова, и *Campus merularum* – шума косова (Нушић 1986: 10).[9] Назив Косово се први пут јавља после Косовске битке (Урошевић 1990: 1–3) и од тада, све до данас, подразумевао је различит географски оквир, што је углавном било условљено геополитичким приликама (Самарџић et al. 1989: 21). Термин Метохија такође се помиње у средњем веку и то као ознака за црквено имање, док у новом веку представља географску одредницу (Марковић 1970: 399; Самарџић et al. 1989: 32).[10]

Културна баштина Косова и Метохије темељи се на слојевитом наслеђу које су оставили становници овог подручја изложени сложеним друштвеним и политичким изазовима. У рано историјско доба територију данашње јужне српске покрајине насељавали су Дарданци, илирско племе које је од краја 1. века нове ере потпало под власт Римског царства (Papazoglu 1969: 17; Урошевић 1990: 19), у оквиру кога је то подручје названо Дарданија (Савић 2013: 230). Један од најважнијих центара Дарданије налазио се у градском насељу и рударском центру Улпијана (Ulpiana), чији се остаци и данас могу видети у близини Грачанице. Након поделе Римског царства ово насеље, као и све суседне области централног дела Косова и Метохије, припало је Византији (Урошевић 1990: 20).

Долазак Словена у област данашњег Косова и Метохије угрозио је Византију и везује се за 6. век нове ере, о чему сведоче топоними и археолошка налазишта из 11. века (Vukanović 1986a: 17; Самарџић et al. 1989: 26). Од 9, 10. и 11. века овај простор је представљао подручје на коме су се сучељавали и смењивали српски, бугарски и византијски политички и економски интереси (Самарџић et al. 1989: 27–28). На власти су најдуже опстали византијски освајачи, које су периодично притискали српски жупани покушавајући да остваре превласт. Стефан Немања је први српски владар који је средином 12. века освојио највећи део области и отпочео дуг период привредног и културног просперитета (Исто: 29). Лоза Немањића је доринела померању тежишта српске

---

[9] Као потенцијалне етимолошке корене Бранислав Нушић наводи и друге могућности, као што је глагол *косити*, али и име Самуилове ћерке Косаре, која је као Владимирова жена живела у Новом Брду (Нушић 1986: 10).

[10] Будући да су пашњаци и велики део обрадиве површине били у власништву Српске православне цркве, читава област је добила назив Метохија, „који долази од грчке речи *метох* која означава црквени посед" (Самарџић et al. 1989: 32). У средњем веку за Метохију се користио и назив Хвосно (Марковић 1970: 399).

државе из Раса на Косово и Метохију, где су подизали дворове, резиденције и задужбине (Vukanović 1986a: 30–32).

Привредни успон средњовековне српске државе одвијао се паралелно са освајањима краља Милутина, који је од 1282. до 1321. године проширио границе Србије припојивши јој Македонију и читаву северну Албанију са луком Драч, што је довело до досељавања већег броја Албанаца и мешања становништва. Цар Душан је додатно увећао царство све до реке Мат, заузимајући простор читаве Албаније (Самарџић et al. 1989: 37–38). У време њихове владавине градови на Косову и Метохији су постали средишта привредног развоја, посебно Призрен, Грачаница и Ново Брдо. Милутин и Душан су, попут својих претходника, наставили са ктиторском праксом, подржавајући на тај начин културни и верски живот. Број цркава, манастира, као и њихових земљишта био је импозантан, о чему говори податак да је планина Чичавица називана „Српска Света Гора" јер је на тој територији идентификовано 36 црквишта (Исто: 101). Поред верског значаја, православне богомоље представљају грађевине од изузетне културне вредности, посебно због архитектуре и развијеног фреско-сликарства. На осликаним зидовима цркава и манастира у оквиру религиозних призора налазе се и представе инструмената, међу којима је за средишњи део Косова и Метохије најзначајнија илустрација у манастиру Грачаница, где су у сцени „Страшног суда" насликани анђели који свирају дугачке рогове (Pejović 2005: 25, 105–106).

Велики значај за економски успон централног дела Косова и Метохије (и околних подручја) имало је рударство. Покренули су га Саси почетком 14. века, што је убрзало напредак насеља попут Новог Брда, Трепче, Јањева и других (Vukanović 1986a: 27–30; Čolak i Mažuran 2000: 16).[11] Поред рударства, у пероду процвата српске државе становништво се бавило и другим привредним гранама, као што су земљорадња, свињогојство, виноградарство, воћарство, пчеларство, занатство и трговина (Vukanović 1986a: 119–143). Многе од њих опстале су све до

---

[11] Становништво у близини рударских центара било је српско, али су у самим рудницима радили рудари који су долазили из различитих крајева Балкана. Међу њима је било католика из приморских насеља, као и Албанаца католичке вероисповести, те је у 14. и 15. веку „сваки рударски трг имао своју католичку парохију и једну или више католичких цркава" (Јастребов 1879: 143–176; Самарџић et al. 1989: 35–36; Радовановић 2008: 77).

данас, а посебно пчеларство, чији се значај огледа у развијеној обредној активности која обухвата специфичне музичко-поетске исказе током хватања пчелињег роја.

Висок степен просперитета средњовековног друштва зауставила је Душанова смрт (1355. године), те је настало време унутрашњих сукоба и борбе за власт. Њега су наследили цар Урош и краљ Вукашин све до Маричке битке 1371. године, након чега су подручје данашњег Косова и Метохије распарчале велможе, међу којима су били Никола Алтомановић, браћа Балшић, Вук Бранковић и кнез Лазар Хребељановић (Самарџић et al. 1989: 38–39). Од тог тренутка почело је урушавање српске државе и наступио је период вишевековне борбе за опстанак српске популације на овим просторима.

Слабљење српских позиција и јачање турског присуства на Косову и Метохији довело је до Косовске битке (15. јуна 1389. године), која представља прекретницу у српској историји, те се многи догађаји и појаве одређују према томе да ли су се десили пре или после Косовског боја (Љубинковић 2018: 67). Историчари претпостављају да је у бици, у оба противничка табора, учествовало око 30.000 војника, које је са српске стране предводио кнез Лазар, а са турске – султан Мурат I (Самарџић et al. 1989: 39). Борба се одвијала недалеко од Приштине и остала је упамћена по смрти оба владара и великом броју погинулих. Исход битке се различито тумачи у српској и турској историографији, сведочанствима, легендама и другим изворима, али је несумњиво да је након ње уследила пропаст српске државе, што сведочи о катастрофалним последицама које је овај сукоб оставио (Čelebi 1967: 267; Љубинковић 2018: 11).[12] Опеван као најзначајнији догађај у циљу опстанка српског националног идентита, Косовски бој у наредним вековима постаје централни мотив српске народне епске поезије.

Током наступајуће османске окупације уследила је подела данашње територије Косова и Метохије на три санџака: Вучитрнски, Призренски и Дукађински (Самарџић et al. 1989: 49), са потпуним избацивањем назива Метохија, прихваћеним до тада у стручној литератури и беле-

---

[12] Наступио је период турско-српског двовлашћа јер Вук Бранковић, који је преживео Косовски бој, није успео да одржи самосталност у владавини, те је 1392. године постао турски вазал (Самарџић et al. 1989: 40). Област Вука Бранковића је подељена на територијалне и управне целине – вилајете, а предео централног дела Косова и Метохије је припадао Приштинском вилајету (Исто: 49).

шкама путописаца (Радовановић 2008: 17).[13] Промене на демографском плану садржане у поступној исламизацији, а потом и албанизацији знатно преовлађујућег хришћанског становништва (Самарџић et al. 1989: 90–95, 115–126), указивале су на организовано и смишљено преобликовање верског и културног идентитета ове територије, са наслојавајућим садржајима исламске културе на постојеће вредности српске средњовековне државе. Такав мултикултурални „додир", почев од 16. века, резултирао је „оријенталном акултурацијом" и упливима источњачких елемената, између осталог и у српску музику доминантно градске провенијенције (Petrović 1974: 156–157; Милојевић 2004: 28, 32–39).[14]

Појачан талас исламизације, праћен насиљем над православним хришћанским становништвом и продором албанске популације на територију Косова и Метохије, довео је до тога да су Срби „постепено почели губити матичну земљу своје цивилизације, средиште своје средњевековне државе и језгро свога националног простора" (Самарџић et al. 1989: 127–128). Тежак живот под турском окупацијом резултирао је побунама које су Срби спровели током Бечког рата (1683–1699), подржавајући на тај начин Аустроугарску. Међутим, почетне победе у борбама су угушене, а Турци су спровели одмазду након које је уследила Прва велика сеоба Срба (Vukanović 1986a: 170; Самарџић et al. 1989: 130). Патријарх Арсеније III Чарнојевић успео је да издејствује посебан статус за становништво са Косова и Метохије које је 1690. године превео у Хабзбуршку монархију (Vukanović 1986a: 170). Наредни устанак Срба у оквиру новог Аустро-турског рата (1737–1739) имао је такође катастрофалне последице праћене новим егзодусом Срба током њихове Друге велике сеобе (Исто). Обе сеобе српског живља искористила су албанска племена из брдских крајева која су населила територију Косова и Метохије, а касније примила ислам и временом преузела

---

[13] Назив Метохија је поново актуелизован после балканских ратова (Радовановић 2008: 17).

[14] У етномузикологији су различити формацијски и музичко-поетски елементи тумачени као турско-источњачки утицаји и испољавају се у репертоару, употреби оријенталних инструмената, певању уз окретање тепсије, употреби одређених лексема, као и присуству тоналних основа макама са честом прекомерном секундом и израженом мелизматиком (Милојевић 2004: 28, 34–39). Поводом импортовања елемената из других културних сфера у српске музичке идиоме, Милојевић оставља и забелешку о мелодији која „може и треба да игра улогу у аргументацији национално-политичких факата" (Исто: 24).

многе управне функције (Урошевић 1990: 21). Процес верске конверзије био је изражен и код једног дела Срба који су ради опстанка на матичном простору исламизовани, а након тога албанизовани (Самарџић et al. 1989: 143–144). Процес „етничког претакања Срба у Арбанасе" нарочито је био изражен у периоду од 17. до 19. века, што је довело до значајне улоге српске популације у етногенези косовских Албанаца (Vukanović I 1986: 172–173).

Почетком 19. века, после формирања Кнежевине Србије, предео Косова и Метохије означаван је појмом „Стара Србија", којим су страни и домаћи истраживачи мапирали историјско и цивилизацијско средиште Србије које је остало под османском влашћу, за разлику од новопрокламованог политичког оквира у Шумадији и околним територијама „Нове Србије" (Вемић 2005: 21; Терзић 2012: 9).[15] Поред тога, српско именовање одређених предеоних целина било је заступљено упоредо са називима које су Турци користили за своје управне јединице. Изненађује податак да је употреба српских термина за поједине географске појмове чешће била заступљена код европских картографа и путописаца него код српских (Терзић 2012: 19), што говори о томе да су постојале „доста магловите представе о српском народу на југу, чак прилична збрка у политичким, географским и етнографским појмовима" (Исто: 21).

Упркос неповољној геополитичкој ситуацији, процесима исламизације и албанизације, све до краја 19. века српско становништво је било већинско на подручју Косова и Метохије (Самарџић et al. 1989: 192–193). Његов опстанак на овим просторима подстакло је обнављање просветног и верског живота, а посебно установљавање Богословије у Призрену 1871. године (Исто: 199, 202–203). Нарочита заслуга за оснивање и опстанак Призренске богословије приписује се руском конзулу, знаменитом дипломати, историчару, етнографу и археологу Ивану Степановичу Јастребову (Иван Степанович Ястребов 1839–1894), који

---

[15] Бавећи се појмом Стара Србија, историчар Славенко Терзић наглашава да се ради о називу који „носи у себи сву драматику целе српске историје: од самог настанка имена, постепеног ширења и обликовања представа и знања о овој српској земљи у домаћој и иностраној стручној широј јавности током 19. и почетком 20. века – до постепеног нестајања имена и његове замене другим административно-управним или политичким именима. Срби су као народ склони да не само лако напуштају своја стара огњишта него и да брзо прихватају туђа имена својих земаља и области" (Терзић 2012: 17).

је посебно занимање показао за усмено народно стваралаштво становништва Старе Србије. Његово етнографско дело *Обичаји и йесме Срба у Турској* (*Обычаи и пѣсни турецкихъ Сербовъ*), публиковано у Петербургу 1886. године (у допуњеној верзији 1889. године), „представља право сведочанство изузетне посвећености и минуциозности овог записивача, чији методолошки приступ бележењу текстова лирских и епских песама је пропраћен дескрипцијом контекста њиховог извођења" у историјским околностима друге половине 19. века (Закић 2018а: 12).

Поред тога, важан моменат за српску заједницу представљало је отварање српског конзулата у Приштини 1889. године (Самарџић et al. 1989: 203), у коме је један од конзула био књижевник Бранислав Нушић. Свој боравак у овом делу Старе Србије он је користио не само за дипломатску активност већ и за прикупљање етнографске грађе коју је објавио у монографији антропогеографског и етнолошког карактера (Нушић 1986). Посебно је значајна чињеница да је захваљујући Нушићевој помоћи Мокрањац боравио у Приштини 1896. године, када је забележио прве нотне записе косовскометохијских песама (Мокрањац 1996).

У светлу догађаја који су обележили крај 19. века, важно место заузима промена аустроугарске политике према Србији, која је јачала и тиме потенцијално „угрожавала" империјалистичке жеље моћне монархије. Аустроугарско-српски антагонизам заснивао се на борби за примат у Косовском вилајету, што је условило интензивну дипломатску активност обе стране (Стојанчевић 1967: 868–873).[16] Интересовање Србије за стање у косовскометохијском подручју, а нарочито подршка Србима који настањују поменуте пределе, у аустроугарским круговима је тумачено као „продор великосрпске пропаганде" (Исто: 851).

Почетком 20. века уследили су догађаји који су били од изузетног значаја за даљу судбину српског народа који је живео на територијама под османском управом. Током 1912. године успостављен је савез између Србије, Бугарске, Грчке и Црне Горе, чији је циљ био коначно ослобођење хришћанског становништва од турске окупације.[17] Велике

---

[16] Краљ Милан је 1881. године потписао акт који је био део тајне конвенције са Аустроугарском, према којој се Србија обавезала да неће ширити своје границе ка југу (Самарџић et al. 1989: 232).

[17] Пре почетка Првог балканског рата, српска дипломатија је организовала тајну мисију на Косову и Метохији у којој су учествовали обавештајни официри Драгутин Димитријевић Апис и Божин Симић. Они су покушавали да наговоре

силе су подржале унију балканских земаља, јер је Аустроугарска пројектовала турску победу и слабљење српских позиција. Међутим, исте године Косово и Метохија су ослобођени вишевековног отоманског ропства, а српска војска је у борбеном налету напредовала све до Јадранског мора.[18] Победу српских снага Албанци нису доживели као и остали народи, јер су имали друге циљеве – стварање сопствене државе (Hasani 1986: 67; Урошевић 1990: 22).[19]

После балканских ратова уследио је Први светски рат, који је донео нова савезништва међу великим силама и ширење албанског антагонизма према Србима. У време аустроугарског поробљавања Србије, Косово и Метохија је подељено у две окупационе зоне: „Метохија је ушла у Генерални гуверман Црна Гора, а мањи део Косова са Косовском Митровицом и Вучитрном у Генерални гуверман Србија“. Највећи део територије (Приштина, Призрен, Гњилане, Урошевац, Ораховац) постао је део „бугарске војно-инспекцијске области Македонија“ (Самарџић et al. 1989: 297). Улога Албанаца током Великог рата била је углавном исказана кроз нападе и непријатељства којима је наношена штета српским цивилима и војсци (Исто: 295).[20]

Након пробоја Солунског фронта Косово и Метохију су ослободиле српска и француска војска потпомогнуте устанцима локалног становништва (Богдановић 1986: 143). Победом Србије у Великом рату и формирањем Краљевине Срба, Хрвата и Словенаца 1. децембра 1918. године (а од 1919. године Југославије), Косово и Метохија су постали део нове државе (Самарџић et al. 1989: 299). Међутим, питање разграничења са Албанијом још дуго је било део преговора, све до 1926. го-

---

албанске прваке да у рату који се припрема не учествују у борбама против хришћана. Њима је нуђен „уговор о заједници Срба и Арбанаса у косовском вилајету“ којим су гарантована сва права која се односе на вероисповест, употребу језика, чување обичајног права, управа у срезовима итд. Међутим, Албанци су одбили српску понуду и стали у одбрану османске државе (Самарџић et al. 1989: 281–282).

[18] Нажалост, моћним државама тог времена није одговарало да Србија добије овако важан геостратешки положај, па су српске снаге морале да напусте део освојених територија (Терзић 2012: 235).

[19] Албанија је формирана у Валони 1912. године, када је изабрана влада на челу са Исмаилом Ћемалијем, док је за владара постављен немачки принц Вилхелм фон Вид (Hasani 1986: 68).

[20] Есад-паша је у Албанији издао проглас да локално становништво помогне српској војсци. Међутим, у областима где се његова власт није простирала „српска војска је морала оружјем да крчи пут према Јадрану“ (Самарџић et al. 1989: 296).

дине, када су успостављене актуелне границе (Богдановић 1986: 181). Новоформирану Краљевину СХС Албанци нису доживљавали као своју државу и покренули су „качачки покрет", који је угушен 1920. године (Hasani 1986: 77–78).[21] Антијугословенске идеје ширила је Комунистичка интернационала, као и Комунистичка партија Југославије, јер су Коминтерна и Стаљин пласирали тезу о „великосрпском хегемонијализму".[22] Комунистички покрет је дефинисао Југославију као „версајску и империјалистичку творевину" која је заузела туђе области: албанске, бугарске и мађарске (Самарџић et al. 1989: 369). У том светлу је ослобођење Косова и Метохије сагледавано као „анексија албанских територија", а балкански ратови су проглашени за освајачке (Исто: 370). Тако је отпочела још једна у низу агитација које су током 20. века постале политичка парадигма којом је требало потпуно избрисати вишевековно српско присуство на овом подручју.

Капитулација Југославије (током Другог светског рата) код косовских Албанаца је примљена са одушевљењем, јер су у овим догађајима видели могућност за интеграцију са Албанијом (Богдановић 1986: 199). Фашистичке власти су територију Косова и Метохије поделиле на немачку, бугарску и италијанску интересну сферу.[23] Према историјским подацима, Албанци су уз прећутну сагласност окупационих снага само током 1943. и 1944. године протерали око 100.000 Срба и спалили и уништили више хиљада српских домова, цркава и манастира (Самарџић et al. 1989: 312–318).[24]

---

[21] У исто време, Турци и Албанци су мигрирали у Турску бојећи се освете због недела која су починили над Србима (као и из економских и верских разлога). Међутим, након рата злочинци су остали некажњени, а амнестирани су чак и чланови качачке терористичке организације (Самарџић et al. 1989: 303).

[22] Стаљин је Југославију сматрао империјалистичком творевином која је „настала на ратном насиљу", са границама које нису коначне. Претпоставља се да је овакав став довео до одлуке југословенских комуниста о распарчавању земље и стварању федерације. Поред тога, комунистичка партија се отворено залагала за уједињење Косова и Метохије са Албанијом (Самарџић et al. 1989: 368, 370).

[23] Немачка утицајна сфера подразумевала је Косовскомитровачки, Вучитрнски и Лапски срез укључујући и рудник Трепчу (Borković 1979: 230). Бугарска је контролисала Гњилански срез, Витину, Качаник и Сиринићку жупу, у којима је било најмање злочина над Србима (Самарџић et al. 1989 311). Највећи терор је спроведен у зони која је припала Италијанима и обухватала Метохију и један део Косова.

[24] Најмасовнији вид организованог отпора представљала је Народноослободилачка борба, у којој су, на основу сазнања која пружа референтна литература,

Завршетак Другог светског рата није довео до међунационалног помирења и јачања културних односа између Срба и Албанаца. Томе је умногоме допринело спровођење комунистичке идеологије на подручју Косова и Метохије које је оставило катастрофалне последице по локално српско становништво. Забрањен је повратак прогнаним Србима или им је конфискована земља на коју је илегално насељено 72.000–75.000 Албанаца. Поред тога, комунистичко вођство је показивало благонаклоност према албанској мањини, те су фашисти, као и после Првог светског рата, избегли казну за злочине почињене над Србима (Самарџић et al. 1989: 328–329).

Током послератног периода однос између Срба и Албанаца био је окосница политичког живота на Косову и Метохији. Поред спољашњих утицаја на политичке прилике у овој области,[25] може се говорити и о унутрашњим факторима који су дестабилизовали Србију и слабили њене позиције, дајући примат албанској страни. Ради се углавном о одлукама комунистичке власти у којима су Срби фигурирали, одобравајући чак и оне потезе који су били погубни по српску популацију. Један од њих је одређивање статуса аутономних покрајина у оквиру Србије која је одмах након рата (1945. године) у оквиру својих граница добила две самосталне територијалне и управне јединице: Војводину и Косовскометохијску област (Самарџић et al. 1989: 381, 383).[26]

О тешком положају становништва у овом периоду сведоче и белешке етномузиколога Миодрага Васиљевића током његовог теренског рада на Косову и Метохији: „Ужасан рат оставио је многе мајке и сестре у црно завијене, али су певачи ипак певали – да би и тиме показали своју љубав према отаџбини. А таквих певача било је доста на терену.

учествовали углавном Срби. Тек пред крај рата, када је било евидентно да ће фашизам као идеолошки оквир бити поражен, Албанци су се прикључили партизанском покрету (Самарџић et al. 1989: 320).

[25] Идеје Албанаца за формирање јединствене државе биле су потпомогнуте деловањем Албаније и Енвера Хоџе као актуелног председника. Југословенски комуниста Синан Хасани забележио је да се Енвер Хоџа „1936. године на гробу Баје Топалија, борца из албанског препорода, заклео да ће учинити све да уједини сав албански народ" (Hasani 1986: 59).

[26] Претпоставља се да је решавање питања мањина кроз формирање покрајина било само параван за слабљење Србије и неутралисање „великосрпског хегемонизма". Управо иза ове синтагме криле су се бројне антисрпске одлуке албанског и југословенског комунистичког руководства (Богдановић 1986: 237–238).

...Када отпочну да певају, њима често необично засијају очи и почну да плачу. Ако је мелограф добар певач па их поведе за собом, ако их охрабри, долази до још теже туге, која се не може објаснити, и најзад до тешких и срдачних растанака, који се дуго памте" (Васиљевић 1950: 7, 8).

Статус аутономних територија у оквиру Србије подигнут је на виши ниво уставним законима из 1953. године. Овим документима обе области су добиле исту организациону структуру и права, с тим што су другачије именоване – Војводина је била аутономна покрајина, док је јужно српско подручје и даље означавано као „Косовскометохијска област" (Богдановић 1986: 240–241). Усклађивање назива обеју покрајина остварено је Уставом из 1963. године, када су и у дефиницији статуса обе добиле иста права као и Република Србија (Исто). Шест година касније (1969. године) из назива покрајине избачен је термин Метохија, а име Шиптар замењено термином „Албанац", како би се успоставила корелација са државом Албанијом. Од тада је уведена идентификација са албанском заставом и тоскијским дијалектом, који је ушао у ширу употребу (Самарџић et al. 1989: 334).

Слабљење српске власти на Косову и Метохији додатно је подстицано различитим државним одлукама. Уставом из 1974. године Србија није могла да верификује своје законе без сагласности покрајина, које су добиле потпуну судску аутономију у односу на Врховни суд Србије (Исто: 387). Јачање полицентризма довело је до „институционалне субверзије" у функционисању СФРЈ и до разбијања јединства земље (Митровић 2010: 641).[27] Истовремено су Албанци у широј јавности пласирали дезинформације о сопственој националној, економској и политичкој потлачености, иако су највећа културна и економска улагања у послератном периоду била усмерена управо ка овом подручју (Богдановић 1986: 242–243).[28] Томе у прилог говори и чињеница да је

---

[27] Паралелно са процесом одузимања легитимитета Србији у јужној покрајини, међу Албанцима је порастао број чланова Комунистичке партије, од неколико десетина на крају рата до 100.000 осамдесетих година прошлог века. Бројност Албанаца у комунистичким редовима омогућила је легализацију етничког чишћења Срба, који су најчешће прогоњени у конструисаним процесима као противници система (Самарџић et al. 1989: 355).

[28] Након Другог светског рата на Косову и Метохији је основан Универзитет у Приштини, формирана је Академија наука и уметности Косова, а економска улагања Фонда за неразвијена подручја била су највећа управо на овој територији (Богдановић 1986: 242–243).

1964. године у Приштини формиран професионални фолклорни ансамбл под називом „Шота", на чијем програму је доминирала музичка и плесна традиција албанског народа. Овим чином је конституисана четврта државна институција која се у Југославији бавила очувањем традиционалне музике.[29]

Вишедеценијско урушавање позиција Србије и охрабривање покрајинске самосталности довело је до организовања побуне Албанаца 1968. године, након чега су уследили различити облици притисака на хришћанско и неалбанско становништво (Богдановић 1986: 248). Нови протести спроведени су 11. марта 1981. године, када су демонстранти захтевали самосталност Косова и његово уједињење са Албанијом (Hasani 1986: 29). Иза протеста су стајале Марксистичко-лењинистичка партија Албанаца са подршком из Тиране и иредентистичке организације Албанаца из западноевропских земаља (Исто: 35). Међутим, не треба занемарити ни локално антисрпско расположење и жељу за отцепљењем која је исказана у пароли „Косово – република" (Богдановић 1986: 250).

Антисрпска политика која је вођена од стране самог врха југословенске власти резултовала је убрзаним исељавањем Срба после Другог светског рата. У периоду од 1966. до 1988. године 220.000 људи је напустило покрајину, док је истовремено насељен велики број политичких емиграната из Албаније којима је подељена српска земља и имовина (Самарџић et al. 1989: 343).[30] Интересантно је како је политичка ситуација на Косову и Метохији имала специфичну медијску интерпретацију. Изостанак осуде иредентизма у Југославији збунио је и међународну јавност, којој је исељавање Срба представљено као последица економских миграција, док су Албанци означени као једини народ који има историјски континуитет у јужној српској покрајини (Исто: 345–437). Будући да остали југословенски народи нису разумели контекст у коме се одвијају албанско-српски односи, било је готово немогуће очекивати

---

[29] Током 1948. године у Београду је основан асамбл „Коло", а 1949. су покренути „Ладо" у Загребу и „Танец" у Скопљу.

[30] Драматично смањење српског становништва на Косову и Метохији може се пратити на основу података Завода за статистику. Пред Други светски рат на Косову и Метохији је било нешто мање од 50% Срба, 1953. године 27, 9%, 1961, 27,5%, 1971. 20, 9%, 1981. 14,9%, а 1988 10%. Упоредо са исељавањем Срба број Албанаца је за 43 послератне године порастао 495% (Самарџић et al. 1989: 348–349).

солидарност од стране светских медијских и политичких кругова (Исто: 353).

Лоши међунационални односи и латентни притисци на српско становништво довели су до протеста Срба у Косову Пољу октобра 1985. године и потписивања петиције којом се од државних органа захтевало решење косовскометохијске кризе и заустављање албанског насиља.[31] Тек тада почиње заокрет српске политике према Косову и Метохији, што је окончано преузимањем контроле над овом територијом уставним реформама из 1990. године, којима је покрајинама одузет елемент државности (Митровић 2010: 641). Промена политичког курса била је видљива у оквиру различитих сфера јавног живота, као на пример преименовање назива ансамбла „Шота" у „Венац" током 1993. године. Недовољно разумевање косовскометохијске ситуације и наметање глобализације као „новог појавног објекта колонијализма и империјализма" (Бован 2-010: 133) узроковали су НАТО бомбардовање Србије 1999. године без одлуке Савета безбедности ОУН (Шуваковић 2010: 936). Magnum crimen и magnum irinuia представљају велики злочин над српским народом који је оправдан лицемерним хуманизмом и „спровођењем концепта о супрематији људских права над правом остваривања државног суверенитета" (Исто: 923). Ефекат бомбардовања био је одузимање суверенитета Србији над делом територије и увођење привремене управе ОУН, што је изазвало исељавање неалбанског живља (Исто: 637).[32] Све српске државне институције у најугроженијим деловима Косова и Метохије изместиле су своја средишта на територију централне Србије.

---

[31] Окупљања Срба пред Савезном скупштином током 1986. и у Косову Пољу 1987. године скренула су пажњу широј јавности на постојеће проблеме, а косовска драма трајала је све до 1989. године (Самарџић et al. 1989: 349–352). Уследила је подршка косовскометохијским Србима исказана у демонстрацијама у Београду и другим српским срединама током 1989. године (Исто: 355).

[32] Нажалост, међународне снаге безбедности нису успеле да гарантују мир и сигурност неалбанском становништву, а посебно Србима, чија су страдања настављена (Марковић 2010: 490). О томе најбоље сведочи погром над српском мањином марта месеца 2004. године, када су током координираних напада Срби протерани из многих насеља, а њихове куће су спаљене и опљачкане. Поред физичког уништења народа, рушењем 100 православних храмова током напада исказана је тежња ка затирању културних трагова које је српска заједница вековима градила на Косову и Метохији (Митровић 2010: 641).

Једнострано проглашење независности Косова 2008. године наишло је на одобравање дела међународне заједнице, која је низом политичких одлука допринела овом чину (Марковић 2010: 490). Признавањем Косова као самосталне државе одобрено је стварање моноетничке територије (Гаљак 2010: 212)[33] и егзодус неалбанског становништва (Миливојевић 2010: 571). Поред тога, нарушени су међунационални односи у којима је етнички и посебно верски елемент постао линија раздвајања која се тешко превазилази.[34] Будући да су идентитетске границе оштре, културне матрице се развијају и обликују независно, нарочито на релацији српске и албанске популације.

---

[33] Према доступним истраживањима, на Косову и Метохији од 2.100.000 становника тренутно има 89,5% Албанаца, 6,3% Срба, и 4,2% посто осталих, односно Рома Турака, Горанаца и Ашкалија (Гаљак 2010: 212).

[34] Интеркултурална сарадња Срба и Рома на централном делу Косова и Метохије добила је потпуно нову димензију након 1999. године. На основу података које су пружили чланови ромске заједнице из Грачанице, Роми су прослављали поједине православне празнике као што су Василица и Ђурђевдан. Међутим, после НАТО бомбардовања и боравка у избеглиштву у западноевропским земљама они су исламизовани. Религијска идентификација са исламском идеологијом „уз прослављање Курбан-бајрама резултирала је подвојеним обичајним деловањем ромског и српског становништва, ближој сарадњи Рома са албанском заједницом и њиховим својеврсним отклоном од Срба на овом простору" (Закић и Ранковић 2016: 69).

3. МЕТОДОЛОГИЈА НАУЧНОИСТРАЖИВАЧКОГ РАДА

Почетни истраживачки подухвати ауторки овог рада вођени су идејом о испитивању музичког фолклора свих етничких заједница у централном делу Косова и Метохије. Но, будући да и поред бројних покушаја ову идеју није било могуће (у потпуности) реализовати (из разлога наведених у уводном сегменту студије), ток истраживачког процеса је усмерен на музичку традицију Срба на поменутој територији.

Тер
нски рад, у периоду од 2015. до 2017. године, обухватао је испитивање комплетног музичког наслеђа српског становништва у свим насељима средишњег дела Косова и Метохије. Увиди о инструменталној пракси сводили су се, притом, углавном на наративе казивача о некадашњој примени традиционалних инструмената, чија апострофирања овом приликом доприносе употпуњавању историјског етноорганолошког мозаика на широј територији Косова и Метохије.

Најбројнији су помени о *дудуку* и *дудучету* (дужој и краћој свирали) и њиховој честој заступљености на сеоским играннкама одржаваним све до 60-их година прошлог века на отвореном простору – у центру села, или у близини манастира).[35] Нису ретки ни помени о *кавалу*, који казивачи из Грачанице, Угљара, Лепине и Прилужја памте као пастирски инструмент, уз чију пратњу су извођене и „старовремачке” песме, углавном на славама.[36] Улогу чобанског инструмента имала

---

[35] Међу извођачима на овим инструментима, казивачи су посебно указивали на умешност Љубомира Јовановића, који је сам израђивао дудук и свирао на њему до свог недавног упокојења.

[36] Стојан Максимовић из Грачанице памти да су његови стричеви Радомир Максимовић (рођен 1900. у Добротину) и Новица Максимовић (рођен 1929. у Добротину)

је и *борузана* (свирала од врбове коре са писком од трске), практикована у Грачаници.[37] Сасвим спорадичним подацима о некадашњој пракси свирања на *гуслама* у Лепини, Прилужју и Племетини прикључују се и сећања о вокалном интерпретирању епских песама без инструменталне пратње у Грачаници.[38] Раритетан помен о специфичном вокално-инструменталном маниру „певања уз окретање тепсије”, практикованом на седељкама, забележен је од казивачице у Племетини.[39] Изузетност се сагледава и у позиционирању женског субјекта као носиоца ове извођачке технике, с обзиром на јасну доминантност и неупоредиво већу видљивост мушких репрезентаната инструменталног начина изражавања.

Сагласно општим подацима, све до 50-их/60-их година 20. века главно учешће на народним весељима имали су ромски ансамбли *сурли* и *гочева*,[40] који су били обавезна пратња *мушког кола*. И сȃм назив овог

---

[37] свирали на кавалу, што пропраћа следећим речима: „Мој стриц Рада је до пре 27 година био жив и правио сам кавал (...) Ја сам слушао стрица Новицу, који је умро пре 7-8 година. Он је свирао у кавал сȃм кад је чувао козе и овце (...) На слави је свирао песме и пратио мушкарце и жене кад певају и то до 60-их година, а после нешто мање, али до краја живота. Новица је дуго свирао кавал, и после његове смрти нико се није заинтересовао” (транскрипт интервјуа са Стојаном Максимовићем, 5. 9. 2015, Грачаница). Према речима Новице Китића из Угљара, у његовом селу је раније живео свирач на кавалу Јордан Петровић. Новица и Чедомир Младеновић из Лепине сведоче да је њихов отац свирао кавал „са комшијом Гигом”. Један кавал је „водио”, а други га је „пратио”. „Отац је кавал свирао увече, а посебно на славама” (транскрипт интервјуа са Новицом и Чедомиром Младеновићем, 15. 6. 2016, Ливаже). Јелица Ракић из Прилужја памти да је њен отац Тодор Војиновић, који је живео до 1984. године, свирао кавал и гусле, и да је на кавалу пратио песме извођене на Бадње вече.

[37] Израду ове свирале Стојан Максимовић описује на следећи начин: „Оꙡуштиш кору од врбе и навијеш као цевку (...), само намоташ и ставиш писку од трске. Ми смо је звали борузана (...), биле су од можда 15-20 сантима до пола метра. То сам и ја правио по козе и по овце” (транскрипт интервјуа са Стојаном Максимовићем, 5. 9. 2015, Грачаница).

[38] Стојан Максимовић напомиње: „Било је гусала са једном струном, али староседеоци Косовци слабо су се интересовали. Пантим да је мој отац певао 'јуначке песме' о Вујадину, Краљевићу Марку на породичним окупљањима” (транскрипт интервјуа са Стојаном Максимовићем, 5. 9. 2015, Грачаница).

[39] Драгица Данчетовић се сећа да је њена мајка окретала тепсију од бакра „на соври” и певала, при чему јој је омиљена песма била „Ангелин девојче, што си наљућено?”.

[40] Према исказу Стојана Максимовића из Грачанице, инструменталне саставе сурли и гочева чинили су Роми који су углавном долазили из Приштине и Јањева,

важног сегмента плесног наслеђа сведочи о дотадашњој пракси родно одвојених игара у сеоским насељима средишњег дела Косова и Метохије, које су потом преконституисане у форму заједничког учешћа мушкараца и жена.[41] Улогу ових инструменталних састава преузели су затим ромски трубачки оркестри[42] (углавном из суседних области), а убрзо и ансамбли мешовитог типа уз обавезно присуство *хармонике* и *баса*, са повременим укључивањем *кланета* и *ћемана*. За разлику од других инструмената у рукама ромских извођача, Срби су тек појавом хармонике почели јавно да свирају, најпре на црквеним саборима (од Качаника до Митровице), потом и на свадбама, испраћајима у војску, прослављању рођендана и на игранкама.

Браћа Новица и Чедомир Младеновић из Лепине, који су били активни свирачи на поменутим весељима све до пре десетак година, указивали су на интензивнију примену хармонике од средине 20. века, као и на устаљеност репертоара на народним игранкама који је неизоставно обухватао извођење *мушког кола*, *моравца*, *Жикиног кола*, *ужичког кола*, *чачка*, *бугарке*, *руске иловке* (*казачока* – популарног непосредно након Другог светског рата). Од 60-их година 20. века игранке су организоване по школама, задружним домовима, обично суботом или недељом у вечерњим часовима, као и током црквених празника. Од 70-их година, на овим игранкама све је учесталије присуство озвучених „модерних" ансамбала, у саставу хармонике, гитаре, бубња (и виолине). Поред традиционалних српских игара, албанске *шоте* (која се изводила до 90-их година 20. века),[43] и, према појединачним казивањима

мада је и у Грачаници деловао ромски оркестар у коме су свирали Бајрам, Рамиз и Радин. Срби нису музицирали на овим инструментима, што потврђују и речи Новице Младеновића из Ливађа да је „било срамота Србин да свира, то је био цигански пос'о" (транскрипт интервјуа са Новицом Младеновићем, 5. 6. 2016, Ливађе).

[41] Успостављање овакве форме подразумевало је, најпре, повезивање играча посредним путем – преко марамице у њиховим уздигнутим рукама.

[42] Трубачи су били посебно омиљени на народним светковањима, што потврђују и речи Видосаве Нићић из Чаглавице: „Кад узну да свирају, срце да искочи" (транскрипт интервјуа са Видосавом Нићић, 4. 9. 2015, Чаглавица).

[43] Због кризне политичке ситуације и ратних сукоба, а нарочито због негативне конотације приписиване српском становништву од стране Албанаца поводом наводног настанка *шоте*, Срби на истраживаном подручју нерадо помињу ову игру, чији завршетак је био праћен чином паљења марамице у рукама коловође. Видети: https://sh.wikipedia.org/wiki/Šota_(igra) Датум последњег приступа: 26. 7. 2019.

– игре *ала ūурка*,[44] њихов репертоар обухватао је и плесове западне провенијенције, као и мелодије популарних домаћих и иностраних рок група.[45] Тиме је постојећи мултиетнички програмски профил ових игранки добио изразитију мултикултуралну и мултижанровску димензију.

С обзиром на то да су игранке представљале главни вид забаве у народном животу Срба, не изненађују подаци о њиховој изузетној посећености од стране припадника различитих генерација. На њима су спорадично присуствовали Роми, док их Албанци никад нису посећивали.

Отварање првих дискотека и кафића у последњој деценији 20. века, као нових места за окупљање младих, значило је и престанак српских народних игранки у насељима средишњег дела Косова и Метохије.

Поред забележене етнографске грађе, резултати наших истраживања указали су на (готово) потпуни нестанак традиционалне инструменталне праксе у садашњем тренутку. Изузетак у том смислу су теренски снимци музицирања на хармоници и контрабасу, којим је уз песму и игру обележаван чин црквеног венчања у Грачаници.

Домен вокалне праксе показао се знатно очуванијим, жанровски разноврсним и по обиму и вредности материјала сврсисходним за дубље етномузиколошко разматрање. Забележене песме мањим делом су

---

[44] Поред ове игре, Младен Караџић из Лапљег Села памти да су Срби изводили и турску игру *врūи īа īајūон* (чије значење му није познато), што пропраћа речима: „Клекнеш на колена па играш" (транскрипт интервјуа са Младеном Караџићем, 7. 9. 2015, Лапље Село).

[45] Један од таквих новооснованих „бендова" био је и ансамбл „Синкопе" у Грачаници (у коме су деловали виолиниста Новица Арсић, гитариста Славко Максимовић, бубњар Ненад Костић). Према речима Љубомира Максимовића, „игранка је почињала недељом, у 21 сат. Прво се свирало *мушко коло*, затим *чачак* и *ужичко коло*. Ове игре су се изводиле пола сата, а после краће паузе играо се твист (...), понекад и валцер. Изводили смо и репертоар 'Ролинг Стоунса', 'Битлса', 'Бијелог дугмета', 'Корни групе', 'Ју групе'. Игранка се завршавала народним колом, око један сат после поноћи. Последње коло је било *моравац*. Овако конциписане игранке су се понављале наредних дана у другим селима: Косову Пољу, Прилужју, Липљану. Игранке су биле посећене. Улазнице у минималном новчаном износу биле су обавезне" (транскрипт интервјуа са Љубомиром Максимовићем, 5. 9. 2015, Грачаница). Назначени турски и плесови западног порекла одговарају концептима *алаūурка* и *алафранīа*, под којима се подразумева дистинктивност ових социокултурних пракси као видљиво обележје балканских земаља (Pettan 2010: 115, 116).

продукт само сећања старијих мештана на некадашње обредне вокалне форме, попут песама извођених у контексту обредног љуљања, додолског и крстоношког обреда, делимично и током чина „ројења пчела".[46] У већој мери регистровани вокални облици представљају и део актуелне народне праксе, као што су божићне, свадбене, славске песме и песме љубавне тематике. Међу поменутим жанровима, песме уз љуљање, додолске и већим делом свадбене – интерпретиране су од стране женског дела популације, крстоношке – од мушких чланова заједнице, док извођење осталих вокалних жанрова није родно детерминисано.

У изналажењу адекватних метода теренског испитивања музичког фолклора средишњег дела Косова и Метохије, у периоду од 2015. до 2017. године, примењиване су основне технике засноване на појединачним и групним (полу)структурисаним и слободним интервјуима. Различити видови интервјуа пратили су ток истраживачког процеса, од рекогносцирања терена и екстензивног типа истраживања „са краћим боравцима на већем броју локалитета" (Pettan 2010: 193), ка интензивном типу истраживања са дужим борављењем на једном локалитету (Исто). Тиме су првобитни квантитативни подаци, добијани током више или мање усмерених интервјуа, употпуњавани квалитативним подацима у слободнијој конверзацији са испитаницима. Квантитативни поступак у датим случајевима доминантно је подразумевао статистичко бележење етнографске и музичке грађе, тиме и неутралнију позицију истраживача, док је квалитативни приступ водио ка дубљем спознавању значења музике у одређеним контекстуалним ситуацијама, те активнијем учешћу истраживача у комуникацији са испитиваним субјектима. Смештањем музичког знања у оквир друштвеноисторијског и културног контекста, добијени подаци се свакако могу сматрати богатијим, животнијим, потенцијално веродостојнијим, будући да су окренути „ка људском искуству као доживљеном свету" (Marinković 2008: 142, 144). У исто време, интензиван истраживачки приступ – праћен и методом поновљеног истраживања спровођеном у многим насељима у циљу обухватнијег сагледавања музичких појава и бележења нових

---

[46] Казивачи се не сећају лазаричких песама, будући да су учешће у овим поворкама већ од првих деценија 20. века преузеле Ромкиње, углавном из Приштине, Грачанице и Јањева, које су до 80-их година 20. века обилазиле домове уз песму („Играј, играј, лазарко / ова кућа богата / са стотину дуката"), праћену „ударањем у дефт", и игру „мале лазарице". О томе, видети и: Јанковић 1936: 2.

података – показао се као изузетно делотворан у превазилажењу дистанце између испитивача и испитиваних субјеката. Успостављање таквих рефлексивних релација, сагласно постулатима савремене „рефлексивне" парадигме етномузикологије (Rice 2010; Cooley and Barz 2008: 19; Cook 2008), наговештене општим концептом „интерпретативне парадигме" – као делу квалитативних истраживања у друштвеним и хуманистичким наукама који ставља акценат на значење, акцију и интерпретацију[47] – омогућава већи степен партиципативности учесника у теренском комуникационом процесу. Под тим се подразумева да истраживачева позиција није неутрална већ активна, а испитаник се третира не само као извор података већ и као креатор резултата, видљиви субјекат у улози сарадника, коистраживача, консултанта (Pavlović 2008: 220; Titon 2008: 30; Nettl 2008; Hofman 2010: 98; Ruskin and Rice 2012: 314) или етнофора (Zemtsovsky 1997). Уважавање његовог „гласа" свакако доприноси квалитетнијој размени међу учесницима и чини метафору „разговарања" продуктивнијом (термин Mair-а којим се реферише на преиспитивање традиционалних начина спровођења интервјуа; према: Pavlović 2008: 228–233).

Поред методе поновљеног теренског истраживања истих локација, дугорочни разговори обављани у природним, реалним животним условима испитиваних личности имали су такође вишеструке ефекте. Осим већ поменутог спонтанијег тока комуникације, свакодневно окружење побуђивало је евоцирање тренутака и догађаја из периода њиховог детињства и младости, што је давало поткрепу дијахронијском

---

[47] Идеју о парадигмама као гледишту одређених научних заједница популаризовао је Томас Кун (Thomas Kuhn), историчар и један од највећих експерата у области филозофије науке, подразумевајући при томе целокупну констелацију уверења, вредности, техника... које деле чланови дате заједнице, као и врсту одређених елемената у својству експлицитних закономерности. Утврђивањем корелација између истраживачких парадигми и њихових социјалних основа отворено је питање рефлексивности истраживача (Кун 1974). Клифорд Герц (Clifford Geerz), један од оснивача „интерпретативне" или „симболичке" антропологије, разрадио је у књизи есеја Тумачење култура (The Interpretation of Cultures 1973) тезу социолога Макса Вебера (Max Weber) о мрежама значења које константно ткају и у којима су заплетена људска бића. Како и сâм истиче, његов концепт културе у суштини је семиотички: анализа културе није експериментална наука у потрази за законом, већ интерпретативна – у потрази за значењем које помаже да се уђе у појмовни свет субјеката (Gerc 1998, 11, 38).

следу (промене) места музике у народном животу, а тиме, у исто време, упућивало на свет проживљених индивидуалних искустава. Будући да приватни простор носи својства заштићене зоне интимности и „самоистина" (сходно речима Ричарда Сенета/Richard Sennett, „стварајући себе у јавности, човек реализује своју природу у приватности" ослобођену од анксиозности и социјалних обавеза; према: Jakovljević 2009: 52), атрибуција натуралистичности представља једно од важних начела квалитативних истраживања.

Поред музичких форми презентованих изван одговарајућих контекстуалних ситуација, метод партиципативног посматрања места музике у датом контексту функционално је спроведен учешћем у свадбеном обреду обављаном у Грачаници, 2015. године. Том приликом биле смо сведоци извођења обредних чинова, свадбених песама и плесова уз инструменталну пратњу различитог састава (хармонике и контрабаса – у порти манастира, и модерног вокално-инструменталног ансамбла са доминантним електронским звуком клавијатура – у младожењином дому и за време свадбеног ручка у хотелу). Биле смо сведоци, дакле, како очуваности извесног дела обредних активности (у односу на увиде о ранијој пракси стечене у разговору са мештанима), тако и уплива савременог доба на музичке сегменте обреда. Следствено речима Тимотија Пајца (Timothy Rice), теренски метод учешћа са непосредним посматрањем омогућио је три врсте дескрипције догађаја: партикуларну – дескрипцију одређених догађаја; нормативну – спознавање генералних нормативних модела музичког и социјалног понашања које карактерише све догађаје партикуларног типа у датом контексту; интерпретативну – тумачење значења партикуларних музичких догађаја као културно-друштвених вредности (Rice 2014: 34).

Вођење теренског дневника са личним коментарима о начину презентовања музичких и вербалних исказа у датим ситуацијама показало се као важна допуна аудио и видео снимцима, како у току самог истраживања, тако и у процесу потоње анализе етнографских података. Функционисање теренских белешки, сходно сликовитом објашњењу Грегорија Барца (Gregory Barz), у тандему је са разним гласовима: сопственим гласом на терену, гласом рефлексије након писања белешки и гласом дистанциранијим од искуства (Barz 2008). Другим речима, оне су производ посматрања и повратних деловања, учествовања и тумачења, те значајно доприносе разумевању, текстуализовању и реинтерпретирању првобитног искуства (Щуров 2005; Barz 2008). Управо трансформацијом теренског искуства у дискурс/(ре)интерпретацију, херменеутички приступ белешкама одражава посредничку позицију истраживача базирану на рефлексији теренског сазнања (Barz 2008: 215). С тим у вези, како на то указује Лиз Стенли (Liz Stanley), и научни рад се сматра „социјално продукованом интерпретацијом", односно „реконструкцијом" података добијених на терену (према: Hofman 2010: 98).

Реконструкција података културних „инсајдера", сагледива кроз транскрипцију етнографске и музичке грађе, представљала је основу даљих научних тумачења. Примена, најпре, аналитичке методе подразумевала је разматрање поетских и музичких текстова на синтаксичком, семантичком и прагматичком плану, као оквиру базичних семиотичких поставки (Moris 1975: 19–25, 48). Тумачење ових текстова у светлу њиховог музичкокултурног постојања значило је и укључивање контекстуалне анализе, као концепта конситуације детерминисане интертекстуалном разменом елемената који припадају различитим системима (кодовима): вербалном, музичком, акционалном, локативном, темпоралном, персоналном (Толстој 1995: 141), као и концепта датог социјално-историјског и идеолошког контекста у коме музичко дело постаје један од приказивача, заступника и интерпретатора других текстова културе у одређеним друштвеним оквирима (Шуваковић 2010: 128). Даљим компаративним приступом референтним вокалним примерима бележеним на територији Косова и Метохије од краја 19. века, као и у другим областима Србије, извршена је својеврсна „историјска реконструкција" (Hood 1982: 342) одређених вокалних форми, као квантитативна допуна спровођеним у највећој мери теренским квалититивним испитивањима. Тиме се комбинација квалитативног и квантитативног приступа у феноменолошкој епистемологији за етномузикологију показала не само као оперативан већ и као комплементарно нужан методолошки концепт. Таквом додатном контекстуализацијом аналитичко-компаративна метода је омогућила сагледавање музичке традиције и музичке процесуалности у синхронијској и дијахронијској равни. Напоредо с тим, интердисциплинарни приступ, заснован на повезивању етномузиколошког дискурса са сазнањима из етнологије, антропологије, теорије народне књижевности, лингвистике, теорије информације и семиологије, допринео је откривању значења конкретних музичко-поетских текстова кроз синергију са другим друштвеним текстовима.

Поред тумачења обредних песама, пажња је посвећена и реинтерпретацијама косовскометохијских вокално (инструменталних) облика у различитим медијима и њиховој улози у очувању српског идентитета на овом подручју.

Интензивније повезивање истраживачког рада и културне праксе обухватило је деловање и у домену „примењене науке", чији циљ није само проширивање и продубљивање сазнања о испитиваним феноменима већ и „употреба стечених етномузиколошких знања, разумевања и вештина на добробит појединаца и заједница" (Pettan 2010: 8). С тим у вези, регистровање жанра „певање уз ројење пчела", као дела још увек актуелне праксе у појединим насељима средишње територије Косова и Метохије, резултирало је уписивањем овог елемента на Националну листу заштите нематеријалног културног наслеђа Републике Србије, 2017. године.[48] Висок степен угрожености овог елемента мери се досадашњим увидима у његову највероватније једину (иако сасвим спорадичну) одрживост у српској традицији истраживаног простора. Чин уписивања „певања уз ројење пчела" у Национални регистар мотивисан је потребом за већом видљивошћу овог културног израза давањем легитимитета од стране релевантне научне области и државне културне институције, а тиме и потенцијалним могућностима за његову даљу одрживост и ревитализацију у локалним заједницама.

На сличан начин, продуктивном се показала и сарадња са Националним ансамблом народних игара и песама Косова и Метохије „Венац". Његов специфичан историјски ток прати се од 1964. године, оснивањем Покрајинског професионалног фолклорног ансамбла „Шота" у Приштини, да би 1993. године Ансамбл променио назив у „Венац", а протеривањем из Приштине 1999. године био приморан да налази нова седишта: најпре у Нишу (2000–2003),[49] потом у Чаглавици,[50] напослетку

---

[48] http://nkns.rs/cyr/popis-nkns/pevanje-uz-rojenje-pchela Датум последњег приступа: 18. 8. 2019.

[49] Од 1999. године, када су Срби протерани са Косова и Метохије, до средине 2000. године, Ансамбл „Венац" није имао своје просторије, тако да је његово функционисање било немогуће из техничких разлога.

[50] Након повратка на територију Косова и Метохије 2003. године, запослени „Венца" нису могли да наставе са радом у Приштини. У некадашњим просторијама

у Грачаници, у просторијама Дома културе, где је и данас смештен. Од 1999. године до данас Ансамбл „Венац" се изборио са бројним проблемима, тако да је од институције која није имала основне услове за рад прерастао у установу која је од виталног значаја за српски културни идентитет на Косову и Метохији.[51] Према речима Драгана Тодоровића, дугогодишњег играча „Венца", до 90-их година прошлог века у овом ансамблу Албанци су чинили већину, те је и репертоар доминантно обухватао извођење албанских игара, а мањим делом – српских и игара осталих народа и народности бивше Југославије. С једне стране, чињеница је да су у социјалистичкој Југославији фолклорни ансамбли генерално подстицани да презентују музичко и плесно наслеђе свих република и покрајина, уз политички мото промовисања „братства и јединства" међу различитим етничким и конфесионалним заједницама. С друге стране, наступајућим процесом либерализације, од 70-их година 20. века, потенциране сличности међу народима све више се минимизују, уступајући место испољавању њихових међусобних разлика, што је у контексту јачања албанског сепаратизма на Косову и значајних демографских промена доприносило све израженијем маргинализовању српског етничког и културног ентитета. У времену великих политичких немира и ратних сукоба, од 1999. године, делатност ансамбла „Венац" одвија се потпуно независно од рада ансамбла „Шота" у Приштини, и искључиво је оријентисана на презентовање музичке и плесне традиције Срба, углавном са територије Косова и Метохије.

Приступајући теренском истраживању као сопственом научном и друштвеном ангажману који би допринео бољем разумевању музичко-

---

„Венца" у Приштини почео је са радом албански професионални ансамбл који је вратио некадашњи назив „Шота". Зато је Ансамбл „Венац" 2003. године стациониран у селу Чаглавица, где су играчи радили у изузетно лошим условима.

[51] Поред Ансамбла који чине стално запослени играчи, управа „Венца" је оформила неколико дечјих група (у Лапљем Селу, Доњој Брњици, Доњој Гуштерици, Грачаници и Лепини), као и омладински ансамбл у Грачаници. Поред тога, „Венац" је подстицао конституисање дечјих група у Косовском Поморављу и Великој Хочи. Радом са најмлађим житељима сеоских средина и богатим концертним програмом у косовскометохијским енклавама подстиче се опстанак Срба на овој територији. У појединим насељима активности Ансамбла представљају једно од ретких културних дешавања која су доступна преосталом српском становништву. Велику помоћ у томе „Венац" је добио од Министарства културе и информисања Републике Србије, органа локалне самоуправе и Канцеларије за Косово и Метохију Републике Србије.

-културних пракси од стране припадника датих локалних заједница који се професионално баве сценским представљањем фолклорног стваралаштва, иницирале смо укључење чланова „Венца" у наш теренски рад, што је и остварено захваљујући подршци директорке овог Ансамбла Снежане Јовановић, у мери у којој су то њихове пословне обавезе допуштале. Директни контакти са испитиваним субјектима водили су ка све активнијем учешћу чланова „Венца" у теренском комуникационом процесу, који су карактерисали као „изузетно драгоцено искуство". Новостечена сазнања показала су се као мотивација за иновирање репертоара „Венца" вокалним примерима сакупљеним на терену (чију реализацију смо свесрдно подржале и помогле), а надамо се – и као подстрек стицању њихових нових увида током даљих теренских испитивања.

4. СТИЛСКО-ИНТЕРПРЕТАТИВНА ОБЕЛЕЖЈА ВОКАЛНИХ ЖАНРОВА

Кроз разматрање божићних песама, песама уз обредно љуљање, песама заројење пчела, додолских, крстоношких, песама за престанак кише, свадбених, славских, тужбалица и љубавних песама, сагледава се укупност традиционалног вокалног знања, забележеног током теренских истраживања од 2015. до 2017. године. Поредак анализираних жанрова већим делом одговара времену њиховог извођења у годишњем обредном народном календару, из којег се „ишчитава" однос човека према околини, тј. „природној и друштвеној стварности", а у ширем, конотативном смислу – и однос човека према себи, тј. „његовом биолошком постојању" (Zakić 2010). Бројност садржаних примера кореспондира њиховој регистрацији на терену, изузев у случају љубавних песама које су у студији селектоване, сходно принципу изразитије заступљености и репрезентативности у свакодневном животу.

4.1. БОЖИЋНЕ ПЕСМЕ

Бадњи дан и Божић представљају комплексне празнике чију основу чини претхришћанско наслеђе прожето христијанизованим сегментима секундарне природе (Чајкановић 1994а: 120, 121). Поред религиозног значаја, њихово обележавање окупља чланове домаћинства и учвршћује породичне и друштвене везе. Будући да на истраженом ареалу целокупна српска заједница прославља ове празнике, грађа добијена етноексипликацијом пружа обиље информација које доприносе сагледавању карактеристика, као и степена очуваности садржаних обредних система.

Према наводима испитаника, Бадњи дан је обележен активностима које су усмерене на његову припрему – попут одсецања бадњака, чишћења куће (које је табуисано током Божића) и прављења печенице. Из назива *Бадњи дан*, чије се значење повезује са глаголом *бдети* (који се односи на „облигатно бдење" – Чајкановић 1994а: 244), проистиче именовање *бадњака* – одсечене храстове гране, коју становништво старије генерације назива „бањак" или „бајнак". На гестуалном и вербалном плану бадњаку се током празника исказује наклоност и обожавање, тако да му се може приписати атрибуција фетиша. По бадњак одлази домаћин куће у пратњи неког од млађих мушких укућана, најчешће синова и/или унука. Том приликом носи са собом жито, колач, вино, шећер и ракију, чиме се храстовом дрвету које ће бити посечено одаје поштовање.[52] Док део породице одсеца бадњак, остали укућани чисте домаћинство и сакривају метлу, оштре предмете и столице које се не користе током Божића. Чин уношења бадњака у кућу означава свечани тренутак коме присуствује читава породица, уз честитање Бадњег дана.[53] Пре него што домаћин постави бадњак крај шпорета (некада огњишта), благо „загори" дебљи крај гране, а онда домаћица поред њега поставља вино и шећер. Сви укућани прилазе бадњаку са уважавањем, крсте се и испијају гутљај припремљеног вина.[54]

---

[52] Оливера Спасић из Племетине је сведочила како је њен отац одлазио по бадњак: „Покојан мој отац кад је био, он отидне, упрегне валове, кола и тури жито (...) И умеси моја покојна мати колач, вино, ракија, шећер. И тамо 'де ће да исече бајнак, мој отац прво се прекрсти и оно принесе тамо, и онај први пут што удари секира, што узне, он донесе га кући" (транскрипт интервјуа са Оливером Спасић, 6. 6. 2016, Племетина).

[53] Верица Нићић из Добротина описала је своја сећања из детињства: „Мој отац отидне да сече бањак, а ми чекамо сас моју мајку. Моја мајка прва, па ми по мајке, и чекамо. Мој отац узне бањак, исече и дође. У кућу узне пшеницу. Пшеницу смо турали, стављали у рукавицу (...) и мој отац дође и каже: 'Добро вече, дошло Бање вече'! И ми сви кажемо: 'Добро вечер, добро доша'! И чекамо пшеницу у руке да свако узне по једно зрно да окуси. И мој отац три пута баци оно и са шунку доша', сас бањак, и онда он ложи огањ, ми ћутимо после сви: мајка, сестре. И он све врати још два пута, три пута улази" (транскрипт интервјуа с Верицом Нићић, 2. 10. 2015, Добротин).

[54] Стана Маринковић из Кузмина сведочила је о обичају који је данас заборављен, а који је подразумевао да се с једне стране бадњака поставља со, а с друге мед и нашаран колач који се назива „крошња". Чланови њене породице су прилазили бадњаку као божанству и крстили се изговарајући: „Ајд' нек' је сретно Бадње вече!" У овом „обраћању" бадњаку садржане су молбе за напредак општег домаћинства,

Након уношења бадњака, акционални систем је везан за кућу и подразумева низ синхронизованих и уланчаних радњи за које становници централног дела Косова и Метохије верују да ће им донети плодност и благостање. Домаћин уноси „кошир" са сламом и „певка", при чему имитира квочку изговарајући „кво, кво", док деца одговарају као пилићи „цив, цив", или „пију, пију". Он обилази кућу три пута вадећи сламу из корпе, а за њим ходају деца у поворци – од настаријег до најмлађег. Симултано са овом радњом баба из плетене рукавице баца житарице посипајући присутне и благосиља их речима: „Сви здрави, сви живи!" Исти текст понавља и мајка која децу удара – „чука" по глави.[55] „Певкање", односно уношење сламе уз ономатопеју квочке и пилића, има важно место у прослављању Бадње вечери и највише му се веселе најмлађи укућани.

Централни догађај током Бадње вечери представља обед који се сервира на слами прекривеној ћилимом и чаршавом на који се износи посна трпеза припремљена за ову прилику. Чланови породице седе на поду око постављене хране, изузев домаћина који, према појединим исказима, узјаше коњски ам.[56] Пре саме вечере следи низ вербалних и невербалних чинова којима се успоставља веза са хришћанском традицијом. Домаћин ломи колач и посипа га вином солистички интерпретирајући молитву „Господи, помилуј!" (пример бр. 1). Милош Спасић из Прилужја описао је извођење ове песме, коју је научио од свог деде, речима: „Као поп не могу, ал' ипак певам!" Његов исказ сведочи о карактеру саме мелодије и стилу интерпретације, који се може повезати са народном црквеном праксом. Након сечења колача, домаћин подстиче децу на извођење песме „Божић, Божић, Бата!" (примери бр. 2, 3 и 4),

---

исказане и кроз ономатопеју звукова домаћих животиња: деда је подражавао оглашавање коња, отац – оваца, баба је дозивала пчеле речима „мат, мат, мат", мајка је „мукала", док су деца имитирала звучне изразе других животиња (транскрипт интервјуа са Станом Маринковић, 15. 9. 2017, Кузмин). Наведене податке потврђује и етнографска грађа Дене Дебељковића из централног дела Косова и Метохије (Дебељковић 1907: 286).

[55] У прошлости су након овог дела обреда простирали ћилим на сламу и такмичили се ко ће први да обује „сефте" чарапе, тј. оне које се по први пут облаче. Онај ко први обује чарапе добија назив „ранче". Према тумачењу Бранислава Нушића, „ранче" је прво јагње које се ојагњи на пролеће (Нушић 1986: 181).

[56] Ам представља поводац за коња и обухвата цело тело животиње, а најчешће се прави од коже.

а непосредно пре јела сви изговарају молитву „Оче наш", чиме се такође потцртава християнизована страна празника. У актуелној пракси божићне песме углавном изостају, изузев у појединим домовима у којима се још увек практикују, попут породице Милоша Спасића из Племетине и Миодрага Симића из Сушице. Након обеда јело се износи испред куће уз дозивање различитих животиња, „пријатеља и непријатеља", којима се нуди део припремљене вечере. Позивање „невидљивих гостију" обавља се на различите начине, а најчешће се храна ставља у тепсију коју неко од деце држи на глави док обилази три пута око куће.

Божићно јутро почиње обедом чији је садржај у потпуности различит од оног који се припрема за Бадње вече. На трпезу се износе „мрсна" јела, а први залогај хране је месо врапца, кога становништво сматра „светом животињом" и назива га „ђивђан". Традиција својеврсног „причешћивања" птичјим месом била је заступљена у области централног Косова и Метохије и почетком прошлог века, што говори о њеном континуитету у локалној пракси (Дебељковић 1907: 298).[57] Сви чланови домаћинства једу месо једног врапца, или се припрема по један врабац за „сваку мушку главу".[58] Верица Секулић из села Ливађе објаснила је да конзумирање печеног (или сушеног) „ђивђана" доприноси да укућани буду вредни – „да летимо ка' врапчићи".[59] Поред птичјег меса, у оквиру божићног ручка обавезни део оброка чине прасећа печеница и „бареница" – обредни хлеб у који се ставља новчић.

Акционални систем током Божића усмерен је на обезбеђивање берићета током године, што се спроводи радњама које врши „полазник" или поједини чланови породице. Полазник је најчешће млађи мушкарац одређен од стране укућана да први дође у госте како би честитао празник и иницирао плодност стоке и усева. Он доноси гранчицу бадњака – „шумку", којом „џара" у шпорету и то пропраћа речима:

---

[57] На овај обичај указује и Татомир Вукановић, наводом да су жене при конзумирању врапчијег меса говориле: „Да окусим од врапче месо, па да бидем лака као врабица, а јака као ждребица!". Он оставља и податак да су месо врапца прво јело жене „да се рађају женски јагањци и теоци", а после њих „мрсили" су се и мушкарци (Vukanović 1986б: 368).

[58] Лов на врапца почиње седам дана пре Божића, јер уловљена животиња треба неколико дана да се суши на шпорету.

[59] Неко од укућана је врапчије месо морао да проба у штали и тек онда се враћао у кућу на божићни ручак.

„Кол'ко жарица – тол'ко парица, кол'ко жарица – тол'ко здравља у кући".[60] Домаћица га покрива кожухом и поставља му ручак, а пред полазак дарује чарапама, воћем или новцем. Током Божића локативни систем обухвата не само кућу већ и друга места која су у непосредној вези са привређивањем. Општи напредак у наступајућем периоду постиже се прављењем крстића од бадњака, којима се приписује апотропејско својство, као и њиховим постављањем у њиве, амбар, шталу и све просторије у кући. Поред крстића, у оранице се полаже шака сламе, јабука и мало ораха, чиме се додатно поспешује плодност.[61]

На основу народних наратива, поједини сегменти обредне процесуалности практиковани у блиској прошлости доживели су трансформацију или су потпуно ишчезли из праксе. Наиме, тродневно прослављање Божића обухватало је љуљање девојака на капијама или на неком дрвету у оквиру сеоског атара, што више није случај. Значајна промена у празновању Светог Стефана (трећег дана Божића) огледа се у потпуном нестајању било каквог облика окупљања читаве сеоске заједнице и организовања игранки. Све до 90-их година прошлог века, у време Св. Стефана трубачи (из Врања или Косовског Поморавља) су током дана обилазили насеља у околини Приштине, а увече су приређиване забаве на којима су свирали локални музичари. Тако су у Лапљем Селу игранке одржаване у школи уз пратњу свирача на фрули и хармоници.[62]

Будући да су Божић и Бадњи дан празници распрострањени у оквиру читавог српског етничког простора, научне елаборације о семантици појединих обредних сегмената често обухватају еквивалентне елементе. Прослављање ових празника подразумева низ манифестација у оквиру којих се распознаје коегзистенција два различита типа религиозности – „народне религије" и хришћанства (Петровић 2000: 19). Концепт „народне религије" реферише на претхришћанско наслеђе, у чијој основи је потреба за интензивном сарадњом са прецима,

---

[60] На тај начин полазник „пршка у шпорет за прасиће, теоце, краве...", како би обезбедио плодност домаћинству у које је дошао.

[61] Током Божића постоје и табуи који се поштују, а односе се на забрану ломљења ораха како се целе године не би ломиле ствари по кући. Поред тога, није пожељно да домаћица одлази од куће, јер ће јој „скитати кокошке". У савременом тренутку поменути табуи се не поштују у истој мери, те је однос локалног становништва према поменутим забранама флексибилнији.

[62] Међу музичарима је нарочито био познат Влада Чапа из Лапљег Села, којег су бројни испитаници окарактерисали као изузетно надахнутог интерпретатора.

атрибутивно (готово) поистовећиваним са божанствима (Љубинковић 1997: 251, 252). Култ предака, прожет тотемистичким и анимистичким веровањима, а који је у непосредној вези са култом плодности, показује се као доминантан за време Бадњег дана и Божића (Чајкановић 1994б: 480). Божићна слама је плодоносна, јер привлачи душе умрлих од којих се очекује да допринесу општем напретку домаћинства (Исто: 255). Сама вечера на слами има функцију својеврсне жртве мртвима, што такође указује на претхришћанску основу обреда (Чајкановић 1994в: 128).[63] Ономатопеја квочке и пилића у „народној религији" исходи из веровања да душа покојника, као и живог човека, може ући у птицу (Чајкановић 1994a: 256). Елементи тотемизма исказани су и кроз позивање животиња на вечеру током Бадње вечери (Дебељковић 1907: 291; Чајкановић 1994б: 484; Брашњовић-Торњански 2015: 112), као и кроз „причешће" врапчијим месом. Чишћење куће представља лустративну радњу, а изношење појединих оштрих предмета је у вези са анимистичким веровањем да душе предака бораве у различитим кућним стварима (Чајкановић 1994a: 243). Нарочиту функцију у оквиру Божића има бадњак, који укућани симболичним радњама поистовећују са „божанством". Према научним тумачењима, уношење бадњака у домаћинство доноси срећу и изобиље, као и заштиту од ватре и грома, јер је храст, од чијег дрвета се одсеца бадњак, дрво бога громовника (Брашњовић- -Торњански 2015: 82). Између Бадњег дана и Божића је време када се смењују стара и нова година и када су душе предака активне, а будући да оне обезбеђују аграрну и укупну плодност (Чајкановић 1994a: 134–135), неизоставно се умилостивљују кроз низ описаних активности, као и кроз адекватне вербалне исказе.

Етнографска грађа у вези са зимским обредним временом на централном делу Косова и Метохије пружа обиље података сагледаних у дијахронијској равни од краја 19. века до данас (Веселиновић 1895: 16–18; Дебељковић 1907: 280–301; Нушић 1986: 181; Vukanović 1986б: 341–371). Најопсежније информације садрже наводи Дене Дебељковића (Дебељковић 1907: 114, 115) и Бранислава Нушића (Нушић 1986: 181), који готово у потпуности одговарају подацима добијеним приликом најновије опсервације терена.

---

[63] Пре вечере је најмлађи мушкарац посипао водом укућане да оперу руке, а након тога је следило сечење колача.

Музички и поетски систем који прати Божић и Бадњи дан није у потпуности очуван у односу на раније референтне изворе. Садржаји коледарских песама из централне области Косова и Метохије више нису део народног памћења. С тим у вези, и два примера коледарског певања (забележена у Приштини) из збирке Миодрага Васиљевића представљају једине музичке записе овог начина извођења у етномузиколошкој литератури која се односи на истражени простор (Васиљевић 1950: 194).[64]

У овој студији приложена су четири музичка примера који су обавезни сегмент Бадњег дана и Божића (примери бр. 1, 2, 3 и 4, од којих пример бр. 1 представља молитву „Господи помилуј", док су остали варијанте песме „Божић, Божић Бата").

„Господи помилуј" је најједноставнији музичко-поетски исказ у оквиру божићних песама чија је мелострофа базирана на двострукој појавности наведеног стиха. Овако обликована целина понавља се три пута током извођења, тако да је почетни стих уједно и једини, а његовом вишекратном репетицијом добија се коначна форма песме. Поетској репетицији одговара начин обликовања музичког израза, базиран на понављању двотактне фразе са иницијалним поступним покретом наниже у оквиру дурског тетракорда.

Сегмент из примера бр. 1:

Гос - по - ди   по - ми - луј,

---

[64] Занимљиво је да Васиљевић није бележио божићне песме које током празника изводе чланови домаћинства. Након Васиљевићевог теренског рада није било етномузиколошких истраживања која би на средишњем делу Косова и Метохије потенцијално расветлила како божићне песме, тако и музичку традицију уопште. Један од ретких мелодијских примера божићне песме налази се у Мокрањчевим етномузиколошким записима под називом „Иде Божић Бата". Међутим, Мокрањац није навео из ког краја је ова песма, чија је поетска структура заснована на само два шестерачка стиха у којима се помиње мотив позлаћивања врата (Мокрањац 1996: 132). Њена мелодијска линија није ни по чему сродна са песмама које су забележене током недавних истраживања. Мокрањчев запис заснован је на таласастој мелодији која се креће у обиму квинте, са карактеристичном прекомерном секундом у медијалном делу напева.

Поред контекста извођења у истраженим насељима, који подразумева сечење колача пре вечере, молитва „Господи помилуј" се јавља и у другим приликама на блиским географским локацијама. Татомир Вукановић бележи њену примену на ширем простору Косова и Метохије, нарочито приликом кађења хране и других добара у кући током Бадње вечери (Vukanović 986б: 345, 346). У призренско-подримском крају молитва се изводи на слави и, сходно записаном примеру из Велике Хоче, карактерише је развијена мелодика, двогласна фактура и сложенија форма, што указује на директну везу са црквеним појањем (Стоиљковић 2016: 35, пример бр. 16).[65]

Као што је већ речено, групи божићних примера припадају и варијанте песме „Божић, Божић Бата".[66] Поред народног сећања на ранија извођења ове песме,[67] она је и даље присутна као део дечјег музичког знања у појединим домаћинствима испитиване територије. Заједничке карактеристике забележених интерпретација испољавају се на плану поетског садржаја, специфичне литанијске форме излагања (континуираног испевања стихова од почетка до краја песме) и хетерометричног стиховног уређења (заснованог на комбинацији: шестерца и седмерца – пример бр. 2; шестерца, седмерца и осмерца – пример бр. 3; шестерца и осмерца – пример бр. 4). У поетском смислу најинформативнији је пример бр. 3:

> Божић, Божић Бата,
> носи киту злата,

---

[65] Милена Стоиљковић је указала на сагласје које постоји између извођења „Господи помилуј" у оквиру славе и при црквеном певању. Структура примера који је забележила карактерише дводел чији је први део у споријем темпу са мелизматичнијим мелодијским кретањем, а други у бржем темпу и изразитијим силабичним принципом. Овакав начин интерпретације она је повезала са „два стила певања црквених мелодија – тзв. *малим* и *великим* појањем" (Стоиљковић 2016: 35, 36).

[66] Почетком прошлог века Дена Дебељковић је извођење поменутог примера везао за Бадњи дан (Дебељковић 1907: 114, 115), док Валентина Питулић износи податак да се песма пева на Божић, о чему говори и поетски запис из Липљана (Питулић 2007: 193, 194).

[67] Верица Нићић из Добротина је описала како је са својим сестрама певала песму „Божић, Божић Бата": „Тако смо се ми радовали за Божић (...) Ми смо били пет сестре, ми 'ајде то ће да певамо, ту песму. Радосни смо за Божић, већи радос' није имало, и певамо у кревет мајка док заложи ватру, ми све до једне сестре певамо" (транскрипт интервјуа с Верицом Нићић, 2. 10. 2015, Добротин).

да позлати врата,
од боја до боја
истру[68] кућу до крова.
Један сече сеченицу,
други сече печеницу,
а тај трећи бареницу.

Наведена стиховно-метричка обележја у литанијском певаном обликовању потврђена су у научној литератури као доминантно својство дечјих песама и песама за децу (Радиновић 2017: 69). Њима се придружују и следећи музичко-поетски атрибути: „наглашена силабичност и импровизовано варирање једноставне мелодијске фразе" на основи дечјег ритмичког система (Радиновић 2017: 69; 2011: 254, 278–279). Такве квалификације недвосмислено се могу приписати двема мелодијски и метроритмички сродним верзијама песме „Божић, Божић Бата" (примери бр. 2 и 3), које одликује доследна силабичност и варијантно излагање почетне двотактне фразе уз другачију обликованост каденцијалног стиха – изведеног у речитативнијем маниру (пример бр. 2), или сагласно типу говорног исказа (пример бр. 3). У првом случају (пример бр. 2), мелодија се креће у интонативно лабилном опсегу мале терце са променама иницијалног такта у даљем току, док се у другом (пример бр. 3) излаже у распону кварте и са дословно поновљеним или минималним променама двотактног обрасца.

Сегмент из примера бр. 2:

Сегмент из примера бр. 3:

---

[68] Будући да се реч „истру" јавља у извођењу више казивача (са нејасним емским значењем), претпостављамо да се ради о лексичком преобликовању израза „и сву" у ланцу усмене предаје.

Поменуте различитости највероватније су плод индивидуалних стваралачких обележја. У том смислу, истичемо и особеност треће варијанте ове песме (пример бр. 4), која је садржана у развијенијој мелодици прожетој мелизматиком у оквиру дурског тетракорда, као и сложенијој микроформалној организацији реченичне структуре која у даљем току подлеже процесу дељења музичког материјала и понављања четворотактног музичког обрасца. Доминантну поступност таласастог (силазно-узлазног) мелодијског тока и мелизматичан принцип илуструје следећи сегмент:

Сегмент из примера бр. 4:

Компарацијом текстова песме „Божић, Божић Бата" (примери бр. 2, 3 и 4) са онима које је на истраженом простору почетком прошлог века публиковао Дена Дебељковић (Дебељковић 1907: 114, 115) уочава се сагласје на плану садржаја и хетерогене версификације. Поред уобичајених мотива у којима Божић „носи киту злата да позлати врата", или пак „носи ножић којим сече печеницу...", код Дебељковића преовладавају текстови са припевом <u>коледо</u>, који упућују на некада присутан коледарски опход (Дебељковић 1907: 114, 115). Корелација божићних песама може се успоставити и са грађом Владимира Бована, која потиче из разних, мада не и увек прецизно назначених, предела Косова и Метохије. Бован је у оквиру овог жанра указао на примену различитих стиховних метрика – шестерца, седмерца, осмерца и деветерца (Бован 1980: 11), што се, потом, осведочило и примером из Липљана у студији Валентине Питулић (Питулић 2004: 193, 194).[69] На основу изнетих чињеница, може се констатовати да божићне песме прикупљене током актуелног трогодишњег теренског рада (уз изостанак припева *коледо*) показују висок степен поетске сродности са до сада публикованом грађом са Косова и Метохије.

Анализом садржаја релевантних примера из литературе која се односи на различите делове Србије, Божић се тумачи као божанство које у „старој српској религији" долази бучно – Бата, што је једна од главних карактеристика епифаније божанства (Брашњовић-Торњански 2015:101). Ово божанство носи злато, као стари симбол рађања сунца, којим ће се позлатити улаз у кућу и обезбедити благостање током предстојеће године (Чајкановић 1994б: 480, 483). Текстови указују, такође, на благослов за плодност и на даривање као „млађу манифестацију приношења жртве" (Самарџија 2011: 562). Очито је да хришћанска форма текста крије нехришћанско значење, као што и „народна вера" варира „на размеђи између хришћанског и нехришћанског" (Bandić 1990: 34).

Песма „Божић, Божић Бата" заступљена је и у другим крајевима Србије са сличним поетским и музичким текстом, као и препознатљивим силабичним обележјем (Девић 1986: 76, 100, 220, 221; Миљковић 1986: 122, 134, 262; Големовић 1994: 85, 123; Јовановић 2014: 407). Коментаришући један такав пример из Такова, Димитрије Големовић закључује да се ради о песми која је широко распрострањена у српском народу и да се „не сматра песмом у правом смислу те речи, већ пре као нешто што припада дечијем усменом стваралаштву" (Васић и Големовић

---

[69] Реч је о следећем тексту:

> Божић, Божић, Бата,
> носи киту злата
> да позлати врата
> све од боја до боја
> и сву кућу до крова.
> У Божића три ножића
> један сече сеченицу,
> други сече печеницу,
> трећи сече некоматницу.
> Нити јела, нити пила
> треба човек да се чува
> јербо нема два трбува.

1994: 85).[70] Анализирајући мелодијско-ритмичке моделе вокалног наслеђа Јасенице, Јелена Јовановић је божићне песме, које кореспондирају са песмама из централног дела Косова и Метохије, такође сврстала у групу песама за децу (Јовановић 2014: 90, 284).

Дисконтинуитет у етномузиколошким истраживањима на подручју централног дела Косова и Метохије онемогућава формирање обједињујућих закључака о божићним песмама. Актуелна теренска истраживања указала су на живу праксу прослављања Божића, као и на очувана сведочења о данас изобичајеним сегментима обреда. У дијахронијском току дошло је до редукције на свим пољима, а највећа „пропустљивост" евидентна је у оквиру музичког система. Спорадично извођење божићних песама показује да су њихови поетски текстови великим делом сведени у односу на примере прикупљене током претходних истраживања. Музичка компонента забележених песама, а посебно широка распрострањеност варијанте „Божић, Божић Бата", упућује на жанровско јединство овог вокалног облика на већем географском простору.

4.2. ПЕСМЕ УЗ ОБРЕДНО ЉУЉАЊЕ

Дуги историјски континуитет обредног љуљања у праксама разних народа, временски и територијално јако удаљених, говори о изузетном значају који је придаван овом чину у годишњем календару.[71]

За разлику од других обреда зимског полугођа у Србији, „чији темпорални систем јесте унифициран на географском нивоу, временска одредница обредног љуљања показује могућа диферентна својства у различитим локалитетима", и то у ширем распону – од Божића до Ђурђевдана (Закић 2009а: 133). Будући да је реч о половини године

---

[70] У истом контексту Големовић изводи закључак да интерпретацију поменутог примера становници овог краја сматрају игром, а не правим певањем (Васић и Големовић 1994: 85).

[71] Такву констатацију потврђују археолошки налази љуљашке од теракоте са Крита из минојског позног доба, орнаменти на вазама из античке Грчке, радње у оквиру дионизијских свечаности у Атини и латинских фестивала у Риму посвећених богу Баху, помени у старим митовима, Старом завету, текстовима Веде приликом свештеничких церемонија... (Илијин 1963: 273–286; Spyridakis 1973: 117–123, Frejzer 1977: 358).

која је „у народном календару прожета бројним активностима наме-
њеним рађању и порасту сунчеве моћи (...), као и о добу поновног успо-
стављања друштвено-производне делатности између зимског и летњег
солстиција у коме је ритам природних збивања (са променама у вегета-
цији) праћен одговарајућим обредним радњама (...)" (Вукичевић-Закић
2006: 484), чини се прихватљивим мишљење Милице Илијин да је обред-
но љуљање „првобитно било везано за солстициј или неки други природ-
ни феномен", а тек касније за хришћанске празнике (Илијин 1963: 276).

Према речима већине испитаника у средишњем делу Косова и
Метохије, љуљање је трајало од Божића до Богојављења. Појединачни
помени везују такву активност само за тродневно празновање Божића
(податак Стане Маринковић из Кузмина). О истој темпоралној одред-
ници овог чина обављаног у ранијем периоду на поменутом простору
сведоче речи Бранислава Нушића из последње деценије 19. века: „Ве-
сеља о Божићу то су зимска весеља, у кући, крај ватре или у обору, где
је направљена нишаљка на којој се девојке и младе жене забављају
певајући познату песму: 'Чија мома на нишаљку, Гајтане мој!'" (Нушић
1986: 181, 166):

> „Чија мома на нишаљку,
>> Гајтане мој!
> Мајкина је, таткина је,
>> Гајтане мој!
> Мајка ће гу шит' кошуљу,
>> Гајтане мој!
> Тајка ће гу фејче купит,
>> Гајтане мој!
> Сестра ће гу нанизати,
>> Гајтане мој!
> Братац ће гу кундре купит,
>> Гајтане мој!

или:

> Момче ће гу кундре купит,
>> Гајтане мој!"

Музички записи са истим текстом потичу из пера Стевана Ст. Мо-
крањца, из 1896. године. Пример из Сушице означен је као „сеоска" песма
(Мокрањац 1996: 124, пример бр. 96), док уз мелодију из Грачанице

(чији текст је забележио и Милојко Веселиновић као једну од оних „што се певају о Божићу“, од стране исте певачице, 1893. године – Веселиновић 1895: 46–47[72]) стоји назнака да је „велигданска“ и да се изводи „недељом и празником уз велики пост, кад се љуљају на љуљашци (нишаљка)“ (Мокрањац 1996: 123, пример бр. 95). Повезаност овог вокалног жанра са празновањем Велигдана имплицира, с једне стране, могућност спровођења обредног љуљања током ширег темпоралног оквира у прошлом периоду, при чему треба истаћи да је поменута временска одредница (Ускрс, потом и Ђурђевдан) укључивала извођење овог чина и у другим крајевима Косова и Метохије – Призрену (Јастребов 1889: 159), Сириничкој жупи, Косовском Поморављу (Илијин 1963: 276; Закић 2017, 295–300). С друге стране, својеврсна резерва у односу на Мокрањчеву темпорално ширу позиционираност љуљања у централном делу Косова и Метохије садржана је како у Нушићевим и Веселиновићевим поетским записима песама извођеним у оквиру празновања Божића, тако и у етнографским увидима Дене Дебељковића о нишању девојака „на Божић и Богојављење“, које је праћено певањем (Дебељковић 1907: 300, 301). Међу забележеним Дебељковићевим текстовима на подручју Косова Поља, семантички најинформативнији је следећи (Исто: 300):

> „Мори, чија мома на нишаљку,
>   гајтане мој?[73]
> Мори, мајкина је, таткина је,

---

[72] У контексту тих песама које је Веселиновић сакупљао у Грачаници налази се и текст са другачијим основним поетским садржајем и карактеристичним припевом „гајтане мој!“ (Веселиновић 1895: 49):

> „Мори, е, ти, плавке Горња Моравке,
>   Гајтане мој, и!
> Мори, тебе тражу на три стране,
>   Гајтане мој, и!
> Мори, једна страна Горња Морава,
>   Гајтане мој, и!
> Мори, друга страна Дојна Морава,
>   Гајтане мој, и!
> Мори, трећа страна Рамно Косово,
>   Гајтане мој, и!“

[73] Према исказу Дене Дебељковића, „ове се две речи понављају после сваког стиха“ (Дебељковић 1907: 300, 301).

Мори, мајка ће гу шит' кошуљу,
Мори, тајка ће гу капут купит',
Мори, сестра ће гу капут низат',
Мори, чича ће гу ћурак кројит',
Мори, братац ће гу цвеће брати."

Мелодију са истим текстом записао је Миодраг Васиљевић 1947. године у Липљану, назначивши је као „љуљашку, божићну" песму (Васиљевић 1950: 182, 319, пример бр. 360), што је још једна потврда кључног темпоралног спровођења дате обредне активности у средишњем делу Косова и Метохије.

Поступни нестанак овог чина из „живе" народне праксе казивачи датирају од 60-их/70-их година 20. века, што је случај и са престанком такве обредне активности током прошлог века у другим крајевима Србије (Илијин 1963: 274–285, Закић 2017: 295–297).

Наративи на испитиваном простору Косова и Метохије представљају, дакле, део културног сећања углавном старијих жена, које су у прошлости биле активне учеснице овог обреда. Њихове изјаве већим делом упућују на то да је чин самог љуљања био део праксе искључиво девојака, док су ређи подаци (забележени у Добротину и Скуланеву) о љуљању и других чланова заједнице: момака, удатих и старијих жена. Старосно различити профили учесница у постојећим етноекспликацијама доводе се у везу са њиховом другачијом функцијом у обављању овог чина: док су се млади „нишали" ради забаве и „радости у прослављању Божића", старије жене су то чиниле „да би порасла конопља".[74]

---

[74] На истоветну намену обредног љуљања (у циљу раста конопље и лана) експлицитно указује и текст песме забележен у ужичком крају 1955. године од стране Радмиле Петровић: ,'Волике конопље, на свете Прокопље / 'волики лан, на данашњи Видовдан" (Петровић 1963: 408). Имајући у виду усаглашеност народних тумачења на ширем словенском простору, Наталија Шумада (Наталия Шумада) констатује да се обредним љуљањем имитирало њихање (лелујање, таласање) житарица (биља) од стране ветра, који је погодовао њиховом опрашивању (Шумада 1989: 155). Илустративни су и примери које наводи Џејмс Џорџ Фрејзер (James George Frazer) о љуљању брамана у камбоџанској и сијамској традицији: „Према принципима хомеопатске или имитативне магије, мислило се да ће пиринач више нарасти што год се свештеници више заљуљају (...) Летонци се љуљају са изричитим циљем да утичу на растење усева. Прича се да се у пролеће и у рано лето, између Ускрса и Видовдана (дугодневица), сваки летонски сељак у доконим часовима рано љуља, јер што се

Љуљашке – „нишаљке" су везиване на капији дворишта („на велика врата"), или о високо и родно дрво (врба, дуд, багрем) поред куће. На конопац („јуже") је постављан џак напуњен сламом или ћилимом.

Верица Нићић из Добротина је описала љуљање на следећи начин: „Ја сам се љуљала у мој род. Сакупи се цела мала и ови момци узму конопац и туру где је велико дрво као багрени, и сакупимо се цела мала и певамо (...), докле не доручкујемо не идемо, не излазимо из куће. Мајка спремила доручак, печење, оно што даја Бог, све. Е онда, зовемо се, тад није имао телефон. И ми се позовемо на кућу. Идем и другарицу позовем да се љуљамо ту и ту. Ту се сакупимо и љуљамо (...) Ја сам девојка (...), други момак, брат ми, својштина. Конопац је горе а доле ставимо, напунимо врећу сламу да не те убива. (...) Ја нисам смела да се љуљам, иако је срамота, а кад ме бацу, оно чувај Боже, далеко отуд и отуд, велико! Али, лепо било, од милине. Седимо све докле ни ноге џебу, ладно. Тад није се имало ка' сад. Вунене черапе, богами, па и свињски опанци." У говору о учешћу момака Верица наводи: „Саг се љуљаш ти, па се љуља он, сви редом и онда опет до тебе (...) Ако би се десило да дођеш први до љуљашке и ако нема ко да те љуља, ти опреш ноге доле и идеш напред-назад, докле дође друштво. А онда те неко од присутних љуља: на тамо, на 'вамо – у страну и труде се да те што више одбаце" (транскрипт интервјуа с Верицом Нићић, 2. 10. 2015, Добротин).

Поступак „нишања" у смеру „налево-надесно", са пратећим високим скоковима и брзим окретима, јесте универзални акционални знак у описима датог чина на истраживаној територији, као и на знатно ширем простору. Таквим покретима остварује се „индексно-иконичка веза са растом усева и са кинетичком енергијом ветра" (Вукичевић-Закић 2006: 485), што значи да визуелним сугерисањем референтног објекта акционални систем успоставља однос са „специфичним десигнатумом", односно идејом датог обреда (Закић 2009a: 54).

Универзалност се сагледава и на темпоралном плану, у смислу императива дневног љуљања, што је илустровано речима Оливере

више дигне у ваздух то ће и лан више нарасти те сезоне" (Frejzer 1977: 358). Важно је напоменути и то да наративи испитаника из централног дела Косова и Метохије нису указивали на профилактичку и лустративну функцију овог чина (садржане у веровању да се тим путем могу одагнати зли духови и други штетни утицаји оностраног и овостраног ентитета, или учесници заштитити од болести), које су регистроване у претходном времену на широј територији Србије (Илијин 1963: 284).

Спасић из Племетине да од вечерњих часова „љуљашка седи до ујутру", односно, не развезује се ноћу, али се и не користи.[75]

Чин обредног љуљања је праћен песмом окупљених девојака или жена. Мали број регистрованих записа (примери бр. 5–10) свакако је последица заборава некадашњих учесница у вишедеценијском одсуству ове праксе из народног живота. О томе сведоче и забележени поетски текстови редукованог садржаја (на чију непотпуност су указивали и сами интерпретатори изјавама да су се уводне речи односиле на мајку и оца, а потом и на момка, чиме је породичној тематици придруживана и љубавна између двоје младих), као и стихови променљиве метрике на крајевима поетских целина, изведени само у говорној форми са присећањем на њихову некадашњу информативну и семантичку вредност (примери бр. 6 и 9). Другим речима, доследност симетрично осмерачког метричког склопа карактерише кратке поетске конструкције, базиране на излагању два (примери бр. 7, 8) или три стиха (пример бр. 5). Потпунија поетска форма (свакако не и целовита, у поређењу са назначеним текстовима из ранијег периода) садржана је само у извођењу Оливере Спасић из Племетине:

Пример бр. 10:

Мори, чија мома на нишаљку?
И, ѓајѓане мој, и!

Чија мома на нишаљку?
Чија да је мајкина је,
мајка ће ти шит' кошуљу.
Чија да је татина је,
тата ће ти кундре купит'.

Ова песма је специфична и по појави дугог припевног облика рефрена И, гајтане мој, и! и кратког претпева мори, који чине обавезан део

---

[75] Табуисане појаве обављања овог чина након заласка сунца проистичу из односа архаичне религијске свести према ноћном добу, као мрачном, оностраном ентитету, који подразумева привремени прекид људске делатности и контроле (Bratić 1993: 53). О томе сведоче и народна казивања из лесковачког краја, где су љуљашке развезиване одмах по заласку сунца како се на њима „ноћу не би ђаво заљуљао" (Ђорђевић 1958: 364–366).

интегралних текстова и у наведеним Нушићевим, Мокрањчевим, Дебељковићевим и Васиљевићевим примерима. За разлику, дакле, од рефрена <u>море</u>/<u>мори</u>, који је карактеристичан за већину ових песама регистрованих током недавних истраживања, а који је позициониран у иницијалном сегменту (примери бр. 7, 8, 9 и 10), изузетно у медијалном (пример бр. 6), поменути дуги припев заједно са основним стиховима чини кључно поетско идентификацијско обележје овог жанра.

Функцију жанровског идентификатора у истом примеру (бр. 10) имају, такође, музичке и формалне карактеристике. Реч је о дводелној мелострофичној организацији, састављеној од основног стиха и припева, базираној на репетитивном поступку силазно-узлазног мелодијског тока у границама трикордалног поља, parlando rubato ритмичком систему са сменом краћих и дужих ритмичких вредности у силабичном и мелизматичном односу са испевавањем слоговних јединица. Узаном тонском обиму са интонативно нестабилним хиперфиналисом, чијом потоњом хроматском инфлексијом почетни молски трикорд током излагања основног стиха бива презначен у фригијски трикорд на припевној позицији, опонира завршни високи и дуги извик са полустепеним силазним усмерењем.

Пример бр. 10:

Музичка и формална обележја овог примера садрже значајан степен аналогије са Мокрањчевим записима с краја 19. века и мелодијом коју је забележио Васиљевић средином 20. века. Различитости се испољавају, најпре, на тонском плану – комбинацијом пентакордалног оквира (са прекомерном секундом између сниженог хиперфиналиса и терце изнад финалиса) и молског тетракорда у примеру из Грачанице (Мокрањац 1996: 123, пример бр. 95); применом дурског тетракорда

у запису из Сушице (Исто: 124, пример бр. 96) и његовом комбинаци-
јом са молским тетракордом у мелодији из Липљана (Васиљевић 1950:
182, пример бр. 360). У таквом, ширем тонском опсегу изразитији је
таласасти карактер музичког тока са иницијалним високо позицио-
нираним рефреном *море*, поступним даљим силазним покретом и
поновним мелодијским врхунцем достигнутим терцним или квартним
скоком. Такође, поред наглашеније мелизматичности припевног ре-
френа у записима из Грачанице и Липљана (Мокрањац 1996: 123, при-
мер бр. 95; Васиљевић 1950: 182, пример бр. 360), мелодије из ранијег
периода одликује и специфична појавност извика у излагању припева,
маркирана његовим дугим трајањем након другог слога (Мокрањац
1996: 123, пример бр. 95), или после првог слога (Мокрањац 1996: 124,
пример бр. 96; Васиљевић: 1950: 182, пример бр. 360), са могућим сила-
зним (понирућим) током који је еквивалентан покрету извика у мело-
строфичној каденци. Таква позиционираност и фреквентност извика
додатно истиче експресивно и динамичко својство овог елемента.

(Стеван Стојановић Мокрањац, *Ейномузиколошки зайиси*, пример бр. 95)

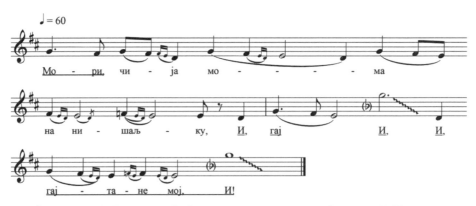

(Миодраг А. Васиљевић, *Јуīословенски музички фолклор, I: Народне
мелодије које се йевају на Космейу*, пример бр. 360)

Као што је већ речено, остали примери песама уз обредно љуљање забележени током недавног истраживања средишњег дела Косова и Метохије садрже кратку поетску форму (чија љубавна тематика је вођена идејом зближавања младих, прожетом и брачном иницијативом – примери бр. 5 и 7), или дужу – са променљивом стиховном метриком (где се одступања од симетричног осмерца јављају приликом даљег излагања стихова породичне тематике у деветерачком и десетерачком склопу – примери бр. 6 и 9). Поред, такође истакнутог, иницијалног или медијалног рефрена *море* (примери бр. 7, 8, 9; 6), могућа је и појава извика са силазним глисандом на завршетку мелострофе (пример бр. 5). Доминантност таласастог музичког тока (уз изузетност готово рецитативног исказа – у примеру бр. 7) са преовлађујућим силабичним карактером одвија се у границама узлазно-силазног молског или фригијског трикорда (примери бр. 5 и 6), као и силазно-узлазног дурског тетракорда (пример бр. 9), или пентакорда са достигнутом кулминацијом путем квартног скока у каденцијалном сегменту (пример бр. 8). Звучна организованост базира се на иманентној тенденцији ка повећању и смањењу напетости у микрооквирима, при чему је опадање мелодијске тензије праћено дужим ритмичким задржавањем на тонској упоришној оси (примери бр. 5, 6, 7, 9 и 10).

На основу изложеног, могуће је издвојити следећа типска обележја овог поетско-музичког жанра:

- једнообразност поетског система на семантичком и конструкционом плану – са карактеристичним иницијалним индексним реферисањем на дати чин (стихом „Чија мома на нишаљку?") и доминантном симетричном осмерачком метриком;
- једногласна (односно унисона – у случају симултаног извођења две певачице) интерпретација;
- репетитивност мотива која доприноси фрагментарности музичког тока;
- комбинација silabic и parlando rubato стила, или доминација слободног ритмичког система са најчешће дужим ослонцем на финалису, као упоришном тону;
- таласасти мелодијски покрет у конституисању мелострофичне целине, базиране на излагању једног мелостиха (и припева);

– звучна опозитност могућих високо позиционираних каденцијал-
них извика према ужем тонском опсегу током испевавања основ-
ног стиха и дугог припевног рефрена.

Синергија наведених одлика крактерише песме уз обредно љуља-
ње и у другим областима Србије. Најпре, у поетском смислу, готово
идентичан текст у односу на записе из централног дела Косова и Ме-
тохије, који датирају од краја 19. века, забележио је Иван Степанович
Јастребов у Призрену, током последње деценије 19. века (Ястребов 1889:
159–164).[76] Истоветна тематика са породичним и љубавним мотивима,
уз другачије иницијалне стихове („Чије перо на нишаљку”) и припевни
рефрен „пололејке, пололејке” регистрована је 70-их година 20. века у
Коретишту (Косовско Поморавље; ФА ФМУ, трака бр. 753, Закић 2009а:
278). Разноврсни почетни стихови („Лако трупче на нишало”, „Занишај
се, лако перо”, „Нишај перо на лелејко”) са рефреном „лелајо, лелајо”
забележени су у насељима Сиринићке жупе, почетком 21. века (Закић
2017: 295–300). У односу на примере са Косова и Метохије, песме из
других крајева Србије садрже извесне различитости: доминацију љу-
бавних мотива, поред осмерца и једанаестерачку стиховну конструк-
цију (околина Лесковца; Васиљевић 1960: 26, 27), изостанак рефрена
(област Лесковца и Сокобање; Васиљевић 1960: 26, 27; ФА ФМУ, трака

---

[76] Међу песмама које се изводе у Призрену на Ђурђевдан „док се младе девојке
и жене љуљају”, Јастребов је записао и следећи текст (Ястребов 1889: 162, 163):
„Мори, чија мома на нишаљку,
Гајтане мој!
Мори, чија да је мајкина је
Гајтане мој!
Мори, мајкина је, тајкина је
Гајтане мој!
Мори, мајка ће гу шит' кошуљу,
Гајтане мој!
Мори, тајко ће гу капу купит,
Гајтане мој!
Мори, сестра ће гу капу низат',
Гајтане мој!
Мори, чича ће гу ћурак купит,
Гајтане мој!
Мори, братац ће гу цвеће брати,
Гајтане мој!”

бр. 628, Вукичевић-Закић 2006: 490), променљиви вид рефрена (<u>ладо,</u> <u>ој, ладо</u> и <u>јагње младо</u>, у тексту из Г. Гајтана код Лесковца; Илијин 1963: 279), као и самостални рефрен (<u>Севдико, Севделико, / сулин мен', Ја-</u><u>годо, / пољуби ме, Јагодо</u>, у песми из Ресника код Сокобање; Миљковић 1978: 141). У последњем случају „развијени рефрен може се тумачити и као показатељ трансформације обредног поетског текста у 'чисто' лирски или љубавни у процесу десакрализације обреда" (Вукичевић--Закић 2006: 486). Такви рефрени свакако нису типични за категорију песама уз обредно љуљање и у том смислу имају аналогоне у примеру из Велике Хоче (са упевом <u>море, јагње бело</u>), који је пропраћен комен-таром да се пева „као љубавна или на љуљашци" (Васиљевић 1950: 41, пример бр. 60), и у тексту из Призренског Подгора (са припевом <u>лељо</u>; Јастребов 1889: 164).[77] Имајући у виду да су песме које су пратиле об-редно љуљање извођене у ширем временском интервалу, назначене рефренске лексеме и синтагме могу се интерпретирати у светлу прожи-мања овог жанра са другим пролећним и пролећно-летњим жанровима – ђурђевданском, краљичком (Anđelković 2001). Претпоставку о инкор-порирању рефрена из текстова других обреда поткрепљују и примери из македонске народне праксе (Rusić 1963: 273, 274).

Поменути таласасти мелодијски ток чини се суштинским у музич-кој идентификацији овог жанра, будући да он дијаграмском слично-шћу, односно структуралном аналогијом, остварује везу са акционал-ним системом – чином нишања, и са референтним објектом – идејом пораста вегетативне моћи. Другим речима, индексно-иконичка гене-рисаност музичког покрета тумачи се у светлу транспоновања ритма и обрасца покрета из акционалног система.[78] Исти, таласасто профи-

---

[77] Забележени текст гласи:
„Чија ћерка на нишаљку? Лељо!
Материна и очева! Лељо!
Мајка ће гу кошуљу кројит, Лељо!
Татко ће гу капу купит', Лељо!
Братко ће гу папуч купит', Лељо!
Сестра ће гу венац низат', Лељо!"

[78] Индексност је узрокована појавом коју музички текст означава. Функција иконичког се сагледава на нивоу моделовања означеног објекта, односно путем пре-познавања неких његових особина. Према речима Умберта Ека (Umberto Eco), ради се о репродуковању неких услова перцепције објекта, те конструисања такве перцеп-тивне структуре која омогућава њихово међусобно препознавање (Eko 1973: 122–132).

лисани мелодијски токови у трикордалним или тетракордалним оквирима, праћени понекад високим извицима, карактеришу песме овог жанра и из лесковачке и сокобањске области (Васиљевић 1960: 26, 27; Закић 2009а: 277, 278), чиме се на ширем простору потврђује хомологија између музичког модалитета и акционалног ко̂да.

Тежња ка максималној синонимији разних система у обреду, вођена принципом симултане интертекстуалне размене означавања, кључно доприноси његовој целовитости и магијској делотворности (Толстој 1995: 124; Lič 1983: 5–15). Интеракција поетског, музичког текста и текстова других система у чину пролећног љуљања указује на њихово деловање искључиво у контексту образовања јединствене обредне поруке, што је често истицана чињеница у научним разматрањима комплетне српске календарске обредности (Закић 2009а).

У погледу односа информативне вредности музичког и поетског система важно је истаћи следеће: обе поруке су семантички високо информативне (имајући у виду присутност објекта у тексту као знаку: Моль 1966: 195–209), док су њихове нумеричке вредности различите (судећи по количини иновације у тексту: Eko 1973: 31; Моль 1966: 195–209; Benze 1977: 49–74). Музичка порука на нивоу иницијалног обрасца поседује високу информативност у односу на ванмузички појам. Њена нумеричка информативност, међутим, знатно слаби понављањем модела у даљим мелострофичним излагањима. Другачији је принцип поетског структурисања, где стални ток нових стихова у песми омогућава пораст информације. „Таквим поступком се, у перцептивном смислу, ублажава висока редундантност музичког модела. Редундантност музичког садржаја, заправо, има функцију утискивања, уграђивања у индивидуалну и колективну меморију” (Закић 2009б: 147). Већ и ова паралела сведочи о често истицаној диферентности невербалних и вербалних комуникационих облика, садржаној и у речима да при преносу информација „синтакса невербалног ’језика’ мора бити знатно једноставнија од синтаксе говорног или писаног језика” (Lič 1983: 19, 20). С обзиром на дискретност, конвенционалност и арбитрарност поетског система, јасно је да његова висока нумеричка информативност исходи из великог комуникативног потенцијала, те базичног принципа симболичког репрезентовања ванјезичких појава (Ivić 1987: 246). У том смислу, поетски систем јесте комплементаран музичком, као и осталим системима обреда са изразитијом функцијом иконичких релација („природних" веза између означитеља и означеног), који су погоднији за изражавање целовитости обредног догађаја.

4.3. ПЕСМЕ ЗА РОЈЕЊЕ ПЧЕЛА

Узгајање пчела се сматра једном од најстаријих људских делатности и оно је претходило другим пољопривредним, биљним и сточарским производњама (Јевтић 1974, Толстој 1995: 71). Древност и цењеност пчеларске активности у вези је са вишеструким користима ове привредне праксе,[79] која нарочито у прошлости није захтевала пуно улагања.[80]

Гајење пчела у насељима централног дела Косова и Метохије представља део дугогодишње породичне традиције, очуване и данас у бројним домаћинствима на овом простору. О процесу таквог предачког искуства и знања сведоче непосредни теренски увиди у континуитет ове активности (на пример, у породици Младена Караџића из Лапљег Села, који је гајење пчела наследио од баке, а потом га пренео на своја три сина, па и на унука који му помаже при хватању пчела), као и наративи чланова удружења „Пчелице" из Доње Гуштерице, који се већ дужи низ година баве савременом методом чувања пчела у сандуцима (или „сандацима" у локалном дијалекту), али памте и старији начин гајења пчела у „трмкама", који је практикован у њиховим домовима. На континуираност ове породичне праксе указују и речи Љубинка Зарковића, председника и најстаријег члана поменутог удружења, да је пчеле које су се ројиле бака „наименовала" на њега док је био дечак.

---

[79] Казивачи из истраживаних насеља истичу да су пчелињи производи – мед, восак, „лесковарина" – имали важну примену у различитим ситуацијама свакодневног живота. Негрејани мед се чувао као лек. Од воска су жене упредале свеће, а користио се и за залечење пупка након порођаја. Од „лесковарине" (отпада од саћа) прављене су лопте које су служиле за загревање, јер су емитовале велику топлоту. О коришћењу воска „како у расвети, тако и у ритуалним обредима", видети: Vukanović 1986a: 123.

[80] Током зиме пчеле су се храниле пројом од кукурузног брашна. Корица испечене проје се љуштила с једне стране и посипала шећером. Тако припремљена проја стављала се испод кошнице. Поред тога, пчеле су могле да се хране и шербетом (од лимуна и шећера) из плитког тањира, преко којег су укрштане сламке или дреново пруће како пчеле не би упале у тањир. Последњих деценија купују се хранилице за пчеле.

Бројна народна казивања упућују на специфичан однос и везу која се успоставља између пчела и особа које их негују. Међу њима је и опште тумачење да се пчеле задржавају само у домаћинствима у којима влада слога и чији чланови „чине добра дела". Присутно је и веровање, забележено у Лапљем Селу и Сувом Долу, да пчеле осете тренутак упокојења особе која их је чувала и да се не би узнемириле и излетеле из кошнице потребно је да их неко од укућана обавести о томе, као и да им каже ко ће од тог тренутка бити задужен за њих. Имајући у виду такав однос, као и значај пчела и њихових производа у народном животу, нису изненађујуће речи Младена Караџића да се пчела у народном животу третира „као светиња, као светац, као Света Богородица".

Периодројења пчела казивачи су временски лоцирали од касног пролећа (одмах након Ђурђевдана) до (познијег) лета (Видовдана, Петровдана, или до августа), када је најизразитије деловање сунчеве моћи. Сâм чин одвија се у јутарњим часовима до подневе. Један пчелињи рој (на челу са једном матицом) може да „пусти више ројева", што зависи од „јачине пчелињег друштва".[81] По том питању, изјаве испитаника су различите: од податка да из „једне трмке може да се пусти само непаран број ројева" (Предраг Арсић из Угљара), преко информације да „једна пчела може да пусти три роја – првенац (који је најјачи), путорак и трећак" (Видосава Нићић и Загорка Јанчетовић из Чаглавице; Дивна Николић из Лапљег Села), до навода о „изројавању седам нових, који се зову: првенац, поторак, трећак, четворак, петак, шестак и седмак" (Младен Караџић). У случају да и „првенац пусти рој (да се упрвенча)", онда су оне именоване као „беле пчеле" (Младен Караџић) или „копиљак" (Стана Маринковић из Кузмина).

Предметни и акционални системи који прате поступак ројења пчела обухватају низ симултаних и сукцесивних радњи у функцији

---

[81] Пчелиње друштво има матицу, радилице и трутове. Матица се препознаје по томе што је највећа и она излеже највише јајашца. Матица има жуте ножице и црвену боју на глави. Остале пчеле је препознају по специфичном мирису. Јајашца из којих ће настати нове матице полажу се у чауре које се праве од воска, меда и цветног праха. То је легло за матицу које се назива „матичњак". Матичњаци могу бити дуги или кратки, храпави и мазни; најбољи су храпави и дужи који морају имати и правилан облик. Матица се излеже у ово легло, које је велико као половина људског прста. Њима пчеле посвећују посебну пажњу и додатно их хране матичним млечом. Поред тога, важна је улога пчела „стражара", које на улазу у кошницу не допуштају приступ пчелама из других локално окружујућих друштава, чиме штите и делотворност сопствене матице.

достизања жељеног циља. Најпре, припремање кошнице – „трмке” (исплетене од гранчица винове лозе или врбе – „паутине”, а са спољашње стране намазане балегом и пепелом – „пепијем”) подразумева да се она надими („начади”) изнутра, након чега се утрљава биљка матичњак („маточина” – чији мирис на лимун снажно привлачи пчеле)[82], мед и шећер. Певање у служби утеривања у „трмку” почиње када се формира рој „у облику браде”, што је протумачено од казивача као чин „игре” пчела приликом њиховог пуштања из кошнице, о чему говоре и стихови ових песама (примери бр. 15, 15а, 16 и 17). Пчеле се прскају водом („мацају се”)[83] и маме маточином уз певање које траје док „мајка” („матица”), а за њом и остале пчеле не уђу у кошницу. У случају вишег локативног позиционирања роја (на гранама дрвета), „трмка” се поставља на „набодњу” (која служи да се њоме товаре снопови жита) и подигне да пчеле уђу у кошницу. Казивачи, такође, наводе да пчела приликом ројења не уједа уколико онај ко је мами нема на себи неки јак мирис, посебно мирис белог лука. У случају да матица и остале пчеле не уђу у „трмку”, претпоставља се да их је неко „урочио”.[84] Хватање пчела помоћу „трмке” користи се и у савременом пчеларству, мада је честа пракса да се не чека сâм чин ројења, већ се оквир са новом матицом пребацује у другу кошницу или сандук.

После уласка пчела у „трмку”, она се ставља на даску на којој се меси хлеб („танур”) и покрива кошуљом беле боје (понекад кошуљом

---

[82] Поред назива „матичњак” (који се са немачког и латинског преводи као „ћелија краљице пчела”), што директно реферише на назив „матица” (у преводу „пчелина краљица”), Вук Стефановић Караџић наводи и термин „маца”, чије је једно од значења „трава што се њом мажу кошнице кад се рој стреса” (Караџић 1972: 347–348).

[83] Овај народни термин адекватан је семантици назива „маца”, тумаченој од стране Вука Стефановића Караџића (Исто).

[84] Напоредо с тим, забележена су и друга тумачења мештана: уколико матици не одговара „трмка”, она је напушта и поново се збије на исто дрво на коме је била приликом хватања, као и веровање да пчеле напуштају „трмке” или сандуке који су прављени петком, за разлику од оних који су израђивани понедељком и четвртком, јер су то „напредни дани”. Дена Дебељковић наводи да на подручју Косова Поља „у трмку која је плетена у недељу не улазе пчеле, већ беже из ње” (Дебељковић 1907: 321). Он бележи и следеће: „Кад се пчеле гомилају око трмке, а не роје се, онда сељаци зову попа те им чита молитву и попрска их водицом. Неки место тога раде овако: кад чобанин пусти овце из трла и хоће да их тера у поље, он треба да приђе трмци да је дарне штапом и да каже: ʼАјде пчеле што ћутите? Ја пуштих овце из трла, пуштите се и ви из трмке.ʼ После неког времена пчеле се почну ројити” (Исто).

мушког детета коме се намењују пчеле) и „седи тако до увече да се рој умири", након чега се преноси на место предвиђено за његов даљи боравак. Крај „трмке" се ставља тањир са кашикама које су лицем окрeнуте, како би се пчеле множиле.

Већина информатора није навела тачно време када се мед вади из кошнице. Према појединим изјавама, тај чин се обавља(о) 22. марта, на Младенце. У ранијем периоду (до пре 60-ак година) пчеле су убијане током процеса вађења меда, начином димљења „трмке" у претходно сумпором (или барутом) запаљеним крпама у ископаној рупи у земљи.[85] Такав поступак убрзо је замењен методом претеривања пчела из једне пуне „трмке" у другу, изнад постављену и празну, како би приликом „паљења крпа око пуне трмке" пчеле прелазиле у горњу, док се из „доње вадио мед".

Поређењем контекста спровођења ових чинова из насеља у централном делу Косова и Метохије са начином извођења истог обреда у другим деловима Србије уочава се великим делом усаглашеност како на темпоралном, тако и на предметном и акционалном плану, што указује на општи апотропејско-профилактички карактер обреда. Универзалност акционалног чина потврђују научне интерпретације базиране на емским изјавама у разним крајевима Србије. Према речима Драгослава Девића, кошницу „прво (...) треба опалити пламеном, затим добро натрљати травом матичњак (...) Када се рој ухвати ('сједне') у кошницу она се полако пренесе на равно место, и одмах је треба препокрити белим платном или убрусом, или женском белом кошуљом. У селу Брза (околина Лесковца) се верује да то треба да уради млађа особа из домаћиновe куће" (Девић 2003: 633–634).[86] Неподударност у

---

[85] Исти принцип у прошлости потврђује и Фехми Ука (Fehmi Uka) из Бабиног Моста, чија је породица „јерли", односно староседелачка. Он се бави гајењем пчела (на албанском „bletë"/„блета") на савремен начин. Фехми не пева пчелама, али се сећа да је његова бака узимала траву матичњак и трљала трмку („koshiqe"/„кошиће") са унутрашње стране како би привукла матицу („ëma"/„ома"). Ухваћени рој је покривала (није навео чиме). Слично је чинила и његова комшиница, која је звиждала и певала пчелама користећи речи „мат, мат". Иначе, поједини Срби немају потпуну информацију када је у питању пчеларство код Албанаца. Међутим, други део информатора са сигурношћу изјављује да се Албанци раније нису бавили овом активношћу и да су однедавно почели да купују кошнице од Срба.

[86] О апотропејском значају беле боје, присутне и у другим обредима, видети: Петровић 1992: 361.

предметном смислу огледа се, на пример, у коришћењу белог лука у припреми кошнице, који се, за разлику од праксе у осталим областима Србије (Исто), као и крајевима Македоније (Бицевски 1997), у централном делу Косова и Метохије никако не примењује (уз већ истакнуту напомену да би пчеле у том случају могле да изуједају особу која их призива). Поред тога, у испитиваним насељима наводи се употреба меда и шећера са функцијом додатне стимулације матице, што није случај у забележеном материјалу из осталих крајева Србије. Друге радње апотропејског карактера које се налазе у етнографској грађи током 20. века, а реферишу на одређене локалитете у Србији, у вези су са припремом кошнице око Божића (утрљавањем садржаја чесница у њену унутрашњост или кићењем врбовим гранчицама и цвећем у Хомољу и бољевачком крају), као и са ројењем пчела (уз учешће нагих особа у извршењу овог чина у Лесковцу; Златановић 1982: 50–51), или сакупљањем трава за пчеле (приликом Ускршњег „бирања сабора“ у Средачкој жупи[87]), нису регистроване у пракси средишњег дела Косова и Метохије. Емски назив целокупног чина такође је различит, будући да се на истраживаном простору Косова и Метохије не користи назив „маткање“, који Драгослав Девић наводи као доминантан народни термин овог обредног жанра у Србији (Девић 2003: 632–633).

Специфичност обредних радњи у вези са пчелама на испитиваној територији је њихово укључивање током празновања Божића и Ђурђевдана. Према народним наративима, „на Божић се окади простор на коме се налазе трмке и упали се свећа која се упреда од воска и конца, а поред трмке се ставља и крстић направљен од бањака“ (бадњака). Уочи Ђурђевдана, становници села у близини реке Ситнице „прали су трмке на перало, а рано ујутру прскали пчеле чичком у трмкама како би ројиле. Девојке су брале различите биљке и правиле венчиће које су стављале на трмке. Поред трмке се стављала и флаша са водом, бела рада (да се радују када се роје пчеле), дрен (да пчеле буду здраве као дрен) и гранчица врбе.“ Венчићи од цвећа стављају се на трмке и у време летњег Светог Јована (7. јули).

---

[87] Према теренским подацима Сање Ранковић из 1993. године, „бирање сабора“ подразумева играње жена у формацији полукружног кола које се креће бочним корацима у десну страну; у средини кола четири жене стоје формирајући крст и повремено се сагињу и беру траву за пчеле.

У низу обредних поступака који су пратили чин ројења пчела посебну пажњу завређују вокални изрази упућени „матици" која предводи рој. У оквиру забележеног вокалног корпуса на територији Србије бројност *ичелских иесама* је изузетно мала, што је последица поступног нестајања акционалних, предметних и вербалних форми током извођења датог обреда. Нотни записи, настали у периоду од средине до краја 20. века, указују на очуваност овог жанра у народној меморији, или пак у актуелној пракси (што у научним елаборацијама углавном није експлицирано) у областима Лесковачке Мораве (Васиљевић 1960: 67–68; Марјановић 1998: 309, 332), Бање (Миљковић 1978: 151, 182), Бујановца (Големовић 1980: 183), Доње Јасенице (Миљковић 1986: 52, 190, 264), Црне Реке (Девић 1990: 150), Сврљига (Девић 1992: 483–485), Средачке жупе (Шипић 1997: музички прилог бр. 2; Девић 2003: 637–638).

Имајући у виду раритетност пчелских песама у досадашњим изворима и њихову слабу очуваност у народној пракси Србије, сматрамо изузетно вредном грађу коју смо забележиле у највећем броју насеља централног дела Косова и Метохије (Лапље Село, Чаглавица, Рабовце, Кузмин, Ливађе, Бабљак, Батусе, Лепина, Племетина, Бабин Мост, Доња Гуштерица). У већини ових места таква вокална активност, функционално означена од стране казивача као песме које се изводе „кад се роје"/„маме пчеле", или „моле" да уђу у кошницу, престала је да буде део живе праксе од 70-их/80-их година прошлог века, изузев у Лапљем Селу и Батусу, где је актуелна и данас у породици Младена Караџића и Јовице Арсића.

Демонстрирани акт утеривања пчела у кошницу током последњих трогодишњих истраживања у потпуном је сагласју са првим етнографским публикованим подацима у области Косова Поља, који потичу из пера Дене Дебељковића с почетка 20. века (Дебељковић 1907: 320):

„Кад се пуште или роје пчеле, онда жене узму трмку, па је начаде изнутра на дну над ватром, у коју су метнули мало сламе од кућне стрехе; затим је протрљају травом маточином да би лепо мирисала. После овога једна од њих дође и стане усред роја, и држећи ону трмку под левом мишком, окрене јој уста мало навише, а у десној руци држи маточину, с којом по неки пут протре трмку изнутра, да би по мирису пчеле трчале у њу. Држећи тако трмку, она им пева и мами их унутра овако:

’Мат, мат, мат, мат!
Кот, кот, кот, кот, кот!
В’ш, в’ш, в’ш, в’ш!
Бери рој, блага бубо,
Сабери га, блага бубо,
Доста игра, блага бубо,
Ете киша, блага бубо,
Ете ветар, блага моја,
Роса роси, блага бубо,
Ветар веје, блага бубо
Гора гори, блага бубо,
Мат, мат!
Кот, кот!...’”

Актуелни емски наративи упућују на то да извођење песама за
ројење пчела није (било) родно детерминисано. Иако се већи број жен-
ске популације на терену нашао у улози интерпретатора овог жанра
(и да су, судећи према њиховим исказима, старије жене биле доми-
нантни носиоци такве праксе у прошлости), истраживања ове области
потврђују и дужу временску континуираност учешћа мушких члано-
ва домаћинстава у датом контексту. Усаглашеност казивача по питању
одговарајућег вокалног тембра и интензитета реферише на изведбу
ових песама у вишем регистру и умерене јачине, што одговара карак-
теристици звука који производи матица.[88] Исту ономатопејску функ-
цију има и чин звиждања („свирање устима“) на почетку, у средини и/
или на крају комплетног певаног исказа (примери бр. 12, 16, 18, 18а),
који додатно доприноси утеривању матице, а за њом и осталих пчела
у кошницу. Томе се придружује и поступак „хуктања“ у спојене прсте
(обављан три пута) на иницијалним и/или завршним сегментима песме
(примери бр. 18 и 18а).

Такве иконичко аудитивне аналогије са природним гласом пчела
праћене су иконичко-индексичким знаковним атрибуцијама на вер-
балном плану. Реч је, најпре, о константној примени рефренских лек-
сема <u>мат</u>, коју извођачи доводе у директну везу са звучним оглашавањем

---

[88] Због своје старосне доби извођачи нису били у могућности да интерпрети-
рају мелодије у вишем регистру, на шта су и сами указивали, а што се и види из
приложених нотних записа (примери бр. 11–18а).

матице у кошници,[89] и <u>кот</u>, која у локалном дијалекту означава „уте-
ривање” пчела у кошницу.[90] На делотворно својство ових исказа упу-
ћује нарочито њихово укључивање у иницијалне и завршне сегменте
рефренског обраћања, које је базирано на репетитивним лексемама
<u>кот</u> и <u>мат</u> (примери бр. 11, 12, 14, 15а, 17). Њиховим сталним понавља-
њем успоставља се, дакле, непосредна, узрочна корелација с референт-
ним објектом. Напоредо с тим, посебну симболичку вредност носе
поетске синтагме у алтернативним рефренским видовима,[91] (због чега
су и означене испрекиданом линијом), попут: <u>блага бубо</u>; <u>мила мато</u>;
<u>мила моја</u>; <u>бубо моја</u>; <u>селе моја</u>; <u>мила бубо</u>; <u>млада бубо</u>; <u>блага бубице</u>;
<u>блага матице</u> – којима се исказује поштовање матици и глорификује
њена улога у чину окупљања и одржавања пчелињег роја. Будући да
такви алтернативни рефренски облици и у семантичком и у мелодиј-
ском смислу обликују стиховну целовитост, они се у овој студији ин-
терпретирају као интегрални део основног поетског текста. Дакле, у
овим астрофичним, стихично организованим поетским примерима,[92]
променљиве рефренске синтагме тумаче се као други полустих у посто-
јаним симетрично осмерачким (примери бр. 12, 13, 14, 15, 15а, 16, 17),
или, знатно ређе, у непостојаним стиховним метрикама (примери бр.
18, 18а). Другачија позиционираност исте речи у датим синтаксичким
и формалним оквирима допушта могућност различитог тумачења ње-
ног функционално-знаковног својства: тако у примеру бр. 11 реч „бубо”
у комбинацији са „мат” употпуњује семантику самосталног рефрена
у оквирним сегментима текста, док је њена појава у медијалном делу

---

[89] Према наводима свих казивача, у вечерњим часовима који претходе чину
ројења, „матица пева изговарајући речи 'мат, мат'”. Као неизоставни део пчелских
песама у Србији, „мат” се, сходно тумачењу Драгослава Девића, сматра „етимоном
за низ речи у пчеларењу”: попут „маткања” или „матичјака” („маточине”) (Девић
2003: 632–633).

[90] Реч „кот” није забележена у досадашњој етномузиколошкој литератури;
записана је у варијантном облику, као „кути” („кут”) у пчелској песми из Врбовца
(Црна Река), снимљеној 1982. године, и у лазаричкој песми за пчеле из Дадинца
(Лесковачка Морава), снимљеној 1963. године (Девић 2003: 636, 640, 641, 648, 649).
О истом значењу речи „мат” и „кут”, видети: *Речник српскохрватског књижевног и
народног* језика: 1981, 95–96.

[91] О променљивом рефрену видети шире у: Големовић 2000: 43–47.

[92] Подела на стихичне и строфичне форме, коју је извела Алиса Елшикова
(Alica Elscheková), детаљно је разрађена у студији Сање Радиновић о закономер-
ностима мелопоетског обликовања српских народних песама (Радиновић 2011: 205).

индексички (каузално) инкорпорисана у семантику основног стиха – као важна семема стиховног значења – којој се не може приписати ни обележје променљивог рефрена, будући да нема алтернативни облик у даљим стиховима.[93]

Семантички ниво основних поетских текстова обележен је наративним формулама у функцији призивања матице и њеног сабирања роја (попут стихова: „дођи, бубо, у своју кућу, / иде деда да те чека, / иде баба да те чека" – пример бр. 11; „прибери се, блага бубо, / прибери се, мила моја," – пример бр. 13, варијанте у примерима бр. 15, 15а, 16 и 17; „бери рој, блага бубо, / бери рој, блага бубице," – пример бр. 18, варијанта у примеру бр. 18а; „сабери их, мила моја, / нема урук, блага бубо, / ко урочи, лук у очи" – пример бр. 14; „доста игра, бубо моја, / доста игра, селе моја," пример бр. 15, варијанте у примерима бр. 15а, 16, 17), као и упозорење о неповољним временским околностима (што илуструју стихови: „'оће ветар, блага бубо, / 'оће ветар, мила мато," – пример бр. 12; „дува ветар, пада киша" – пример бр. 17). Очигледна једнообразност текстова, заједно са препознатљивим постојаним и променљивим рефренима, као и са специфичним пратећим поступцима „свирања устима" и „хуктања", чини поетски систем јасним идентификатором жанра песама за ројење пчела.

Музички систем ових солистичких интерпретација представља комбинацију интонативно неодређених, речитативних и мелодијски обликованих сегмената, а њихова примена у макроформалној организацији са додатним поступцима јесте кључни критеријум у класификацији примера (извршеној, условно речено, од једноставнијих ка сложенијим облицима).

Доминантна је употреба речитативних исказа на рефренским местима и мелодијски уобличених низова током излагања основних стихова (примери бр. 13, 14, 15, 15а, 16, 17). Изузетак су поступци засновани на комбинацији: мелодијски обликованог оквирног рефрена и интонативно нестабилних стихова (пример бр. 11); интонативно неодређеног рефрена и речитативних стихова (пример бр. 12); мелодијски уобличених стихова и интонативно неодређеног рефрена фалсетног

---

[93] Дефинисање и означавање рефрена и променљивих рефрена у пчелским песмама није спровођено на доследан и научно аргументован начин у постојећим етномузиколошким студијама. На то указује и Димитрије Големовић (Golemović 2011: 105).

тембра (примери бр. 18, 18а). Карактеристичан принцип у оквиру преовлађујућег поступка је појава речитативних рефрена на почетном и завршном сегменту и мелодијски обликованих стихова у средишњем делу песме (примери бр. 14, 15а).

Поред тога, речитативне или интонативно неустаљене рефренске индексичке лексеме могу бити позициониране и на крајевима стихова у току целокупне вокалне форме (примери бр. 15, 15а, 16, 17).

Контрастност различитих типова музичког израза одражава се и на плану њиховог ритмичког структурисања: речитативно извођење рефрена превасходно подразумева примену дужих ритмичких вредности, док су мелодијски обликовани стихови обележени краћим ритмичким вредностима (примери бр. 13, 14, 15, 15а, 16, 17).

Сегмент из примера бр. 15:

Мелодика стиховних семантичких целина базирана је на поступном силазном покрету у оквиру молског трикорда (примери бр. 13, 14; са могућим прекорачењем доње или горње границе интонационог поља кратким захватањем хипофиналиса или кварте изнад финалиса – примери бр. 15, 16; 15а), молског тетракорда (пример бр. 17) или дурског тетракорда (примери бр. 18, 18а). Проширењу тонског опсега у целокупној певаној форми појединих примера доприносе маркантни сигнали почетка и краја песме, као специфичне оквирне формуле представљене високо позиционираним рефренима (на њиховим иницијалним појавама у рефренском окружењу после којих следи нагли квинтни скок наниже – пример бр. 14, или квартни скок наниже у почетном делу који је комплементаран поступно узлазном покрету рефрена у завршном сегменту – пример бр. 17).

Сегменти из примера бр. 14:

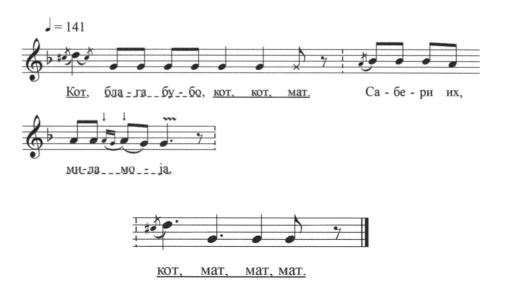

Функцију оквира имају и карактеристични индексички поступци комбинованог хуктања у прсте и звиждања (пример бр. 18а).

Сегмент из примера бр. 18а:

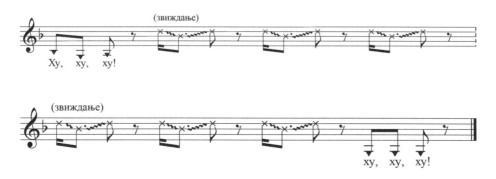

Чин звиждања (у примерима бр. 16, 18), као и извикивања (у примеру бр. 12), примењују се и као сигнали краја ових музичко-поетских целина.

Сегмент из примера бр. 12:

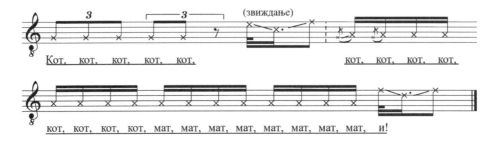

Будући да се пчелским песмама често приписује импровизациони карактер, њихова вишекратна бележења од истих извођача на испитиваном терену резултирала су увидима у степен постојаности или променљивости музичког и поетског израза. Они указују на стабилност музичких формула у смислу силазне интонираности основних стихова и речитативног излагања рефрена (као доминантног композиционог поступка овог жанра), али и на променљивост у поетско-синтаксичкој равни у вези са позицијом и учешћем рефренских лексема, применом променљивих рефрена, редоследом рефрена и основних стихова (што илуструју вокалне верзије певачице из Чаглавице – примери бр. 15 и 15а), као и са структуралним пунктовима чинова хуктања и звиждања и дужином певаног исказа (о чему сведоче интерпретације извођачице из Бабиног Моста – примери бр. 18 и 18а). Таква запажања потврђују импровизациони поступак на нивоу синтаксичког обликовања макроформалне структуре, као и постојаност семантичких означитеља овог жанра у музичкој и поетској равни.

С обзиром на позиционираност рефренских сегмената и основних поетских текстова, као и на начине њиховог музичког исказивања, издвајају се кључно два вида макроформалног структурирања. Први је означен као својеврстан троделни облик АВА,[94] са различитим ком-

---

[94] Овај троделни облик Димитрије Големовић приписује пчелским песмама „прве фазе" у еволутивном току фиксирања рефрена, које су базиране искључиво на „рефренском материјалу", при чему је средишњи део „музички развијенији" (Golemović 2011: 103, 104). У том контексту позива се и на мишљење Биљане Бојковић о троделности као основном облику ових песама, који је формиран поступком узастопног понављања формула дозивања и њиховим развојем најпре у иницијалним и каденцијалним деловима (Bojković 2000).

бинацијама: преовлађујућим и интонативно неодређеним лесемама <u>кот</u> и <u>мат</u> са једнотонским речитативом медијалних основних стихова (пример бр. 12); трикордално силазно профилисаном окружењу базираном на сталном понављању речи <u>мат</u> и <u>бубо</u> са интонативно неодређеним основним стиховима (пример бр. 11); речитативних двотонских рефрена са трикордалним поступно силазним унутрашњим стиховима (пример бр. 14); речитативних непроменљивих и мелодијски уобличених променљивих рефрена са музички изразитијим средишњим стиховима (пример бр. 15а).

Пример бр. 15а:

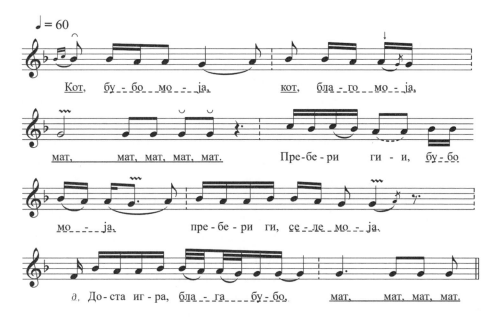

Други вид се заснива на својеврсном бинарном принципу,[95] са контрастним следом мелодијски развијеније основног поетског текста и речитативног рефрена (примери бр. 13, 15, 16), ређе интонативно неустаљеног рефрена (пример бр. 18).

---

[95] О битематском облику пчелских песама који подразумева мелодијску развијеност, организовану појаву рефрена, као и променљивих рефрена, видети: Golemović 2011: 104–106.

Сегменти из примера бр. 16:

Дуже наизменично смењивање тако супротстављених музичко-
-поетских сегмената резултира сложенијом макроформалном органи-
зацијом, која поред унутрашње синтаксичке повезаности различитих
исказа основних стихова и рефрена носи одлике и макротроделности
– са уоквирујућим рефренима (пример бр. 17) и поступцима хуктања
и звиждања (пример бр. 18а).

Имајући у виду изостанак забележених примера пчелских песама
у централном делу Косова и Метохије све до наших истраживања
(2015–2017), јасна је немогућност говора о дијахронијском развојном
облику овог жанра на испитиваној територији. С тим у вези, важно је
указати на претпоставку Димитрија Големовића, која је резултат ана-
лизе (додуше малобројних) пчелских песама бележених у другим кра-
јевима Србије, да су најједноставније, „а вероватно и најстарије пчелске
песме у себи садржавале својеврсни рефренски материјал, чије је поре-
кло ономатопејско подражавање матице (...) Временом, у песми се поја-
вио нови текст. Прво (...) у фрагментима, затим у све целовитијем виду,
а напослетку као стих, преузимајући у њој главну улогу. Уз њега важну
улогу добио је и рефрен, који је настао прилагођавањем некадашњег
рефренског материјала новоформираном тексту. Његова основна осо-
бина постаје непромењивост, која се односи на место, форму и садржај
(...), у коме се најчешће јавља реч мат" (Golemović 2011:107).[96] Сходно
реченом, а реферисањем на примере из различитих крајева Србије,
Големовић издваја три фазе у развоју пчелских песама (Исто: 100–111).

У односу на поменуте пчелске песме регистроване у другим кра-
јевима Србије, већи број песама за ројење пчела из централног дела

---

[96] О сличном процесу формирања руских коледарских песама, од рефрена
који у историјској еволуцији добија организовани облик и место у односу на при-
додати основни текст, говори Изалиј Земцовски (Земцовский 1975: 54–55).

Косова и Метохије има развијенији музички и поетски израз (илустративни су нарочито примери бр. 17, 18 и 18a), што је могућа последица њихове дуже примене у народној пракси, те и опстанка у актуелном времену. Истовремено, оне очувавају специфичне мелодијске и поетске формуле, којима се у научном дискурсу приписује велика архаичност, својствена превасходно формама које су пратиле најстарије видове људске производне делатности.[97]

Наведене одлике – силазно мелодијско кретање у распону терце или кварте, речитативност, нестабилна интонација, силабичан ток, варијациони поступак, солистичка интерпретација, слободан стих са променљивом метриком – одговарају карактеристикама других вокалних форми чији наративни стил подразумева доминацију текстуалне компоненте. Изразитост силазног покрета, напоредо са осталим музичко-поетским обележјима, показује сличност нарочито са жанром тужбалица, у којима се такав мелодијски покрет доводи у везу са специфичним психолошким стањем које производи узбуђену нарацију, али и са карактером исказне реченице у нашем језику чија интонација се „одликује општим смисаоним гибањем падајућег мелодијског типа" (Крстић 1983: 9), „на основу чега се говорни и звучни исказ могу довести у узрочно-последични однос" (Vukičević-Zakić 1997: 152–173).

Наведени поступци – високо интонирани рефрени, „маскирање" гласа фалсетном бојом, звиждање, хуктање, извици – као обележја појединих примера представљају специфичне формуле „дозива", које су семантички комплементарне са формулама величања, поздрављања и наративног обраћања силазно интонираних основних стихова. „Такви музичко-поетски структурални принципи јесу кључни идентификатори жанра пчелских песама у Србији" (Ранковић – Закић 2017: 302). Приликом њиховог инкорпорисања у лазаричке и краљичке песме намењене пчелама (које је забележио Драгослав Девић у Лесковачкој Морави; Девић 2003: 648–651),[98] „комплетна форма песме за мамљење

---

[97] Проучавајући пчелске песме у српској и македонској народној традицији, еминентни слависта Никита Толстој истиче да „оне демонстрирају једну од почетних фаза формирања обредне поезије" (Толстој 1993: 71). У том контексту значајно је и гледиште фолклористе Виктора Гусева да су „првобитне фолклорне форме произашле из заједничког радног процеса" (према: Девић 2003: 632, 636).

[98] Лазаричка песма „Леле, што се беле" забележена је у селу Дадинце, 1963. године, а краљичка песма „Пчеличица лако лети" – у селу Брза, 1971. године.

матице и њеног роја се задржава, поступком доследног цитата, односно иконичког пресликавања на позицију завршног дела, што резултира специфичним полижанровским музичким обликом" (Ранковић – Закић 2017: 302).

4.4. ДОДОЛСКЕ, КРСТОНОШКЕ И ПЕСМЕ ЗА ПРЕСТАНАК КИШЕ

Суочавање човека са необјашњивим природним појавама подстакло је стварање богате обредне праксе у оквиру које су и активности којима је заједница желела да утиче на атмосферске прилике. У средишњем делу Косова и Метохије „додоле" и „крстоноше" имају функцију изазивања падавина, али се данас више не практикују, док су веровања у моћ заустављања града и кише још увек актуелна.[99] У њиховој гестуалној и вербалној комуникацији успоставља се специфичан однос између „овог" и „оног" света, коме се обраћају обредне поворке или појединци. Суштина општења – медијације између две „реалности" јесте да се умилостиве невидљиве силе и допринесе благостању кроз промену временских услова. Посредовање између две опозитне стварности остварује се практиковањем одређених активности које су детерминисане временом и местом извођења, учесницима, као и коришћеним предметима. Музика у овом кодираном систему има важну улогу и доприноси општој учинковитости обреда. Музичко-обредне поруке су у опозицији јер, с једне стране, додоле и крстоноше упућују молбе за кишу (примери бр. 19, 20 и 21), док радње које се изводе уз интерпретацију специфичне музичке формуле треба да допринесу растеривању градоносних облака (пример бр. 22).

Додолски обред карактерише утврђен редослед догађања која се одвијају у време дуготрајних сушних периода. У прошлости је био широко распрострањен на подручју Косова и Метохије са синкретичким деловањем музичког, поетског и акционалног плана (Vukanović 1986б: 234–237). Према казивањима Дивне Ћирковић из Косова Поља, Стане Маринковић из Кузмина и Драгице Данчетовић из Бабиног Моста, на истраженом пределу обред се најдуже задржао у селима која се

---

[99] Обред везан за заштиту поља од падавина нема посебан народни назив.

налазе у непосредној близини Приштине и практикован је до 70-их година прошлог века. Његово извођење подразумевало је опход поворке девојчица – „додолица"/„додола", које су обилазиле сеоска домаћинства са жељом да призову падавине и на тај начин омогуће бујање вегетације. Учеснице су биле српске девојчице одевене у дуге беле кошуље и најчешће босоноге.[100] Међу њима је најважнију улогу имала „додолица", издвојена по томе што је била накићена лишћем и цвећем, са венцем од зеленила на глави. Поред спољашњих знакова распознавања, морала је да испуни и одређене захтеве обреда који су налагали да буде „ритуално чиста"[101] и да је сиротица, тј. девојчица којој је преминуо отац. „Додолица" је са својим другарицама обилазила сеоске домове и изводила солистичку игру испред сваке куће, праћену песмом осталих учесница. Њени покрети нису били прецизно дефинисани и подразумевали су импровизацију која је обухватала окрете, скокове и ситне корачиће у месту са „набијањем тла". Током симултаног и континуираног тока игре и песме, домаћица је девојчице прскала водом, а након обредног чина даривала новцем или намирницама. По завршетку опхода поворка је одлазила до реке, где су „додолицу" потапале у воду или је квасиле водом, што илуструју и речи Дивне Ћирковић из Косова Поља: „Кад се заврши све и кад заобиђемо цело село, онда је одведемо у реку и у реку је исквасимо са одело, бацимо је у воду и ми око ње играмо, квасимо је" (транскрипт интервјуа са Дивном Ћирковић, 15. 9. 2017, Кузмин).

Према научним тумачењима, на основу описаних обредних чинова, у додолској процесији се распознају „елементи најпримитивнијих мађијских радњи", имитативна магија и постојање људске жртве (Zečević 1973: 140–144). На персоналном плану, најважнија у групи девојчица је „додолица", која је својим статусом морала да задовољи одређене норме (Исто: 133–135).[102] Елементи имитативне магије током синхроног извођења песме и игре огледају се у прскању водом како би

---

[100] Узраст девојчица саговорници нису јасно прецизирали, изузев Јоргованке Михајловић из Рабовца, која је навела да су учеснице обреда биле „на пола", тј. између девојчица и девојака.

[101] Додолица није смела да буде девојчица која је ступила у интимне односе.

[102] Слободан Зечевић наводи да су додолице у прошлости биране из угледних породица, а да је касније наступила промена статуса учесница које су биле сирочићи или Ромкиње (Zečević 1973: 133).

киша изазвала бујање вегетације. Својеврсно „маскирање" зеленилом „успоставља значење путем аналогије, односно тиме што визуелно сугерише објекат на који се односи" (Закић 2016: 82). Према тумачењу етнокореолога Оливере Васић, окрети при игри имају функцију да привуку ветар који ће донети облаке и кишу, а „трупкање" се тумачи као рађање плодова и молба прецима да помогну у призивању падавина (Васић 2004: 108). Иконички и индексички знакови појединих обредних сегмената (попут поливања водом, кићења зеленилом и игре коју изводи „додолица") указују на „посредничку улогу додола између људског света, с једне стране, и света тајанствених бића или света мртвих, с друге стране" (Закић 2016: 83).[103] Изливање воде на додолицу током опхода и њено потапање у реку на крају обредне процесуалности тумачи се као остатак људске жртве (Zečević 1973: 133–140). У оквиру обреда препознају се и трагови култова словенских божанстава Перуна, који је бог грома и кише, и Доде као божанства влаге и вегетације (Zečević 1973: 127–133; Филиповић 1986: 90–95; Босић 1996: 344; Големовић 2006: 530). Научне елаборације указују на то да су у току пролећног периода учеснице обредних поворки у пољопривредним регијама женског пола, јер је и божанство плодности коме се обраћају женског рода (Zečević 1973: 133).

Током претходних истраживања средишњег дела Косова и Метохије прикупљен је богат етнографски материјал који садржи опис обреда и поетске текстове додолских песама (Дебељковић 1907: 304–305; Vukanović 1986б: 434–437).[104] Подаци из литературе који упућују на ток основних активности опхода у сагласју су са информацијама добијеним током најновијег теренског рада.[105] Први мелодијски записи овог

---

[103] У појединим областима источне Србије додоле су на крају опхода одлазиле до гробља и везивале крст са незнаног гроба за ногу додоле да би га касније потапале у реку. На тај начин се додатно потцртава њихова важна улога у својеврсном „преговарању" између овог света и оностраног (Zečević 1973: 139–140; Миљковић 1978: 172).

[104] Дена Дебељковић је додолске опходе на подручју Косова Поља лоцирао у време између Ђурђевдана и Спасовдана (Дебељковић 1907: 304).

[105] Дескрипција додолског обреда Татомира Вукановића реферише на ширу територију Косова и Метохије (Vukanović 1986б: 434–437), док се записи Дене Дебељковића односе искључиво на област Косова Поља (Дебељковић 1907: 304–305). У Дебељковићевом опису налазе се и сегменти обреда који нису регистровани током скорашњих истраживања. Наиме, Дебељковић је забележио да су додолице пре

жанра на истраживаном подручју јављају се средином прошлог века, када је Миодраг Васиљевић објавио две песме, од којих је једна из Липљана, а друга из Приштине (Васиљевић 1950: 184, примери бр. 366 и 367).[106]

За време истраживачког процеса, спровођеног од 2015. године, снимљена су два једногласна музичка примера у интерпретацији жена које су некада биле активне учеснице додолског обреда (примери бр. 19 и 20). Структура поетских текстова ових песама базирана је на симетрично осмерачким стиховима у оквиру којих се упућује молба Богу да падне киша. Мелострофичну целину обликују два мелостиха – основни стих и припевни рефрен, с тим што је у једном примеру (бр. 19) текст рефрена устаљен – <u>ој, додо, ој, додоле</u>, док је у другом (бр. 20) – променљив, што је вероватно резултанта заборављања садржаја услед дисконтинуитета у практиковању обреда:

Додолица Бога моли,
<u>ој, додоле.</u>
Да удари росна киша,
<u>дај, Боже, дај.</u>
Додолица, сиротица,
<u>јој, додоле, дај, Боже, дај.</u>
Да удари росна киша,
<u>дај, Боже, дај.</u>
Да покоси наше поље,
<u>дај, Боже, дај.</u>
Све ливаде и све баште,
<u>дај, Боже, дај.</u>
Додолица, сиротица,
<u>ој, додоле, дај, Боже, дај.</u>

поласка у опход села бацале увис сито или кашике, а у зависности од тога како ће пасти на земљу (на лице или наопачке) зависио је берићет у текућој години. Поред гатања са ситом и кашикама, он је навео податке о чишћењу цркве на крају читавог опхода: „Пошто прођу цело село, иду у цркву и помету је, сметлиште из цркве метну у једну кесу, коју однесу до једне реке или потока и вежу о плот или једно дрво поред реке, на висини 3-4 прста изнад воде. Киша ће пасти, како народ верује, и вода ће надоћи толико, док не потопи кесу у којој је сметлиште" (Дебељковић 1907: 304).

[106] Поред додолских песама из централног дела Косова и Метохије, Васиљевић је публиковао примере и из других крајева јужне српске покрајине, као што су Ораховац и Велика Хоча (Васиљевић 1950: 184, 185).

Мелодику оба примера одликује темперована звучна слика у оквиру молског пентакорда, при чему је једнократна појава највишег тона везана за почетни сегмент и има функцију скретнице. Након достизања таквог врхунца следи поступни силазни покрет, којим се маркира излагање основног стиха. Изразита је сродност и у музичком обликовању припевних рефрена терцног амбитуса, уз незнатна мелодијска одступања која су последица, најпре, различитих дужина ових рефренских облика. У првом примеру (бр. 19) истичу се двоструко силазни покрети уведени узлазним терцним скоковима од финалиса, који претходе првом и четвртом слогу рефрена ој, додо, ој додоле.

Пример бр. 19:

Узлазни скок у другом примеру (бр. 20) супституисан је поступним мелодијским покретом навише између основног стиха и четворосложног припева ој, додоле, чиме се сâма силазност рефренског тока ублажава, а назначени сегмент добија изразитију контуру таласастог кретања:

Пример бр. 20:

Метричку окосницу додолских напева карактерише двочетвртинска мера са доминантним осминама у улози носилаца поетских слогова. Изразитији силабични поступак, који се комбинује са мелизматичним принципом испевавања два тона на једном слогу (углавном шеснаестинских вредности), заједно са применом орнамената (најчешће у виду једноструких предудара), доприноси већој сливености музичког тока.

Поређењем поетских карактеристика песама из ове студије са примерима истог жанра које је Миодраг Васиљевић прикупио у средишњем делу Косова и Метохије, постаје евидентна усаглашеност у погледу текстуалних садржаја реализованих у оквиру симетричног осмерца (Васиљевић 1950: 184, примери бр. 366 и 367). На семантичком плану, паралела се може успоставити и са записом Дене Дебељковића, који карактерише присуство различитих врста стихова, као могућа последица бележења песме при приповедању, а не при певању.[107] У погледу версификације, подударност се очитује са материјалом који припада истом жанру на ширем простору Косова и Метохије (Vukanović 1986б: 434–437; Васиљевић 1950: 184, 185, примери бр. 368, 369а и 369б), као и у другим деловима Србије (Васиљевић 1960. 84–86; Миљковић 1978: 152–154; Девић 1986: 221; Fracile 1987: 39; Петровић 1989: 45; Девић 1990: 333; Големовић 1994: 126, пример бр. 6).

Посебну конструкциону и семантичку улогу у текстовима додолских песама има рефрен, чији значај, сходно речима Димитрија Големовића, није у обиму већ у садржају (Големовић 2000: 37). Наиме, из назива обреда – „додоле“ – исходи и именовање учесница – „додола (додолица)“, као и повезаност са рефреном песме <u>ој, додо, ој, додоле</u>.

---

[107] Вероватно је испитаник Дене Дебељковића песму говорио, јер се у таквим приликама често губи метрика стиха. У сваком случају, његов запис представља развијену поетску форму додолске песме (Дебељковић 1907: 305):

Додолице, сиротице, <u>ој додоле, ој, додоле</u>
(рефрен се понавља након сваког стиха)

додолица Бога моли:
дај ми, Боже, ситну росу,
ми у село, киша у поље,
да зароси редом поље,
да ороди пченичица,
да месимо поскурице,
да носимо беле цркве,
беле цркве, Свете Пречисте.
Наше поље понајбоље:
Од један класа чабар жито.
од један грозда товар вино,
од једне краве ведро млеко,
од једне краве плуг волови,
од једно јагње буљук овце итд.

Поред „додолског рефрена",[108] који, као што је већ истакнуто, упућује на трагове култова словенских божанстава, јавља се и комбинација лексема „додоле" и „Бог", као спој претхришћанске (паганске) и хришћанске традиције (Zečević 1973: 127–133; Филиповић 1986: 90–95, Босић 1996: 344; Големовић 2006: 530). Таква појава специфична је за додолску песму са променљивим рефреном (пример бр. 20), као и за песме из Велике Хоче и Ораховца које се налазе у Васиљевићевој збирци (Васиљевић 1950: 184, 185, примери бр. 369а, 369б).

У поређењу са примерима из Кузмина у овој студији (бр. 19 и 20), нотни записи Миодрага Васиљевића из централног дела Косова и Метохије – Липљана и Приштине (Васиљевић 1950: 184, 185, примери бр. 366 и 367) одражавају сродност на плану доминантно силазног обликовања музичког тока, који је изразитији у мелодији из Приштине (бр. 367). С друге стране, појава узлазног квартног скока између иницијалног и наредног слога (у примеру бр. 366), или на граничној позицији основног стиха и припева (у примеру бр. 367) нема пандане у мелодијама из Кузмина. Различитост се сагледава и на нивоу тонских односа, будући да је пример из Приштине (бр. 367) базиран на дурском пентакорду, а мелодија из Липљана (бр. 366) – на комбинацији дурског и молског пентакорда.

Имајући у виду резултате досадашњих истраживања додолских песама у Србији и њихових поетских и музичких одлика,[109] може се констатовати висок степен усаглашености са референтним материјалом у овој студији. Другим речима, поетско-семантичка и музичко-формална кохерентност песама које припадају додолском опходу указују на њихову стереотипност на ширем географском простору (Zečević 1973: 142; Закић 2009в: 253–254).

---

[108] Будући да се у појединим крајевима Србије јављају различите варијанте рефрена додолских песама, Димитрије Големовић је назив „додолски рефрен" употребио за рефрене у којима се реч *goga* јавља у припеву (Големовић 2006: 532).

[109] Као основне карактеристике додолских песама на територији Србије Мирјана Закић наводи: „доминацију мелодијско-ритмичког модела, чија обележја су: једногласна интерпретација, силабичан ток; квартно-квинтни тонски обим; дводелно-таласасто мелодијско обликовање са карактеристичним терцним или квартним иницијалним покретом навише; склоност ка темперованом систему; ритмички образац представљен изохроним пулсом осмина у оквиру основног стиха и комбинацијом дужих и краћих нотних вредности на нивоу рефрена – припева" (Закић 2009в: 253–254).

Крстоношки обред представља праксу коју је створила црква у жељи да искорени паганско одржавање додолских поворки (Големовић 2006: 534, 535). Везан је за прослављање заветног дана, тј. сеоске славе коју обележава читава локална заједница, са неизоставним литијским опходом (Тодоровић 2017: 274). На истраженом ареалу, поред назива „крстоноше" користи се и термин „литије", а његово спровођење је темпорално одређено у периоду од Васкрса до Свете Тројице. Функција обреда је да обезбеди кишу, спречи падање града и на тај начин допринесе општој плодности усева. Према наводима информатора, литије су укинуте после Другог светског рата забраном од стране комунистичке власти. Етнографски подаци сведоче о томе да су крстоноше представљале поворку мушкараца на чијем челу је ишао свештеник праћен члановима заједнице који су одабрани како би носили крстове и иконе.[110] Крстови су били окићени китом босиљка, црвеним и белим концем и црвеном марамицом. Било је пожељно да поворка буде што масовнија, са припадницима различитих узрасних категорија, и да у њој учествује представник сваког сеоског домаћинства, како би допринео добробити сопственог имања.

Поворка крстоноша је кретала од неког сакралног објекта и окруживала сеоски атар обилазећи свето дрвеће и гробља. На овом подручју свето дрво се назива „дуб" и на њему је урезан крст на коме свештеник исписује текст који испитаници нису могли да реконструишу.[111] Према наводима Милоша Спасића из Племетине,[112] у селу Прилужје литија је окруживала заветно дрво и након тога обилазила још три утврђене локације поред села. Међутим, касније скраћена путања поворке крстоноша подразумевала је само три опхода око локалне цркве. По окончању процесије, одређена породица је припремала ручак у дворишту своје куће само за део учесника – за свештеника и рођаке („својштину").[113]

---

[110] Постоје наводи да су ношена чак три крста током крстоношке поворке.

[111] Будући да је дуб представљао свето дрво, постојала је забрана његовог сечења. Према сведочењима Младена Караџића из Лапљег Села, неки Ром (Селим) у околини Приштине је посекао дуб и убрзо му је умро син, што говори у прилог чињеници да се ради о дрвету које има велики утицај на заједницу. Поред људских жртава, уништавање светог дрвета могло је да проузрокује и појаву болести код животиња.

[112] Милош Спасић је рођен 2000. године у селу Племетина и аматерски се бави прикупљањем етнографске грађе, тако да нам је пружио драгоцене податке о различитим обредима, како у свом селу, тако и у суседним насељима.

[113] Онај ко би први стигао на ручак добијао је на поклон кошуљу од домаћице.

Током кретања сеоским атаром, крстоноше су изводиле две различите врсте музичких нумера: тропаре и народне крстоношке песме, чија је функција да у синкретизму са осталим активностима доведу до жељеног циља. Тропаре је певао свештеник, док су крстоноше интерпретирале народне песме, односно додолске мелодије са христијанизованим текстом.

Поворке крстоноша су карактеристичне за читаву Србију и њихова функција је и у другим крајевима везана за спречавање елементарних непогода, нарочито суше.[114] Према научним тумачењима, назив *крстоноше* је грчког порекла и „настао је по томе што учесници поворке носе крстове, обилазећи записе, тј. свето дрвеће или друге сакралне објекте, често и реке и гробља" (Тодоровић 2017: 275).

Етнографски материјал у вези са крстоношким опходом у средишњем Косову и Метохији датира с краја 19. и почетка 20. века, када су Бранислав Нушић и Дена Дебељковић бележили вредне податке о „ношењу крста" (Нушић 1986: 177–178), односно „крстима"/„литији" (Дебељковић 1907: 305–309). Њихови наративи су минуциозни, са јасно дефинисаним акционалним планом, јер су настали у време када је обред био део живе праксе. У оквиру наведених описа налази се само један поетски текст песме у студији Бранислава Нушића (Нушић 1986: 178):

„Ми у село киша у поље,
Господе помилуј!
Наше поље понајбоље,
Господе помилуј!
Од два класа чабар жита,
Господе помилуј!
Од две овце ведро млеко,
Господе помилуј!
Од две краве плуг волови,
Господе помилуј!"

Први музички запис крстоношког певања са истраженог простора настао је крајем 20-их година прошлог века из пера Владимира Ђорђе-

---

[114] Била је могућа организација и „додатних опхода у посебним околностима (суше, помори стоке итд.). У појединим областим заветни дан се – у вези са неким изузетним догађајем, несрећом или пророчким сном – разликује од литија – крстоноша" (Тодоровић 2017: 275).

вића (Ђорђевић 1928: 144, пример бр. 399, уз коментар да се „пева кад се носе крсти"). Неколико година касније, Милоје Милојевић је забележио песму истог жанра (Милојевић 2004: 71, пример бр. 7, уз назнаку извођења „кад је литија у пољу"). Две деценије потом, Миодраг Васиљевић је објавио још један мелодијски запис (Васиљевић 1950: 185, пример бр. 370).

Будући да је у овом делу Косова и Метохије обред потпуно нестао, током новог обиласка терена забележен је само један пример крстоношког певања чији се садржај односи на молбу да падне киша (пример бр. 21). Његову поетску раван чини основни стих симетричне осмерачке версификације и припевни рефрен Господи, Господи, помилуј, помилуј. Интерпретација крстоношке песме је једногласна и обележена таласастом мелодиком у оквиру молског тетракорда, са кулминацијом у иницијалном сегменту. Метроритмичка основа песме подразумева доминацију силабичног принципа у оквиру дводелне метричке пулсације.

Сагледавањем поетских карактеристика наведеног примера из Племетине у односу на Нушићев текст, Ђорђевићев запис из Доње Гуштерице, као и Васиљевићев из Липљана, поред заједничке семантичке поруке може се констатовати изразита редукованост садржаја у песми забележеној приликом нових истраживања. Таква појава (очекивана у контексту вишедеценијског одсуства обреда из народне праксе) очигледна је нарочито у поређењу са високо информативним текстовима из Доње Гуштерице (Ђорђевић 1928: 144, пример бр. 399) и Липљана (Васиљевић 1950: 322). Изузетак у семантичком смислу представља Милојевићев запис из Грачанице, чији је комплетан текст прожет христијанизованим елементима (Милојевић 2004: 71, пример бр. 7). Подударност на версификационом плану манифестована је следом осмерачког основног стиха и шестерачког припева (који је у примеру из Племетине маркиран понављањем трословних лексема). Исти принцип поетског конституисања присутан је и у крстоношким примерима из других делова Србије (Васиљевић 1960: 90–92; Миљковић 1978: 152–154; Петровић 1989: 46, 47; Девић 1990: 333, 334; Големовић 1994: 126; Големовић 2000: 150–152), што указује на универзалне одлике овог жанра у ширим географским координатама.

Музичке особености Милојевићевог и Васиљевићевог записа из Грачанице и Липљана потпуно се разликују од музичких својстава примера из Племетине (бр. 21). Наиме, раније бележени напеви поседују шири тонски оквир – дурског хексакорда, који је у мелодији из Грачанице прожет узлазним квартним скоковима (Милојевић 2004: 71, пример бр. 7), као и другачију метроритмичку структурисаност са изразитијом мелизматиком у иницијалном сегменту припева из Липљана (Васиљевић 1950: 185, пример бр. 370).

Евидентна је аналогија која се може успоставити међу поетским текстовима додолских и крстоношких песама, а која проистиче из истоветности намене датих садржаја (упоредити пример бр. 21 са примерима бр. 19 и 20). Једина разлика је у постојећим рефренима, с обзиром на то да су у народној пракси крстоношки примери „наследили” додолске и „од додолских преузимају скоро све елементе осим текста припевног рефрена” (Големовић 2000: 39).[115] Сродност је очигледна и на музичком плану, имајући у виду обликованост мелодијског и метроритмичког тока. Међужанровско јединство последица је христијанизације додолског обреда кроз крстоношки опход – нову форму која је одговарала црквеним стандардима.

За разлику од додола и крстоноша, којима је призивана киша, део обредне активности усмерен је и на одбрану од нежељених падавина. На централној територији Косова и Метохије различите чинове у циљу заштите од кише или града спроводе људи који у улози медијатора између овостраног и оностраног дозивају душе оних који су насилно утопљени и који имају улогу градобранитеља.[116] Према казивању Милоша Спасића из Племетине, основни вид заштите подразумева изношење појединих предмета из куће, као што су кашике које се укрштају на „соври”, сито и „страшник” (чуваркућа).[117] Након тога домаћин

---

[115] Проучавајући српску обредну музику, етномузиколози су указали на истоветност садржаја додолских и крстоношких песама која је нарушена једино када је у питању припевни рефрен (Петровић 1989: 46, Големовић: 2006, 531). Сличну појаву запажамо поређењем ова два жанра у сокобањском крају (Миљковић 1978: 152–154), Црноречју (Девић 1990: 28, 29, 157, 158) и Такову (Големовић 1994: 89, 126).

[116] Димитрије Големовић наводи да је у Такову такође било примера да се градоносни облаци терају викањем и дозивањем особе која није умрла природном смрћу већ се обесила или утопила (Големовић 1994: 90).

[117] Становници централног дела Косова и Метохије верују да чуваркућа има важну улогу у „терању страха” код људи. О томе нам је говорила Драгица Данчетовић из Бабиног Моста, која је своју децу купала на Ђурђевдан користећи воду у којој је

90

„дува у руке и пљује”, а домаћица дозива утопљеника садржајем који се три пута понавља: „Трајко, удављенику, мученику, / чувај наше поље! / 'Ај по планине, немој по равнине! / Трајко, удављенику!” (како је то илустровано примером бр. 22). Народни наративи су усаглашени по питању обраћања искључиво души особе која је била члан дате сеоске заједнице, јер само она може да отклони опасност у том сеоском атару. Потврду овој констатацији налазимо у речима Драгице Данчетовић из Бабиног Моста, која је одмах по удаји грешком дозивала утопљеника из свог родног села – Племетине: „Кад пада киша, не дај Боже провала облака кад наиђе у тај правац, узмеш пет кашике, јер нож и виљушке се не бацају, јер то боцка. Само кашике, зато што се из њи' једе, и узмеш чувар куће јаје и ставиш (...) Кашике бациш само овако пет кашике, како падну није важно, а чувара куће ставиш испред кућу тако (...) и певаш ко је дављеник. У наше село тамо био Слава: 'Славо, дављенику, чувај наше поље, / чуј, Слава дављенику, чувај наше поље'. Значи три, четири пута, а овдена та Олга што ти рекла она вика: 'Снајке, није овдена Слава него Мира, Мира се удавио овдена, зови Миру (...)', и град кад пада прекине” (транскрипт интервјуа са Драгицом Данчетовић, 6. 6. 2016, Бабин Мост).

Из сведочења Драгице Данчетовић уочава се примена донекле другог начина одбране од града, који подразумева бацање непарног броја кашика (најчешће три или пет), уз коришћење чуваркуће и сита. Током извођења ових радњи, према речима Оливере Спасић из Племетине, дозивање утопљеника може се заменити изговарањем формуле: „Иди у гору, иди у воду”. Поред описаних гестуалних чинова, при падању града могу се спровести и друге, додатне радње. Према информацијама добијеним од Наде Шабић и Ковиљке Талић из Скуланева, једна од њих је да прворођено мушко дете стави једно зрно града у уста или да га одрастао мушкарац стави у недра.

Појава градоносних облака представља испољавање антагонизма природе и друштва који се тумачи као симболичка „митска слика сукоба принципа зла и принципа добра” (Bandić 1990: 93, 99). На тај начин се природни феномени разматрају као симболично пренесене друштвене ситуације. У оваквим околностима појављују се особе или бића

───────────

држала чуваркућу. Према њеним речима, било је довољно да на крају купања једним покретом дете поспе водом, од главе према ногама, и да на тај начин „пресече стра'” (транскрипт интервјуа са Драгицом Данчетовић, 6. 6. 2016, Бабин Мост).

која, према Душану Бандићу, имају улогу „градобранитеља” (Bandić 1990: 97).[118] Проучавајући ову појаву, Бандић је дошао до закључка да је прототип градобранитеља човек, односно његова душа. Међутим, „градобранитељ” је истовремено и „градоносац”, јер скреће облаке из атара свог села у подручје другог насеља. Другим речима, бранећи тако дату територију, невидљиво „биће” угрожава простор суседне сеоске заједнице, испољавајући тако своју бифункционалност.

Речитативне молбе које се изговарају када прети опасност сеоским усевима представљају реткост у етномузиколошкој литератури. У том смислу, пример који је забележен у селу Племетина представља важан допринос овој теми. Њега карактерише наративни, речитативни исказ са идентичним поетским текстом у иницијалном и каденцијалном сегменту, као својеврсном оквиру медијалног и интонативно говорно развијенијег молбеног обраћања. Заснован је на слободној метричкој организацији и силабичном принципу у коме доминирају шеснаестине као носиоци слогова. Овакав поредак разбијен је двократним појавом имена Трајко, при чему се при првом помену ове речи јављају две четвртине, а други пут осмина и четвртина са тачком. Таквим ритмичким потцртавањем имена Трајко наглашава се улога покојника на учинковитост обреда:

Пример бр. 22:

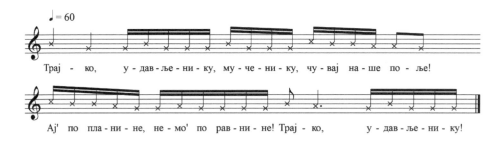

---

[118] Према Бандићевим речима, у другим српским областима јављају се и животиње у улози „градобранитеља”. Он наводи примере човека-змаја или змије-змаја, чија душа излази из тела и „постаје потпуно самостално имагинарно биће које се бори са непогодом. Постаје, очигледно, биће идентично змају. У том случају змај није ништа друго до специфична, осамостаљена форма људске или животињске душе” (Bandić 1990: 96).

Коришћење повишене говорне интонације при терању градоносних облака доприноси превазилажењу људског говора који се свакодневно користи, „проширујући могућност општења и са бићима ван људског света" (Раденковић 1996: 30). Узвикивање текста, које сређемо у централном делу Косова и Метохије, има функцију да кроз својеврсни „звучни бедем" одбрани летину од другог света, у коме влада вечита тишина.[119] Поетска основа песме садржи молбу, али и наредбу: „Ај' по планине, немо' по равнине!", којом се истерују нечисте силе из сеоског атара и упућују у други простор (Раденковић 1996: 36, 48, 49).[120]

Различити облици молби, чија је функција базирана на заштити поља од падавина, до сада су регистровани у појединим областима југоисточне Србије,[121] Крушевачкој и Александровачкој Жупи (Гајић 1998: пример бр. 14) и у Доњем Банату (Ракочевић 153, 154, примери бр. 30, 31 и 32). Компарацијом поетског текста из централног дела Косова и Метохије са онима из других крајева Србије уочава се његова посебност изражена у садржају који представља обраћање конкретном утопљенику. Насупрот томе, најчешћа молитва у другим деловима Србије испољена је у садржају чији су почетни стихови „Престан', престан' кишице", при чему се у бројним варијантама углавном помиње мајка са два детета.[122] Тумачење магијског смисла ових песама показује да мајка као породиља и иницијант „представља спону између овостраног и оностраног", док деца симболишу „модел равнотеже изграђен на бинарном принципу" (Гајић 1998: 3–4).[123]

---

[119] Љубинко Раденковић је истакао да је специфична интонација при изговарању текста запажена и у басмама против градоносних облака у западној Србији, које се изводе виком, због чега се називају – „викалице против града" (Раденковић 1996: 33). Нажалост, записи ових песама нису публиковани.

[120] Љубинко Раденковић је запазио да у јужнословенском културном простору текстови басми за терање кишних облака говоре о различитим местима на која треба одагнати опасност, што је исказано лексемама: „у брдо", „иди у туђу земљу", „у гору", „у планину", „у свету шуму", „у пусто село" (Раденковић 1996: 49).

[121] На подручју југоисточне Србије песме за престанак кише су забележене у Лесковачкој Морави (Васиљевић 1960: 87, 88, примери бр. 85 и 86), околини Сокобање (Миљковић 1978: 121, 155, примери бр. 356 и 357), Владичиног Хана (Петровић 1989: 45–46, пример бр. 29), као и у Лужници и Заплању (Гајић 1998: 1).

[122] То су, према наводима Љубинка Раденковића, најчешће „дечије молитвице за престанак кише" (Раденковић 1996: 326).

[123] У сижеима ових песама имена деце коју држи мајка откривају два супротна начела. То су углавном „Сучко и Вучко (први суче врпце и крпи небо, а за другог

Досадашња проучавања музичких карактеристика песама за престанак падавина на територији Србије указују на два начина њихове интерпретације, од којих први чине „рецитовани примери са јасном ритмичком организацијом и интонацијом која представља заметак мелодијског профила", а други „оформљене мелодије, чија је метроритмичка основа иста као у примерима из претходне категорије" (Гајић 1998: 5). Према наведеној подели, евидентно је да исказ који је забележен у Бабином Мосту, на основу начина извођења, припада првој групи песама. Међутим, његов метроритам није у сагласју са песмама овог жанра у другим областима Србије, које одликује изохрони низ од четири четвртине уз могућност бинарне деобе појединих четвртина, што је условљено врстом стиха (Гајић 1998: 6).

Сумирајући до сада изнете чињенице о аграрним обредима, повезаним са атмосферским приликама у централном подручју Косова и Метохије, примећује се да додоле и крстоноше представљају поворке организоване од стране читавог села, док одбрана од града у основи зависи од појединачних поступака. Према мишљењу Бранка Ђупурдије, такав начин дејствовања друштвене заједнице у заштити летине у првом случају је базиран на принципу делегације, а у другом на принципу партиципације (Ćupurdija 1978: 71).[124] Оба принципа подразумевају општење са невидљивом силом које се остварује путем медијатора (додоле или утопљеника), као и кроз музичке поруке које успостављају комуникацију са оностраним. Међутим, опозитна намена разматраних обреда условила је и опозитне атрибуције музичког и поетског система додолских и крстоношких песама, с једне стране, и песме за престанак града, с друге. Компарацијом додолских и крстоношких песама из централног простора Косова и Метохије са примерима из других делова Србије запажа се висок степен њихове међусобне сродности. Међутим, пример који представља одбрану од града по својој интонацији говора, а посебно метроритмичкој компоненти и кратком високоинформативном тексту, јединствен је у односу на до сада забележену грађу.

се ништа не каже, али његово име асоцира на *вући, йривлачийи*), Ранко и Превртанко итд. (Раденковић 1996: 329).

[124] Принцип делегације подразумева одабир одређене групе која ће заступати интересе читаве заједнице, што је случај не само са додолама већ и са другим обредима попут краљица, коледара итд. (Ćupurdija 1978: 71).

4.5 СВАДБЕНЕ ПЕСМЕ

На подручју средишњег дела Косова и Метохије свадба има централну улогу у животу појединца и посебну важност за општи напредак друштвене групе. Читав обредни комплекс заснован је на реорганизацији породице, чији ток је обележен различитим правцима. У једном, домаћинство девојке губи свог члана који постаје део младожењине породице, док у другом младенци мењају друштвени статус стварајући нову заједницу (Иванова 1998: 7–13). Поред тога, свадба је обред прелаза са елементима театра и јасно дефинисаним улогама „снашке" (невесте), младожење, њихових родитеља, старејка, кума, девера, чауша, барјактара, „мешаље", „бачице"[125] и других субјеката. Сваки актер понаша се у складу са својим статусом, што је додатно потенцирано начином одевања, као и предметима коришћеним у одређеним тренуцима.

Свадбени церемонијал на истраженом простору сагледан је на основу народних вербалних исказа, као и током партиципативног посматрања обреда коме смо присуствовале у Грачаници, 6. септембра 2015. године. Подаци добијени етноекспликацијом указују да је током 20. века дошло до измена на темпоралном, локативном и акционалном плану, као и у музичкој пракси која је нераскидиви део венчања.[126] Постепено укидање строгих патријархалних регула допринело је томе да родитељи немају готово никакав утицај при уговарању брака, будући да у актуелном времену млади сами бирају супружнике.[127] Такође, промена места одржавања свадбе условила је њену модернизацију и

---

[125] „Мешаља" је жена која меси хлебове на свадби, док „бачица" припрема храну.

[126] Тешко је временски прецизирати моменат када су наступиле промене у појединим сегментима свадбе, али је евидентна велика улога новијих историјских догађаја који су преобликовали друштвену стварност на овом делу Балкана.

[127] Поред тога што су у прошлости старији договарали бракове својих потомака, било је случајева да младожењина фамилија украде невесту. Доста Нићић из Добротина је сведочила о томе како је украдена и одведена на силу: „Нисам знала ни где идем, само главу међу ноге и плачи докле сам могла" (транскрипт интервјуа са Достом Нићић, 3. 11. 2015, Добротин). У време када је Доста била млада, непосредно након Другог светског рата, у оваквим ситуацијама није било могуће да се отета девојка врати својој породици. Наиме, према строгим патријархалним законима сеоска заједница је украђену девојку сматрала удатом, без обзира на то што није ступила у интимне односе са човеком који ју је отео. Према њеним речима, у то време сваки и најмањи знак који би указивао на било какву блискост момка и девојке могао је потпуно да дискредитује девојачко поштење.

прилагођавање новим просторним условима. Свадбена весеља су практикована у кућама младенаца све до 70-их година прошлог века, када су становници српских насеља на Косову и Метохији почели да користе „цираде" (шаторе), које су постављали у двориштима својих домова. Након НАТО бомбардовања 1999. године свадбе се најчешће организују у ресторанима и трају само један дан, уз редукцију садржаја обредних поступака.[128] Једна од битних промена у вези је и са чином венчања у цркви, који је за време најјачег утицаја социјалистичког управљања (од Другог светског рата до 80-их година прошлог века) понекад изостајао. Слабљењем такве идеолошке репресије религиозност је постала нераскидива карика српског идентитета, те је и склапање бракова у оквиру црквене заједнице добило важно место у свадбеном церемонијалу.

Савремене свадбе су дефинисане временским и просторним пунктовима који уз развијен акционални план усмеравају читав обред. Значајан догађај представља позивање гостију две недеље пре одређеног датума, или, знатно ређе, вече уочи венчања. Будући да је читава друштвена заједница унапред упозната са предстојећим слављем, чин обавештавања сватова има ритуални карактер, у циљу озваничења свадбених учесника. У оквиру овог дела обреда главни актери су младожења и неколико момака који са собом носе богато накићен кондир.[129] При изношењу кондира из куће неколико жена интерпретира песму „Ој, убаво девојко", са трострукоим понављањем почетног стиха. Назначени музички пример иницира предстојеће позивање сватова и окупљање рођака и пријатеља који обављају финалне радње, помажући младожењиној породици.[130] Време уочи венчања посвећено је особама

---

[128] До 70-их година прошлог века припремне радње су трајале читаву недељу пред свадбу, а централно славље се одвијало три дана (субота, недеља и понедељак).

[129] Према наводима Стане Маринковић из Кузмина и Дивне Ђирковић из Косова Поља, „младожења има старијег момка и млађег момка и они иду са младожењу да зову село." Они носе кондир, односно „ибрик" који је обложен „мафезом" (марамом) са кога висе ресе на које се каче бисери и метални новац. Свака породица коју позивају на свадбу дарује кондир чарапама, пешкиром или кошуљом (транскрипт интервјуа са Станом Маринковић и Дивном Ђирковић, 15. 9. 2017, Кузмин).

[130] Позивање на свадбу изводи се према унапред утврђеном редоследу и подразумева кретање момака из младожењине куће „према сунцу". Међу првима се позива стари сват, који има једну од најважнијих улога на свадби. Њему доносе понуде у виду погаче, флаше вина и ките босиљка. Након старог свата, младожења са својим пратиоцима одлази код кума и осталих сватовова.

које припремају свадбу, што илуструје игра коју предводе „мешаља" и „бачица", држећи у рукама сито и кутлачу.

Током централног дана свадбе сучељавају се две просторне перспективе у којима се одвијају све обредне радње, а чине их невестина и младожењина кућа. У оквиру ових локација функцију музичких граничника свадбеног времена имају песме „Ој, убаво девојко" (примери бр. 23 и 24) и „Кум Бога моли" (пример бр. 27). Први звучни знак представља пример „Ој, убаво девојко", који најављује одлазак сватова по младу и „пребацује" акционални систем на ново место догађања.[131]

Долазак пред снашкину кућу означен је низом сукцесивних чинова којима се савладавају постављене препреке и, уједно, симболично тражи дозвола за улазак у други обредни простор. Младожења пуца из пушке и обара јабуку закачену на капији, а онда мушкарци „пију здравицу", тј. изводе песму „Кум Бога моли", намењујући је домаћину, куму и старејку.[132] Након уласка у кућу, девер преузима невесту уз низ активности намењених превазилажењу опозиције *ми – они*, тј. *наше – туђе*, која се односи на младине и младожењине сватове.[133] Снашкин излазак из родитељског дома такође је обележен интерпретацијом песме „Ој, убаво девојко", као објавом завршних радњи којима се девојка растаје од своје породице. Пре него што сватови поведу младенце на црквено венчање, блиска рођака спремна за удају води коло носећи српску заставу у десној руци,[134]

---

[131] Након певања, поворка младожењиних рођака одлази по „снашку", изузев свекрве која остаје код куће.

[132] У девојачкој кући два момка са здравицом излазе „на капију где се пије здравица" и три пута понављају текст намењен куму, старом свату и домаћину (транскрипт интервјуа са Видосавом Нићић, 4. 9. 2015, Чаглавица).

[133] Младу преузима девер који пред вратима снашкине собе плаћа њеној родбини и симболично купује младу. Он улази у невестине одаје носећи дарове у виду погаче, прстена и флаше вина. Након тога ломи погачу изнад младине главе, наздравља јој и обоје отпијају по гутљај вина. Следи даривање новцем, бурмом и ципелама, што је праћено коментарима снашкиних рођака: „Богами девере, ципела је много велика. Мораш да ставиш нешто да не клима!" (транскрипт интервјуа са Дивном Ћирковић, 15. 9. 2017, Кузмин). Испод ципела је марамица коју двоје младих из младине и младожењине фамилије вуку (свако са своје стране) како би је украли, што такође представља симболичан начин „такмичења" двеју породица. Девер се труди да му не украду марамицу, јер њоме обмотава и везује бурму коју је ставио снаши на руку. Бурма не сме бити видљива док је млада у својој кући, тако да се марамица скида са прста тек пред почетак венчања у цркви.

[134] Заставу са којом девојка игра уноси барјактар у младину кућу. Девојка која успе да је украде може да води коло и тражи откуп од барјактара.

након чега следи опраштање невесте уз песму „Трешња се од корен корнаше“ (пример бр. 28).[135] Последњи чин који је везан за двориште девојачке куће подразумева извођење *младиног кола*.[136] У музичком смислу ова игра представља вокално-инструменталну верзију било које популарне песме са датог подручја која поседује играчки импулс и уклапа се у тротактни кореолошки образац.[137]

Супротстављање два обредна простора превазилази се венчањем, које се одиграва у некој од сеоских цркава или у манастиру Грачаница. Излазак младенаца у порту наговештава бацање бидермајера и извођење најпре *мушког кола* (уз песме: „Оро се вије крај манастира“, „Кићенице, млада невесто“, „Ч'гловчанке, све девојке“, „Ајде Стамена, бела румена“, „Што гу нема Цвета кроз обор да шета?“, „Билбил пиле, не пој рано“, „У село кавга голема“..., као и уз пратњу мањег инструменталног састава[138]), а потом и игара: *моравац, чачак, Жикино коло*, такође типичног плесног репертоара овог простора.[139] Назив *мушко коло* реферише на некадашњу праксу родно засебних игара, која је током 20. века преображена у заједничко учешће мушкараца и жена у овим плесним контекстуалним ситуацијама.[140]

---

[135] Према речима казивача, постоји и варијанта ове песме чији је почетни стих: „Вишња се од корен корнеше“.

[136] Током извођења *младиног кола* невеста је на месту коловође и игром се опрашта од своје породице.

[137] Кретање у простору реализовано кроз тротактни образац, који је посебно заступљен на Косову и Метохији, у етнокореолошкој литератури експлицирале су Љубица и Даница Јанковић, наводећи да „има пуно наших народних кола која се изводе, два корака десно један корак лево. Такав тип у народу се назива *Лако коло* и *Лесното*“ (Јанковић и Јанковић 1949: 47).

[138] Током снимања свадбе у Грачаници имале смо прилику да посматрамо тренутак када су сватови са младенцима изашли након венчања, а у порти манастира су их дочекали музичари, од којих је један свирао хармонику, а други контрабас.

[139] Исти репертоар, са разноликијим плесним нумерама, забележиле смо и у контексту свадбеног ритуала, испред младиног и младожењиног дома, у појединим селима Биначке Мораве (у Пасјану и Партешу, 2016; у Кметовцу, 2018), што указује на својеврсну једнообразност примера извођених у датом контексту, а с тим у вези и на потребу за чувањем музичког и плесног наслеђа на широј територији Косова и Метохије.

[140] Са дијахронијског аспекта, од посебне је важности коментар сестара Јанковић да су „раније косовске игре биле строго одељене по половима“, док је „у последње време почело (...) мешање играча и играчица, нарочито по градовима. У Приштини је први пут играло мешовито коло приликом неке народне свечаности

Централни догађај у младожењином дому представља долазак сватова са младом, који се најављује „напијањем здравице" почетним стиховима „Кум Бога моли". Следи низ чинова које невеста обавља испред куће у циљу опстанка брачне заједнице, плодности и напретка читавог домаћинства, као што су: стајање на колац који је забоден у земљу, ломљење погаче изнад њене главе, подизање мушког детета, бацање сита на кров куће, улазак на врата са две погаче.[141]

Приликом присуствовања на свадби у Грачаници забележена је већина описаних радњи, као и интерпретације појединих вокалних и вокално-инструменталних облика. Песма „Ој, убаво девојко", у конкретном случају, изведена је у тренутку када млада по први пут улази у нови дом. Певају је младожењине рођаке позициониране поред улазних врата, разграничавајући тиме активности које су спровођене изван дома од оних које ће се одвијати у самом дому. У младожењиној кући врше се радње којима се симболично преносе дужности са свекрве на снају, уз међусобно даривање.[142] Након тога, свекар и свекрва излазе

_____

код конзула 30. септембра 1908" (Јанковић 1937: 36). Из усменог сведочења Стојана Максимовића из Грачанице сазнајемо да су све до 60-их година прошлог века *мушко коло* играли мушкарци држећи се за рамена. Савремена пракса показује потпуно другачију слику, будући да данас ову игру изводе сви сватови тако што коло поведе мушкарац који држи српску заставу, док се поред њега хватају младенци и остали учесници обреда. У погледу кореолошког обрасца и вокално-инструменталне пратње која је базирана на песмама из локалног репертоара, игра је еквивалентна *младином колу*. Разлика међу њима се огледа у томе што се *младино коло* изводи у дворишту њеног дома и води га невеста, док се *мушко коло* игра испред манастира са мушкарцем као коловођом. Према тумачењу Новице и Чедомира Младеновића из села Ливађе, дугогодишњих свирача на косовскометохијским свадбама, *мушка кола* су праћена песмама јер није прикладно да млада која учествује у игри изводи *чачак* или неку другу игру брзог темпа која захтева динамичније покрете тела.

[141] Приликом изласка из аутомобила у младожењином дворишту невеста мора да стане ногом на колац који се забада у земљу, а потом добија сито са житом и бомбонама које прво баца према сунцу, затим напред, па са стране. После тога, млада покушава да баци сито на кров три пута, при чему би сито требало да се задржи на крову како би и она остала у новом дому. Након тога се над снашином главом „крши слатка погача", чије делове узимају момци и девојке, како би и они у будућности засновали брачне заједнице. У циљу плодности невеста три пута подиже мушко дете, а онда га дарује. Пре уласка у кућу свекрва јој доноси маст коју маже на врата, а „мешаља" јој даје две погаче и две флаше вина. Држећи погаче испод мишке и флашу вина у рукама, млада прескаче преко прага трудећи се да га не додирне.

[142] По уласку у младожењину кућу снашка прилази шпорету и промеша јело које се налази на њему, а затим гранчицом џара жар. Након тога улази код свекрве,

у дворишту носећи на раменима ћебад коју им предаје снашка, уз инструментално извођење неке од популарних „старовремачких" песама. Они отпочињу игру током које сватови збијају шале квасећи их водом и китећи их паприком и луком. Следи одлазак на свадбени ручак и весеље, уз музицирање вокално-инструменталног ансамбла који забавља госте.

„Првич" је назив за први дан након свадбе (понедељак) када, према патријархалним законима, младини родитељи по први пут посећују младенце.[143] Међутим, данас и они присуствују свадбеном весељу у каснијим поподневним часовима. Завршни чин свадбеног обреда је одлазак младенаца код старог свата, како би допринели благостању и напретку његовог домаћинства.

Осим наведених података који се односе на актуелно одржавање свадбе, забележена су жива сећања о деловима обреда који се не практикују већ неколико деценија, а у оквиру којих је музика имала важну функцију. Тако је потпуно нестало ритуално припремање младожење и његово бријање, које је последњи пут виђено пре тридесетак година уочи главног дана церемоније. Бријање су обављали младожењини другови, док су за то време девојке изводиле песму „Бричи ми се млади младожења", која је и данас део сећања појединих певача (примери бр. 25 и 26).

Све до 60-их година прошлог века свадбено јутро у невестиној кући било је обележено „плакањем снашке", која се тиме, на посебан начин, одвајала од својих најмилијих (примери бр. 29, 30 и 31). Према народним казивањима, поједине невесте су започињале тужење недељу дана пре венчања, свакодневно се опраштајући од родбине и другарица.

која ставља коцку шећера на колено како би снаја морала да клекне и узме шећер устима. Постоје наводи да би обе требало да загризу исту коцку шећера и то са супротних страна. Ради слоге са свекрвом, снашка јој седа у крило како би је свекрва „клацкала". По обављању наведених радњи, млада дарује свекрву и свекра ћебетом, а свекрва невести даје златан накит.

[143] Некада је „првич" подразумевао први дан када невестини родитељи долазе у госте, уз извођење бројних радњи којима је млада симболично прихватана као нови члан породице. Поред тога, изводиле су се бројне радње којима се млада прихватала као нови члан породице. Тако је невиност „снашке" проверавала свекрва, а ако је невеста била поштена ујутру се кувала вруђа ракија. Након тога, млада је ишла на воду са тестијама како би госте посипала да се умију. Њена дужност је била да гостима кува кафу, за шта је добијала новац на тацни.

Ратко Поповић из Грачанице је изнео податак да је млада постављала ствари на „матку” (мотку) и „оплакивала” сваког ко улази у њене просторије. Она се наслањала на раме особе за којом ће жалити и плакала је импровизујући текст прилагођен датој ситуацији.[144] Драгица Данчетовић из Бабиног Моста истиче да је „снашка редила сама себи”, те да овај начин извођења није близак нарицању на гробљу. Након облачења беле хаљине невеста је престајала са плакањем, јер је промена одеће симболично означавала њену спремност за одлазак у нови дом.

Први подаци који се односе на свадбу у централном делу Косова и Метохије датирају с краја 19. века и представљају поетске текстове шест песама из Грачанице које је у свом путопису записао Милојко Веселиновић (Веселиновић 1895: 53–56). Минуциознију дескрипцију читавог обреда са садржајима текстова песама у Косову Пољу дао је свештеник Дена Дебељковић почетком прошлог века (Дебељковић 1907: 185–222). У односу на његове описе свадбених чинова, данашња свадбена процесуалност је значајно редукована. Из приближно истог периода потичу и музички записи свадбених песама, који се први пут јављају крајем 19. века и део су истраживачког рада Стевана Мокрањца у Приштини (Мокрањац 1996: 129, 130). Након тога, у првој половини 20. века, теренски подухвати Милоја Милојевића[145] и Миодрага Васиљевића[146] значајно су допринели бележењу овог жанра на разматраној територији.

---

[144] Младино плакање могло је да почне недељу дана пре венчања, док је на сам дан свадбе било обавезно. Цвета Митровић из Радева говорила је о плакању на следећи начин: „Од недеље, причају за неку овдена, дигла се ујутру рано, помела двориште, почистила кућу, уредила своју собу, и у своју собу обукла се и села. И сад како ко улази од породице. Прво улази мајка, она мајку оплаче, па оца, па стрине, па то свега. Е, после долазе из комшилука да виду што спремила, што они то спремили те дарове, то што имала и она све има да поплаче.” Младу су том приликом тешили речима „Ћути, жив ми ти! Красно си ми се накитила, красно си се променила” (транскрипт интервјуа са Цветом Митровић, 4. 6. 2016, Радево). Пре Другог светског рата (и непосредно после рата) невеста је недељу дана плакала сваки дан опраштајући се од родбине и пријатеља. Међутим, временом се снашкино тужење свело на дводневно исказивање жалости током суботе и недеље, а од 60-их година прошлог века младино плакање је потпуно нестало из свадбеног обреда.

[145] Видети примере у: Милојевић 2004: 74, пример бр. 10; 76, пример бр. 12; 84, пример бр. 18в; 88, пример бр. 22; 89, пример бр. 23; 91, пример бр. 24б; 94, пример бр. 27; 95, пример бр. 28.

[146] Видети примере у: Васиљевић 1950: 127, пример бр. 245; 130, пример бр. 249б; 131, примери бр. 252а и 252б; 132, пример бр. 255; 136, примери бр. 266 и 267; 137, пример

За време нашег трогодишњег теренског истраживања прикупљени су музички и поетски текстови свадбених песама које се могу сврстати у две групе. Прву чине песме које су у синкретичкој вези са одређеним ритуалним догађањем и у прилогу овог рада их има укупно девет, од којих четири представљају део живе праксе (примери бр. 23, 24, 27, 28), док су пет део сећања казивача (примери бр. 25, 26, 29, 30, 31).[147] То су примери које нису изводили музичари ангажовани да прате свадбени ток, већ жене или мушкарци из редова званица. Карактерише их родна и старосна профилисаност интерпретатора, поетски текст и специфична мелодијска линија. Они имају важну функцију у обликовању обредне процесуалности, заједно са плесним сегментима који су локативно и темпорално јасно позиционирани. Другу групу чине примери за опште весеље и разоноду, које изводе плаћени музички састави. То су доминантно традиционалне песме са ширег простора Косова и Метохије, које се могу изводити у разним приликама,[148] али и популарне новокомпоноване, које неће бити разматране у овом сегменту рада будући да њихово извођење током обреда није обавезујуће.

Музичку парадигму савременог свадбеног церемонијала представља песма „Ој, убаво девојко", чија сигнална функција је садржана у наговештавању значајних конситуационих момената, као што су: изношење кондира; полазак сватова по младу; невестин излазак из родитељске куће; долазак „снашке" у нови дом (примери бр. 23 и 24).[149] Једногласна

бр. 269; 139, пример бр. 275; 142, пример бр. 281в; 143, пример бр. 282б; 147, пример бр. 295; 150, пример бр. 298г; 157, пример бр. 311; 158, пример бр. 314; 163, пример бр. 319; 164, пример бр. 321; 167, пример бр. 327; 168, пример бр. 329; 181, пример бр. 358.

[147] Међу записима Милоја Милојевића и Миодрага Васиљевића су и песме које нису забележене током новог теренског истраживања (Милојевић 2004: 84, пример бр. 18в; 88, пример бр. 22; 89, пример бр. 23; 91, пример бр. 24б; 94, пример бр. 27; 95, пример бр. 28; Васиљевић 1950: 131, пример бр. 252а и 252б; 139, пример бр. 275; 142–143, примери бр. 281в и 282б; 147–148, пример бр. 295; 158, пример бр. 314; 164, пример бр. 321; 167–168, пример бр. 327).

[148] У ову групу песама спадају и поједини примери из Васиљевићеве студије, чији садржај поетских текстова више одговара љубавним песмама, које су несумњиво могле бити интерпретиране у различитим приликама (Васиљевић 1950: 130, 283, пример бр. 249б; 132; 132, 285, пример бр. 255; 136–137, 288, пример бр. 267; 137, 289, 292, пример бр. 269; 143, пример бр. 282б; 150, 299, пример бр. 298г; 163, 164, 306, пример бр. 319; 181, 318, пример бр. 358; 168–169, 309, пример бр. 329).

[149] Сличан поетски садржај (мада у десетерачком стиху) који се понавља три пута забележио је и Дена Дебељковић у Косову Пољу (Дебељковић 1907: 187). Према

интерпретација родно је условљена и њу презентују искључиво жене које су искусне певачице. Почетни стих седмерачке версификације је уједно и читав текст песме који се током извођења понавља три пута.

Мелострофа примера „Ој, убаво девојко" грађена је, дакле, из једног стиха, базираног на понављању иницијалног четворосложног чланка са додатим трисложним (примери бр. 23 и 24). Специфичност музичког извођења чини фреквентно присуство извика дужег трајања у (иницијалном), медијалном и каденцијалном делу. Његова изразитост остварена је високим позиционирањем, односно достигнутом звучном кулминацијом и енергетским климаксом у средишњем сегменту мелострофе, којом се у извесном смислу антиципира звучност завршног извикавања (обележеног интонативно неустаљеним силазним и узлазним скоковима). У исто време, ови звучно маркантни извици опонирају ниско позиционираном истоврсном рефренском облику на иницијалису (пример бр. 23), као и наредном извику, реализованом након паузе у медијалном делу (примери бр. 23 и 24). Кључна диферентност поменутих ниско и високо позиционираних извика је у њиховој релацији са испевавањем основног поетског садржаја: док су први у музичком смислу интегрисани у ток обликовања мелопоетских сегмената, други се испољавају као самосталнији (независнији) рефренски облици. Мелодијска контура саздана је од неколико силазних таласа, са честим претходећим квартним узлазним скоком, у оквиру дурског (пример бр. 23) или молског тетракорда (пример бр. 24). Са формалног аспекта, мелострофа је грађена на монотематском принципу, при чему се почетна музичка мисао понавља са мањим изменама. Основна музичка линија обогаћена је орнаментима, са нарочитом применом „квоцајућих звукова".[150] У мелизматичном току parlando rubato ритмичког система упоришна тонска раван је носилац дужих ритмичких вредности. Изразиту сродност мелодија записаних у различитим насељима (Бабљаку и Чаглавици) са минималним ритмичким одступањима илуструју примери:

___

његовим наводима, у тренутку када би музичари који свирају сурле и гочеве дошли на свадбу, „мешаља" и „бачица" су играле, а затим три пута певале: „Ој, убава, убава девојко" (Исто).

[150] Бела Барток је међу првима запазио у српској традиционалној музици тонове специфичног квалитета које је назвао „clocing sounds" – квоцајући звуци (Bartok 1951: 77).

Пример бр. 23:

Пример бр. 24:

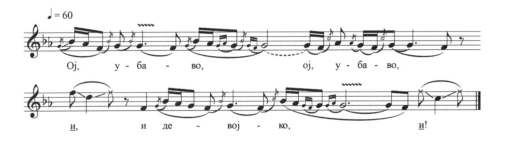

Током ранијих истраживања, поетске варијанте песме „Ој, убаво девојко" забележили су Милојко Веселиновић (Веселиновић 1895: 53–54), Дена Дебељковић (Дебељковић 1907: 191, 197, 205, 212) и Стеван Мокрањац (Мокрањац 1996: 130, пример бр. 104б). Поређењем њихових примера са транскрипцијама у овој студији (примери бр. 23 и 24) запажа се да су садржаји које су публиковали Веселиновић,[151] Мокра-

---

[151] Милојко Веселиновић је у свом путопису из Грачанице приложио две песме које почињу стиховима „О, јубава, јубава девојко". Прва се изводи код девојачке куће (Веселиновић 1895: 53–54):

> „О, јубава, јубава, девојко!
> Другарицо наша невернице!
> Е-л' се синоћ љуто заклињаше
> Да не обучеш свекрове јелеце,
> Туђег тајку, тајку да не викаш,
> Туђу мајку, мајку да не викаш,
> Туђег брата, брале да не викаш,
> Туђу сестру, сестро да не викаш."

њац[152] и Дебељковић[153] неупоредиво богатији, жанровски информативнији и испевани у десетерачкој версификацији.

Описујући текст песме „Ој, убава, убава девојко" записане у Грачаници, Мокрањац је приметио да почетни стих није у корелацији са остатком садржаја и тумачио је ову појаву као „рефрен који је дошао напред, што често бива у нашим народним песмама" (Мокрањац 1996: 130). Будући да и у другим српским крајевима песме старије вокалне праксе почињу овим исказом (а често се и завршавају), вероватно се ради о оквирном стиху чије је понављање на крају песме изостало.[154]

Друга песма се изводи „код девојачке куће изјутра, кад дођу сватови по девојку" (Исто: 56):

> „О, јубава, јубава, девојко!
> Младожењо рани цвет невене
> Што си тако рано подранија,
> Те си нашу другу рацвелија".

[152] Мокрањац је записао текст свадбене песме у Грачаници „када се испраћа младожења", уз напомену да се иста мелодија користи и „кад се облачи девојка" (Мокрањац: 1996: 130, пример бр. 104б):

> „Ој, јубава, јубава девојко,
> Ајд, походи, куме и старојко,
> И поведи кићене сватове,
> И поведи млада младожења!
> Младожењо, рани цвет не вене,
> Држ' се добро за свилен дизгине
> Опри ноге у златне зенгије,
> Да ни нама зазор не учиниш!"

[153] На основу текстова из Косова Поља које је публиковао Дена Дебељковић види се да је стих „Ој, убава, убава девојко" био само иницијални сегмент песме која има комплекснији садржај, о чему говоре стихови који су се некада изводили када се сватови припремају да крену по младу (Дебељковић 1907: 197):

> „О, јубава, јубава девојко,
> Ајт' по'оди, куме и старејко,
> И поведи кићене сватове,
> И поведи младог младожењу,
> Донес'те ми сунце код мараме,
> Да огреје свекрове дворове."

Поред ове песме, Дебељковић је записао још неколико текстова које девојке певају пред полазак у младин дом, међу којима су „Ајт' сас здравље, куме и старејко", „Справили се кићени сватови" и „Дижи се куме и старејко" (Исто: 197, 198).

[154] Бавећи се проблемом оквирног стиха у српској вокалној пракси, Сања Радиновић издваја његове основне одлике, попут стереотипности, семантичке издвојености и вокативне форме (Радиновић 2002: 118–119).

Музичке одлике Мокрањчевог примера већим делом одговарају карактеристикама недавно снимљених напева (примери бр. 23 и 24). Сличности су евидентне у тонском фундусу, мелизматичном току и мелодијском кретању силазног смера, док се разлике огледају у десетерачкој стиховној метрици, готово потпуном одсуству орнамената и само завршној позицији извика у Мокрањчевом запису[155]:

(Стеван Стојановић Мокрањац, *Ешномузиколошки зайиси*, пример бр. 104б)

Мелодијску варијанту исте песме записао је и Миодраг Васиљевић средином прошлог века у Доњој Гуштерици, под називом „За град зађо да гледам девојке“ (Васиљевић 1950: 127, 281, пример бр. 245). Ова вокална нумера, извођена „пре венчања“, одликује се разгранатим поетским свадбено-љубавним садржајем исказаним у асиметричном десетерцу, а музичка сродност са примером „Ој, убава девојко“ исказује се кроз примену честих извика у аналогним (иницијалним, медијалним и каденцијалним) мелостофичним сегментима,[156] као и у тонском (квартном) обиму (мада прожимајућег дурског и молског тетракорда) доминантно силазног и мелизматично обојеног мелодијског покрета:

---

[155] О извикивању које је бележио у Грачаници и другим насељима Косова и Метохије, Мокрањац је писао на следећи начин: „На крају скоро свију лаганих песама (и обредних и других) и скоро по свим косовским селима, додају певачи и певачице по једно дуго 'И'! За ово 'И' узимају обично од завршног тона песме октаву, малу септиму, малу сексту, а често и умањену квинту навише, и то фалсетом, па онда од тог високог тона иду наниже постепено (налик на портаменто) отприлике једну терцу и кварту. Ово се 'И' налази и у средини стихова, а врло често одвајају њиме и слогове, не марећи тиме што постаје реч неразумљива“. Према његовим наводима, такав завршни извик у косовским песмама разликује се од ведрих извикивања (попут „бачванских“, „мачванских“ или „шумадијских“), будући да је пун туге и меланхолије те се „по њему самоме може видети како је ту предање о пропасти српској веома дубоко уписано у душу народну“. О Мокрањчевој емотивној реакцији сведоче његове речи: „Кад год сам га чуо (...), студ ме обузимала, а и суза није изостала“ (Мокрањац 1996: 129).

[156] Васиљевић није потцртао вокал *и* у нотној транскрипцији, изостављајући притом јасно назначавање његове рефренске функције; то је учинио у распису поетског текста обележивши га курзивом (Васиљевић 1950: 127, 281).

И, за град зађо, и, и!
да гледам девојке, и!

(Миодраг Васиљевић, *Југословенски музички фолклор, I: Народне мелодије које се певају на Космету*, 1950, пример бр. 245)

Поред евидентних сличности разматраних примера у дијахронијској равни, сагледивих на музичком плану кроз заједничке тонске амбитусе обележене мелизматичним током силазног усмерења и честим високо позиционираним извицима, различитост је очигледна на њиховом версификационом и садржајном плану.

Једина свадбена песма коју изводе мушкарци, односно речитативно је интерпретирају, јесте „Кум Бога моли" (пример бр. 27). Она се на актуелним свадбама може чути у два наврата, и то на капији оба домаћинства: и код младе и код младожење. У погледу садржаја представља здравицу, чија се целовитост мелострофе постиже трострухим излагањем основног текста и рефрена. Прве две, од три поетске синтагме, састоје се од петосложних целина са додатим рефреном, док је трећа седмосложна (пример бр. 27):

Кум Бога моли, <u>амин, амин, амин, амин,</u>
кум Бога моли, <u>амин, амин, амин, амин,</u>
и опет Бога моли, <u>амин, амин, амин, амин.</u>

Овако конципиран синтагматски ланац представља модел и понавља се у другој и трећој мелострофи, с тим што се основни текст намењује домаћину и старом свату. Речитативно извођење обележено је сменом две говорне интонације, од којих друга, нижа, претходи припеву, те антиципира њихову комбинацију у припевном рефрену.

Проучавајући обредну традицију Косова Поља, Дена Дебељковић је забележио текстуалну варијанту обимнијег садржаја, која се могла чути вече уочи свадбе када „старојкови и домаћинови момци устану на ноге, па два и два вичу" (Дебељковић 1907: 190). Из наведеног коментара може се претпоставити да се радило о антифоном смењивању групе певача, при чему се здравица намењивала куму, домаћину, пријатељу, зету, побратиму, другу, комшији, старијем момку, млађем момку, гочобији, малом старејку, малом куму, деверу (Дебељковић 1907: 190).[157] Интересантно је да Мокрањац и Милојевић[158] не бележе овакве примере у централном делу Косова и Метохије, док је Васиљевић у Вучитрну записао здравицу (Васиљевић 1950: 158, пример бр. 314) чија је мелодијска линија знатно развијенија у односу на пример (бр. 27) из прилога ове студије. Својеврсна декламација текста током свадбе забележена

---

[157] Дебељковићев текст са понављајућим припевом <u>амин, амин</u> (Дебељковић 1907: 190) је следећи:

„Старејко Бога моли, амин, амин!
Амин, амин!
Кум Бога моли, амин, амин!
Амин, амин!
Домаћин Бога моли, амин, амин!
Амин, амин!
Пријатељ Бога моли, амин, амин!
Амин, амин!
Зет Бога моли, амин, амин!
Амин, амин!
Побратим Бога моли, амин, амин!
Амин, амин!
Наш друг бога моли, амин, амин!
Амин, амин!
Комшија бога моли, амин, амин!
Амин, амин!
Стареј момак Бога моли, амин, амин!
Амин, амин!
Млађи момак Бога моли, амин, амин!
Амин, амин!
Гочобија Бога моли, амин, амин!
Амин, амин!
Мали старејко Бога моли, амин, амин!
Амин, амин!
Мали кум Бога моли, амин, амин!
Амин, амин!
Девер Бога моли, амин, амин!
Амин, амин!"

[158] Милојевић је здравице са развијеном мелодијском линијом записао на подручју Пећи и Косовске Митровице (Милојевић 2004: 78, пример бр. 14; 79, пример бр. 15; 80, пример бр. 16).

је и у насељима Косовског Поморавља (Трифуновић 2016: 18). Сличан музички феномен се јавља при „аминовању муштулугџија" у Горњој Јасеници (Јовановић 2002: 42),[159] као и чауша у ужичком крају, чија је бикордална „мелодија" блиска говору (Големовић 1990: 69).

Поред песама које су део савремене извођачке праксе у оквиру свадбеног обреда, током теренских истраживања забележене су и оне чије мелодијске и поетске текстове познаје мали број испитаника. Међу њима је пример „Бричи ми се млади младожења", некада карактеристичан за тренутак када се младожења и тим путем припремао за овај свечани чин. Такве песме данас су део сећања појединаца, чије интерпретације су забележене у Косову Пољу и Грачаници (примери бр. 25 и 26).[160] Њихова версификација је базирана на асиметричном десетерцу, који се током мелострофе излаже у виду потпуног стиха и понављања другог чланка. Мелодијску раван одликује: монотематизам са израженим почетним, средишњим и завршним микроделовима – подударним са поетским сегментима; иницијална силазна интонација у оквиру дурског тетракорда, која се потом презначава у таласасти покрет са нестабилно интонираним хиперфиналисом (пример бр. 25), или пак опстаје као маркантно обележје мелодијског кретања у обликовању целокупног музичког тока (пример бр. 26). Записане мелодије карактерише слободније реализован метроритмички импулс, који у првом случају гравитира ка бинарној подели (пример бр. 25), док је у другом, изразито мелизматичном, прожет и елементима асиметричног ритма 7/8 мере (у оганизацији 3, 2, 2) (пример бр. 26):

---

[159] Јелена Јовановић је описала део свадбеног обреда у коме момци – „муштулугџије" („тројица пратилаца законика: кумовски, старосватски и војводски момак"), доносе вести о доласку сватова са младом. При уласку у двориште „они аминују" на следећи начин (Јовановић 2002: 42–43):

„Кумовски момак (испија буклију): Кум Бога моли!
Муштулугџије: Амин, амин!
Старосватски момак (испија буклију): Старојко Бога моли!
Муштулугџије: Амин, амин!
Војводски момак (испија буклију): Војвода Бога моли!
Муштулугџије: Амин, амин!
Сви присутни: Амин, амин!"

[160] Проучавајући песме за бријање младожење на територији читаве Србије, Дејан Ајдачић их сврстава у групу „обредно-описних песама" (Ајдачић 1998: 218).

Пример бр. 25:

Пример бр. 26:

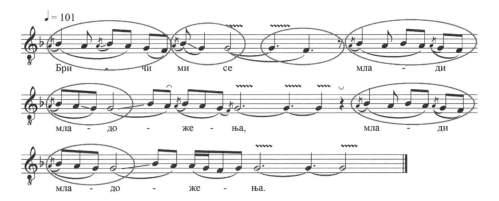

Поетске варијанте песме „Бричи ми се млади младожења" налазе се у релевантним етнографским и етномузиколошким студијама (Веселиновић 1895: 55, пример бр. 13; Дебељковић 1907: 191; Мокрањац 1996: 129; Васиљевић 1950: 136, пример бр. 266; Vukanović 1986б[161]). Карактерише их асиметрична десетерачка версификација и наслови који су исказани стихом „Ој, убаво, убаво девојко" / „Бричи ми се млади младожења" (Дебељковић 1907: 191, Косово Поље), или „Женило се бегче Сарајевче" (Исто; Мокрањац 1996: 129. пример бр. 104а, Грачаница; Васиљевић 1950: 136, пример бр. 266, Липљан).

Мокрањчев мелодијски запис из Грачанице одликује излагање основног стиха са извиком у каденци. Мелодику у оквиру дурског тетракорда карактеришу узастопни силазни покрети:

---

[161] Татомир Вукановић је бријање младожење забележио и у другим крајевима Косова и Метохије, попут Подриме и Средачке жупе (Vukanović 1986б: 265).

(Стеван Стојановић Мокрањац, *Етномузиколошки записи*, 1996, пример бр. 104а)

Мелострофа Васиљевићевог записа из Липљана заснована је на низу који чини основни облик стиха са понављањем другог чланка. Сваки сегмент стиха почиње вокалом и, који пресеца мелодијске одељке и представља припрему новог дела тока. Његова тонска висина позиционирана је на хипофиналису, након кога следи узлазни скок кварте. Тиме се у наредном току профилишу поступни силазни покрети на бази комбинације дурског и молског тетракорда, изведени у *parlando rubato* систему. Завршетак мелострофе обележен је високим извиком дугог трајања са понирућим глисандом:

(Миодраг Васиљевић, *Југословенски музички фолклор, I: Народне мелодије које се певају на Космету*, 1950, пример бр. 266)

Компаративним сагледавањем примера извођених при бријању младожење уочава се сличност на пољу версификације, мелострофичне организације (упоредити Васиљевићев запис са примерима бр. 25 и 26 у овој студији), мелодијског и ритмичког структурисања. Поред изостанка извика, у мелодијама забележеним у новијем времену диферентност се испољава и у значајној редукцији текстуалног садржаја у односу на наведене записе с краја 19. и из средине 20. века.

Корелација на пољу мелодијског комплекса може се успоставити између песама „Бричи ми се млади младожења” (примери бр. 25 и 26) и „Ој, убаво девојко” (примери бр. 23 и 24). Упркос различитој версификацији, њихова сродност огледа се на мотивском плану у виду силазне мелодике и упућује на постојање заједничког интонационог поља карактеристичног за свадбени контекст. Појава мелодијске сродности свадбених песама често се јавља у српској традицији и исказана је кроз народне називе као што су *свадбачки, сватовски глас, свадбени глас* (Васиљевић 1964: 375–380; Девић 1986: 15; Петровић 1989: 50; Јовановић 2002: 80) или *сватовска кајда* (Големовић 1990: 22). Кроз ове емске термине сагледавамо народне називе за моделе из којих се у пракси реализују бројне варијанте песама чија версификација може бити различита (Јовановић 2002: 96). Међутим, на подручју централног дела Косова и Метохије не постоји посебно именовање модела који упућује на свадбени контекст. На истраженом простору можемо само да говоримо о заједничкој мотивској ћелији – „генетском језгру” које повезује одређене свадбене примере.[162]

Посебну драмску динамику свадбеном обреду некада је давало „плакање невесте”, као специфичан начин опраштања „снашке” од својих најмилијих. Иако се овај начин исказивања емоција више не може чути на свадбама од Вучитрна до Урошевца, и данас постоје певачице које својим музичким реинтерпретацијама изван дате конситуације успевају да дочарају психолошко стање невесте која тужи. Током теренског истраживања снимљено је више оваквих примера, а три се налазе у прилогу студије (примери бр. 29, 30 и 31). Исповедни монолог девојке карактерише хетерогена версификациона раван и импровизација текста прожета стереотипним синтагмама (попут „леле мене”, или „леле јадне”). Супротстављени однос младе према свом и туђем роду, нарочито изражен кроз опонентне значењске синтагме „кућа моја” и „пусто преко” (пример бр. 31), одражава суштинску карактеристику амбивалентних осећања ових свадбених „опроштајно-тужбених” песама (Ајдачић 1998: 223–225). Поетски систем је испреплетен узвицима бола *ој, ој*, чија је фреквентност и позиционираност условљена

---

[162] Проучавајући свадбене песме у Горњој Јасеници, Јелена Јовановић је закључила да различите мелодијске обрасце, као и различите метрике стиха, обједињује припадност истом мелодијском типу, односно *гласу*, јер исходе из заједничке мотивске ћелије – „генетског језгра” (Јовановић 2002: 96).

тренутним емоционалним набојем певачице. У забележеним примерима узвици се јављају у средишњем и каденцијалном сегменту (примери бр. 30, 31), а њиховој посебној експресивности доприносе високо реализовани узлазни квартни скокови (пример бр. 31). Импровизација поетског тока резултира слободно креираном мелодијском линијом, те су свадбене тужбалице записане у целини (примери бр. 29, 30 и 31). Њихов тонски потенцијал је различит и исказан је у оквиру молског (пример бр. 29) или хармонског тетракорда (пример бр. 31), као и у амбитусу умањене кварте (пример бр. 30). Низови певаних стихова су најчешће одељени краћим паузама и у музичком смислу представљају варирану почетну музичку „мисао" карактеристичног силазног усмерења.

Током 30-их година прошлог века Милоје Милојевић је у Вучитрну забележио песму „Жалост моја да сам сад девојка", извођену приликом опраштања невесте од укућана. Тај чин пропратио је следећим речима: „Девојка кад излази из дома песму певају њене другарице. Млада плаче, али мора да се пусти глас, да би околина чула да она плаче: ах! ах! ах!... А покрије се са 'пече' од танке жице. А момци јој добацују у шали. Плаче млада, волим тамо него овде, идем тамо него овде!" (Милојевић 2004: 74, пример бр. 10). По поетској версификацији (асиметрично десетерачком стиху) и мелострофичној организацији (поновљеном мелостиху), ова песма се разликује од примера забележених током недавних истраживања (бр. 29, 30 и 31). С друге стране, по обиму и карактеру мелодике Милојевићева транскрипција (доминантног силазног усмерења у оквиру молског тетракорда) показује сличност са примерима у овој студији.

До сада су мелодије свадбених тужбалица, поред централног дела Косова и Метохије, евидентиране и на територији Косовског Поморавља (Јовановић 2004: 72; Трифуновић 2016: 69–71). Компарацијом примера овог жанра из обе поменуте области уочава се заједничка особина изражена у мелодици силазног смера. Свадбене тужбалице Косовског Поморавља одликује појава „рефренске паузе" (Јовановић 2004: 72), која изостаје у мелодијама из средишњег дела Косова и Метохије.

Потврда силазног мелодијског покрета, као кључног означитеља свадбених тужбалица на ширем словенском простору, произилази из упоредног посматрања са забележеним материјалом из области северне и северозападне Русије (Кирюшина 2008: 319–331; Резниченко 2008: 310–315; *Музыкальная культура Русского Севера* 2012: 285–287; Теплова

2012: 29–36; Голубева 2012: 141–155), у којима је овај свадбени жанр („свадебные причитания") најдуже практикован и најобухватније тумачен у етномузиколошкој литератури. Према сазнањима руских научника, свадбене тужбалице су реализоване у импровизационој прозној форми певаног исказа, у виду солистичке интерпретације (од стране невесте), или вишегласне (базиране углавном на комбинацији невестиног почетног плача са придружујућим вокалним изразом њених другарица).

Будући да су свадбене тужбалице мелодијски блиске погребном плачу и представљају монолошко обраћање присутном аудиторијуму (Ајдачић 1998: 223), а слично су конциниране тужбалице које су део посмртног ритуала – што је резултанта истоветних емоција које покрећу извођаче (Ајдачић 1998: 223; Вукичевић-Закић 1995: 160) – емско тумачење извођења у обе ситуације је често еквивалентно. На простору Косовског Поморавља невеста „реди", што је идентичан термин и за оплакивање умрлог (Јовановић 2004: 72). На истраженомареалу понекад се користи исти термин, мада су поједини информатори, попут Цвете Митровић из Радева, имали супротно мишљење. Према њеном тумачењу, „млада плаче", а на гробљу се „кука" или „реди".

Поред свадбене тужбалице коју изводи млада, њено опраштање од укућана одвијало се и последњом песмом пред полазак у нови дом – „Трешња се од корен трешњаше", која је снимљена у Лапљем Селу (пример бр. 28). Текст је базиран доминантно на деветерачкој стиховној конструкцији са применом асиметричног осмерца у трећем стиху. Мелострофична двостиховна организација подразумева периодичну грађу два мелодијска одељка у распону фригијског пентакорда, са достигнутом кулминацијом у иницијалним сегментима:

Пример бр. 28:

Занимљиво је да током претходних истраживања средишњег дела Косова и Метохије није забележен ниједан пример са сличном музичком или поетском основом. Међутим, поменута песма је изузетно популарна у оквиру свадбеног обреда на простору Косовског Поморавља (Трифуновић 2016: 73, 74). Сања Трифуновић је записала две варијанте које су и у музичком и у поетском смислу сродне са песмом из Лапљег Села (пример бр. 27). Усаглашеност је посебно евидентна са примером „Корањ се од корен корњаше", који такође садржи карактеристичну синкопу на почетку мелодијског тока (Трифуновић 2016: 73):

Анализом свадбених песама и извођачког контекста запажа се да је у дијахронијском оквиру дошло до редукције прилика у којима се пева, репертоара и поетских тестова. Томе у прилог говори троструко извођење стиха „Ој, убаво девојко", који се интерпретира више пута током важних момената на свадби и семантички се не може повезати са обредним радњама које га прате. Поређењем ових записа са примерима из литературе уочава се да је музичка сфера разматраних напева релативно очувана (са мањим или већим изменама мелодијског или метроритмичког тока). Промена поетске равни свадбених песама, а посебно нестајање свадбених тужбалица, указује и на губљење латентног конфликта у коме се супротстављају радост и туга, а који је био основа традиционалног извођења свадбеног обреда.

Поред вокалних примера који су били обавезни део свадбе, у временском распону од Другог светског рата до данас важну улогу у току весеља имају различити музички састави. До средине 20. века то су биле „сурле" и гочеви, о чему сведоче записи Дене Дебељковића[163] и казивања информатора на чијим се свадбама свирало на поменутим инструментима (непосредно након Другог светског рата). Убрзо су их заменили трубачки оркестри, као и музички састави хармоника и других

---

[163] Дена Дебељковић је описао улогу гочева на свадби почетком прошлог века. Према његовим наводима, гочобија је свирком дочекивао сваког госта који је долазио у младожењин дом (Дебељковић 1907: 188).

инструмената, тако да од 60-их и 70-их година прошлог века свадбена церемонија није могла да се замисли без хармонике уз пратњу баса са звечком („мечком"). Поред ових инструмената, састав ансамбла повремено су чинили „кланет" и „ћемане". Након НАТО бомбардовања Србије 1999. године све више су заступљени модерни састави са електричним инструментима и озвучењем. Изменом инструментаријума и све већом професионализацијом музичара дошло је до промена и у начину плаћања свирачима. У време када су сурле доминирале на овом простору, музичари су за једнодневно извођење добијали килограм брашна, док су се касније односи новчане наплате од стране (професионалних) ансамбала драстично променили у корист свирача.

На примеру свадбе (онако како се она данас изводи на територији централног Косова и Метохије) сагледавају се динамични друштвени процеси, као и утицај савременог доба на поједине сегменте обреда. Модернизација церемонијала не испољава се само на музичком плану већ укључује бројне новине које на различите начине одређују структуру свадбе. Једна од њих се односи на присуство фотографа и камермана који бележе сваки тренутак обреда. Као добри познаваоци свадбене процесуалности, они често дају сугестије невести и другим учесницима, саветујући их како да изводе поједине обредне чинове. На тај начин активно учествују у „реконструкцији" најважнијих сегмената свадбе и доприносе њиховом континуитету у оквиру локалне заједнице.

4.6 СЛАВСКЕ ПЕСМЕ

Крсна слава[164] представља религијски и друштвени празник који је добро очуван у оквиру читаве српске заједнице. Свако домаћинство обележава дан породичног свеца, што је установљена пракса и појединих еснафа (Sinani 2012: 192).[165] Виталност славе као друштвеног

---

[164] Према мишљењу Веселина Чајкановића крсна слава, то јест „крсно име је култ предака, односно првог, фиктивног претка" (Чајкановић 1994: 168).

[165] Актуелни облик добила је у 13. веку реформом Светог Саве, и од тада се континуирано преноси са колена на колено све до данас (Bandić 1990: 158). Слава као светковина једини је празник са умноженом формом и има важну улогу у друштвеном означавању, организацији интерперсоналних и интерпородичних односа, политичкој идентификацији и националном обележју (Bandić 1990: 163; Sinani 2012:

феномена (Bandić 1990: 157–172), који је распрострањен на читавом српском етничком простору, допринела је различитим интерпретацијама у научним круговима (Sinani 2012). Најчешћа су тумачења према којима се овај феномен сагледава као комбинација народних и црквених обичаја (Тодоровић и Павићевић 2017: 380). Она је истовремено празник намењен прецима (Чајкановић 1995: 149) и посвећен хришћанском свецу „који се сматра патроном, донатором и заштитником породице" (Sinani 2012: 175).[166] Поред религијског значаја, има изразито друштвени аспект јер хомогенизује локалну заједницу.

На територији централног дела Косова и Метохије Срби најчешће славе Светог Николу, Светог Јована, Аранђеловдан, Светог Ђорђа и друге светитеље, односно дане који су им посвећени.[167] У оквиру црквеног календара сваком од њих су намењени одређени датуми током зимског периода, када је централна светковина, док се лети одржавају преславе.[168] Поједина домаћинства имају по два заштитника (или више њих), што је последица наслеђивања имовине од ближих или даљих сродника.

Током кризних политичких периода долазило је до забране обележавања славе, нарочито после Другог светског рата, када је религиозност чланова комунистичке партије оштро осуђивана.[169] Из народних казивања стиче се утисак да су такав став најјаче подржавали локални Срби, често потказујући једни друге.[170] Према речима Новице Китића

---

190). Током њеног обележавања заступљен је принцип реципроцитета, који подразумева да се свако од гостију може наћи и у улози домаћина, што додатно учвршћује локалну заједницу.

[166] Слава, као културно добро, има своје место на Листи нематеријалног културног наслеђа Републике Србије (http://www.nkns.rs/cyr/popis-nkns/slava-krsno-ime-krsna-slava), а од 2014. године налази се и на Унесковој Репрезентативној листи нематеријалног културног наслеђа човечанства (https://ich.unesco.org/en/RL/slava-celebration-of-family-saint-patrons-day-01010). Датум последњег приступа: 18. 8. 2019.

[167] Током 90-их година прошлог века ревитализована је и пракса обележавања школске славе Светог Саве.

[168] У току лета се једнодневном прославом обележава дан који је посвећен одређеном свецу, што представља „скраћени" облик истоимене зимске славе.

[169] Случајеви таквих забрана забележени су и у другим деловима Косова и Метохије (Стојнковић 2016: 37).

[170] У прилог томе говори и сведочење Милунке Костић из Грачанице: „Држава није то бранила, правили су то ови наши овде, да би могли да иду даље". Она се сећа да ју је током Госпођиндана супруг отерао у башту да не би примала госте, како их неко од суграђана не би тужио. Њена породица је увек славила славу, али

из Угљара, у том периоду „славило се у тишини, у мраку", тј. у потпуној тајности. На подручју централног Косова и Метохије, поред српског становништва донедавно је и ромска заједница у Скуланеву и Грачаници прослављала Ђурђевдан и Василицу (Српску Нову годину). Међутим, највећи део Рома је исламизован након НАТО бомбардовања, што је довело до укидања свих облика друштвене праксе у којима се препознају елементи хришћанства.[171]

Активности чланова породице током славе везане су за припремање трпезе неколико дана раније, одлазак у цркву и радњи које се обављају у самој кући. Нарочита пажња посвећује се прављењу обредног хлеба – славског колача, који се украшава у складу са религиозним правилима.[172] Према емским тумачењима, домаћин дочекује госте, након чега следи специфичан начин поздрављања[173], конзумирање жита, кађење софре, пресецање колача[174] и вечера.

Прослављање породичне славе на истраженом простору подразумева тродневно окупљање рођака и пријатеља, а сегментираност обредног времена испољава се кроз народне називе: „вече славе", „дан

им је било забрањено да на Госпођиндан примају госте, јер је тада био велики сабор у селу (транскрипт интервјуа са Милунком Костић, 5. 9. 2015, Грачаница). Илустративне су и речи Драгана Тодоровића из Грачанице: „Када је комунизам био на врхунцу нису се носили колачи у цркву. Углавном су свештеници долазили по кућама да секу колаче. Било је у мом детињству избегавање одласка у цркву са колачем ради запошљавања" (транскрипт интервјуа са Драганом Тодоровићем, 5. 9. 2019, Грачаница).

[171] Према наводима Рома из Грачанице, до процеса исламизације је дошло током 2000. године у Немачкој, где су провели извесно време као азиланти.

[172] Славски колач симболизује тело Исуса Христа и на њега се утискују символи ИС, ХС, НИ, КА, који представљају превод грчке скраћенице IS, XC, NI, KA, чије је пуно значење: Исус Христос побеђује.

[173] Уобичајени поздрави на слави су: „Срећна слава" „Срећу имао", на шта домаћин одговара „Добро дошʼо", или „Боље ве нашао".

[174] У централном делу Косова и Метохије колач се ломи два пута, и то на „вече славе" и на дан славе. Славски колач који се прави за вече славе назива се „вечерња" и пресеца га домаћин са још једним мушкарцем који може бити комшија, кум или неко други из рода. Колач се сече унакрст, окреће се три пута с леве на десну страну и на крају ломи. Приликом окретања погача се љуби, а после ломљења свако од учесника ритуала узме парче, пољуби га и подигне. Поред пресецања колача унакрст, на исти начин се пије ракија на слави, што подразумева да они који наздрављају „укрштају" руке. Особа која седи у чело стола може да захтева од домаћина да домаћица умеси посебну погачу коју ће понети кући (транскрипт интервјуа са Љубинком Зарковићем, 4. 11. 2017. године, Доња Гуштерица).

слове” и „патерице”. У неким случајевима домаћинство које има број-ну фамилију обележава и четврти дан, када се кува вруђа ракија.[175] Специфично именовање славских дана назначио је Љубинко Зарковиђ из Доње Гуштерице терминима: „вече”, „слуга” (јер се служе гости) и „испраћеније”.

Назив „вече славе” указује на почетак обреда вечером која се за-вршава до поноћи и представља догађај у оквиру кога је певање имало посебну улогу, нарочито при „подизању славе” са ритуалним испија-њем вина. Током теренских истраживања забележене су двојаке ин-формације о моменту „подизања славе”. Једне упућују на време после вечере,[176] а друге указују на то да се овај сегмент обреда одвија пре јела и да је везан за ломљење колача. Без обзира на тренутак извођења, конзумирање вина је колективно и окупља све госте који притом кори-сте исту „славску чашу”, чиме се прослава „озваничава”. У овом свеча-ном тренутку гости стоје, док се домаћин крсти и први испија вино,[177] након чега отпочиње песму „Кој ми пије славе Боже” уз пратњу свих присутних мушкараца (примери бр. 32 и 33). Иста песма се уз наздра-вљање намењује свим гостима на слави. Према речима Новице Мла-деновића из Ливађа, у његовом домаћинству певају „Ко подиже славе Божје” по три пута сваком присутном, након чега гост три пута отпија из чаше.[178] Ово је прва песма која се пева на слави, те се може смат-рати својеврсним граничником који раздељује обредни сегмент од тока који је по свом музичком садржају сродан другим светковинама. Пре „подизања славе” се не пева, што додатно истиче функцију поменуте песме у оквиру ритуала. Поред певања, на слави се могу чути и здра-вице које представљају изговорене текстуалне форме „апелативног

---

[175] Уколико блиски рођаци обележавају истог свеца, онда не могу посећивати једни друге током славе. У таквим случајевима додатно се празнује и четврти дан, када се пружа могућност међусобног обилажења оних који славе.

[176] Наведени подаци добијени су од великог броја испитаника и они су у са-гласју са Нушићевим наводом, с краја 19. века, да је „дизање славе” наступало тек „после софре” (Нушић 1986: 171).

[177] У прошлости је домаћин испијао пуну чашу вина, а данас отпија колико може.

[178] Очито је да број три има важну улогу у славском обреду, јер представља број понављања различитих чинова. Поред овог обреда, он се често јавља и у тек-стовима народне поезије и прозе, на шта је указала Снежана Самарџија наводећи да број три означава „небо, мушки принцип, довршеност божанског јединства” (Самарџија 2012: 247).

жанра” (Ајдачић 1993: 1), чији садржај исказује жеље за напретком домаћинства.[179]

У оквиру славе музика има важну улогу као везивно ткиво у комуникацији и успостављању интерперсоналних односа, нарочито након јела, када се гости опуштају и отпочињу са интерпретацијом различитих музичких и поетских форми.[180] То су углавном лирске песме, у чијем вокалном извођењу учествују сви присутни, у симултаној форми, или у наизменичном смењивању мушкараца и жена. У оваквим ситуацијама долази до изражаја и вокална интерпретација даровитог појединца, који у локалној средини важи за доброг певача са изразитим гласовним способностима. Драгољуб Миладиновић, хармоникаш из Доње Брњице, наводи да гости „доносе песме”, што указује на својеврсну музичку интеракцију у којој настаје размена певачког знања. Томе у прилог говори и казивање Момчила Трајковића из Чаглавице да се „на славама људи највише опусте, јер ту је највећа интима и ту се песме промовишу”. Он је специфичан „амбијент” дочарао описујући тренутке на слави код свог пријатеља Ђолета Јевтића:

„Мајка Ђолета Јефтића у Сушици, кад смо били на једној слави (...) То се зна амбијент како је: мушкарци седе за софром, они ту на слави пију, мезе. Жене, одма’ тамо, неки шпорет у ћошку спремају и доносе да се мези (...) Домаћин служи и почиње да се пева. Ту слику никад нећу да заборавим. Преузимају мушкарци, певају, а жене овако са оним марамама позади, и оне певају и онда кажу: Дете срећа ти *јела*, не *јевала* већ *јела*. То је тај славски амбијент у коме се певају те песме на такозвани *славски начин*” (транскрипт интервјуа са Момчилом Трајковићем, 6. 9. 2015, Чаглавица). На основу овог исказа закључује се да се израз *славски начин* односи на карактеристике самог музичког текста који се интерпретира у наведеном контексту и, како је навео Трајковић, подразумева отегнуто певање.

Према речима информатора, на слави је током 20. века била заступљена и инструментална музика, што данас није случај. Новица и Чедомир Младеновић из Ливађа сведочили су о томе да је њихов отац свирао

---

[179] Иако славски ритуали варирају, „ломљење славског колача и здравица, тачније, дизање (напијање) у славу” представљају два најсвечанија и незаобилазна чина овог обреда (Sinani 2012: 176).

[180] Необавезни део обреда се изводи након јела и то „на вече славе”, или сутрадан после свечаног ручка.

кавал са комшијом Гигом. При инструменталној интерпретацији два свирача један је „водио" а други „пратио", подстичући добро расположење гостију који су уживали у њиховом музицирању. Поред кавала, браћа Младеновић указала су и на вокално-инструментално извођење деде који је певао уз гусле, што је у прошлости била честа појава на слави (Костић 1931: 34).

Иако време након славског ручка није организовано утврђеним радњама, његов значај за окупљене госте је био од изузетне важности, јер се кроз различите облике музичког и вербалног исказа потцртава музичка естетика локалног становништва. Овако богат културни садржај укључивао је аудиторијум који је имао прилику да, у виду активног учешћа или слушајући, учествује у процесу преношења културног наслеђа. Наративи казивача говоре о томе да су до пре две деценије у области централног Косова и Метохије породице организоване у задругама, те је и број гостију на слави био велики. Тако је домаћинство Стојана Максимовића из Грачанице до 50-их година прошлог века подразумевало заједницу која је бројала 20 чланова, а на славу је долазило и по 40 гостију.[181] Сви присутни су заједно са члановима породице чинили „публику" која је активно или пасивно пратила различита музичка извођења након славског ручка.

Бележење података у вези са практиковањем славе на централном делу Косова и Метохије спровели су најпре Милојко Веселиновић (Веселиновић 1895: 56–59), Бранислав Нушић (Нушић 1986: 19) и Дена Дебељковић (Дебељковић 1907: 222–238). Дебељковић је у оквиру своје студије као синоним за славу навео и народни назив „свети" (Дебељковић 1907: 222), који у савременом тренутку није у употреби. Из његовог текста ишчитавају се и други подаци који говоре о обредним моментима који су престали да буду део праксе, попут окретања колача изнад домаћинове главе и певања религиозних текстова као што су „Достојно јест" и „Господи помилуј" (Дебељковић 1907: 224–225). Тренутак „дизања славе" Нушић је описао на следећи начин: „Најпре најстарији гост или најближи сусед напија па затим иде чаша редом из руке у руку. Овом се приликом пије у славу Божју. Свакоме који

---

[181] Миодраг Симић из Сушице описао је своје сећање на прослављање славе у дому својих родитеља после Другог светског рата, када су гости долазили запрегом. Тада су гости морали да преспавају код домаћина, те је поред смештаја људи посебан проблем представљало проналажење коначишта за животиње.

пије пева се 'Господи помилуј' у вароши, а на селу 'Кој спомиња славе Боже'" (Нушић 1986: 171).[182]

Мелодије славских песама на подручју средишњег Косова и Метохије до сада нису записане у великом броју. У том смислу, издвајају се три транскрипције Стевана Мокрањца (Мокрањац 1996: 124–126), две Владимира Ђорђевића (Ђорђевић 1928: 145–146, примери бр. 403 и 404) и једна Миодрага Васиљевића (Васиљевић 1950: 194).

Током недавне етномузиколошке опсервације терена забележено је славско певање у насељима Сушица и Грачаница (примери бр. 32 и 33). Идентични поетски текстови ових песама исказују молбу Господу за благослов:

> Кој ми пије славе Боже
> помогле му славе Боже,
> и сам Господ помогао,
> и сам Господ помогао.

За разлику од примера из Сушице (бр. 32), чији је поетски материјал исказан наведеним садржајем, пример из Грачанице (бр. 33) је поетски информативнији с обзиром на постојање и друге строфе са иницијалним стихом „Кој спомења славе Боже" и репризирајућим стиховима „Помогле му славе Божје / и сам Господ помогао / и сам Господ помогао" – који су у овом случају у функцији рефренских припева.

Мелострофична конструкција ових песама базирана је на синтаксичком усаглашавању потцелина (музичко-реченичних структура и симетрично осмерачког стиха), при чему се мелодијско излагање првог стиха разликује од наредних и репетитивних четворотактних музичких одељака обележених узлазним терцним скоком у иницијалном сегменту. Њихови међусобно варијантни мелодијско-ритмички покрети и истоврсни метрички оквири (3/4 мера) садрже узајамно различите тонске структуре – у првом случају реч је о амбитусу чисте квинте са комбинованим током дурског и молског пентакорда (пример бр. 32),

---

[182] Поред података о „дизању славе", Нушић је сведочио о значају овог ритуала за српску заједницу. Наиме, према његовим речима, слава је опстала упркос бројним забранама које су крајем 19. века спроводиле „грчке владике" и „латинска пропаганда". Српске породице су чак и у тренуцима оскудице неизмерно трошиле и позајмљивале новац како би обележиле породични празник (Нушић 1986: 170).

а у другом – двоструко умањене квинте са полустепеним односом из-
међу два највиша тона (пример бр. 33).

Компарацијом са поменутим ранијим записима, забележене песме
показују сродност са Ђорђевићевим и Мокрањчевим примерима, под
називом „Ко спомења славе Боже” (Мокрањац: 1996: 126, пример бр. 99,
Ђорђевић 1928: 145, пример бр. 404), и то на плану поетског садржаја,
версификације, у извесном смислу и мелодијске профилисаности (по-
четног силазног усмерења и потоњих фреквентних узлазних терцних
покрета у квинтном амбитусу). Осмерачку организацију текста и уски
тонски амбитус проналазимо и у интерпретацији славских песама у
долини средњег Ибра на Косову и Метохији (Лукић 2015: 47, 61). Од
важности је и констатација да се и у другим деловима Србије јављају
сродни поетски садржаји. Наиме, варијанте почетних стихова: „Ко ми
пије славе Боже / помогле му славе Боже” (примери бр. 32 и 32) реги-
строване су и у Малом Мокром Лугу (Мокрањац 1994: 127, пример бр.
102а), Драгачеву (Девић 1986: 218, примери бр. 41, 42, 43, 44), околини
Крушевца (Петровић 1989: 60, пример бр. 41), Такову (Големовић: 1994:
127, пример бр. 8).[183] На мелодијском плану запажа се заједничко мотив-
ско исходиште које имају песме записане у овој студији (примери бр.
32 и 33) и песме из драгачевских насеља које је Драгослав Девић тран-
скрибовао 80-их година прошлог века (Девић 1986: 123, пример бр.
130а и 130б).

Податак да се не пева пре „подизања славе” забележила је и Ми-
лена Стоиљковић при истраживању призренско-подримског краја,
односно певачке традиције Велике Хоче (Стоиљковић 2016: 37). У овој
области улогу својеврсног музичког „граничника” има песма „У чије
се здравље вино пије”, са припевом „Господи помилуј”.[184]

У грађи коју су Мокрањац и Васиљевић сакупили у централном
делу Косова и Метохије налази се пример славског певања који није
регистрован током скорашњих истраживања. Ради се о песми „Чевр-
љала чеврљуга око глокчета”, која је записана у неколико поетских
варијаната (Мокрањац 1996: 124–125, примери 97 и 98; Васиљевић 1950:

---

[183] Сличан поетски текст Мокрањац је забележио и у околини Дебра (Мокра-
њац 1994: 129, пример бр. 103).

[184] Милена Стоиљковић наводи да се након здравице за певање других песама
тражи „изен” – дозвола, јер је у „завршници ове здравице сажето наглашена су-
штина целокупног славског обреда” (Стоиљковић 2016: 37).

194, 332, пример бр. 396). Из текста који је забележио Мокрањац у Гра‐
чаници (Мокрањац 1996: 124–125, пример бр. 97) сагледава се разли‐
читост поетских предложака намењиваних свим присутним гостима
(дечку, домаћину, старијем човеку, момку, зету, младожењи итд.), што
представља спецификум овог жанра на централном делу Косова и
Метохије.[185] На такву поетску разноликост у контексту празновања
славе указују и записи Милојка Веселиновића, који потичу, такође, с
краја 19. века (Веселиновић 1895: 56–59). Редуковани текст поменутог
примера у студији Миодрага Васиљевића забележен је 1946. године у
селу Доња Гуштерица, уз напомену да се ова песма изводила „и на сла‐
вама и на свадбама" (Васиљевић 1950: 332, пример бр. 396). Наведена
писана сведочења, заједно са актуелним увидима, упућују на претпо‐
ставку о поступној сводивости разгранатог поетског система славских
песама у дијахронијском току.

4.7 „КУКАЊЕ" ЗА УМРЛИМ

Смрт представља завршетак овоземаљског живота и тренутак у
коме душа као невидљив феномен, без материјалног обличја, напушта
тело. Она наставља да постоји и на различите начине утиче на свет
живих, што је на територији централног Косова и Метохије условило
формирање комплекса обредних радњи и веровања. Међутим, истра‐
живање посмртног ритуала у савременом тренутку било је веома де‐
ликатно, будући да је велики број становника српске националности
настрадао током вишегодишњег протеривања (посебно израженог
након НАТО бомбардовања). Изузетно су потресна сведочења ожало‐
шћених породица чији су чланови киднаповани, застрашивани или
су преминули насилном смрћу. Чак су и српски гробови често изло‐
жени албанским нападима, након чега остају оскрнављени и урастају
у коров. У појединим селима Срби из безбедносних разлога не могу да
посете гробља, или су путеви који воде ка њима затворени и порушени
(као у случају села Милошево).

Током теренске опсервације прикупљени су вредни подаци који
говоре о различитим тренуцима који означавају време када се живот

---

[185] Мокрањац истиче да све славске песме „иду на једну турлију" (мелодију)
(Мокрањац 1996: 125).

угаси. Моменат у коме чланови породице констатују да је неко од сродника преминуо оглашава се „кукањем” жена, које изостаје уколико смрт наступи ноћу. У том случају објављује се тек сутрадан, јер прети опасност од „злих душа” које су активне током тмине. Поред тога, ноћ има квалитет „друге реалности” и у опозицији је са дневним временом (Јовановић 1992: 66). На истраженом подручју не постоји адекватан назив за именовање форме којом се оплакује умрла особа, већ се користи глагол „реди”, или „кука”. Оба термина описују и начин исказивања жалости који се одвија кроз плач – „кукање”, са набрајањем различитих епизода повезаних са животом покојника и његовим одласком „са овог света”.

Од тренутка објављивања смрти, оплакивање покојника је саставни део свих кључних фаза обреда: доласка сродника да изјаве саучешће, изношења преминулог из куће, кретања ка гробљу. Према речима Мирољуба Аћанчића из Милошева, „кукање” је најинтензивније пред спуштање ковчега у раку. У том тренутку жене прилазе и клечећи „реде”, што је посебно потресно уколико је преминула млада особа. За младом особом је „велика жалост”, те се дуже плаче него када је у питању неко старији. „Кукање” се практикује и након сахране када се обилази гроб и то најчешће првог јутра, прве суботе, на „четрдесетици” и на годину дана.[186] Са умрлим се на други свет сахрањују и предмети које је волео, тако да се уз онога ко је свирао у сандук ставља и музички инструмент. Мирољуб Аћанчић је такође напоменуо да се покојнику оставља у сандук и новац како би платио „чамџију” који ће га превести на „онај свет” (транскрипт интервјуа са Мирољубом Аћанчићем, 30. 6. 2019. године, Грачаница). Након годину дана од сахране, посете гробу се обављају током задушница, тј. данима који су у оквиру црквеног календара одређени за одлазак на гробове ближњих. Свака посета гробљу подразумева „кукање”, којим се успоставља контакт са душом преминулог. Поред тужења, жалост се демонстрира и различитим невербалним средствима, попут ношења црнине, које најчешће траје годину дана.[187] У оквиру назначеног времена јавног показивања туге мушкарци поштују забрану бријања браде, чиме се такође жали због губитка сродника.

---

[186] Првих четрдесет дана блиски сродници обилазе покојниково пребивалиште сваке суботе и празником (Слава, Божић и Ускрс), а до годишњег помена само празником.

[187] Уколико је у питању даљи рођак црнина се облачи четрдесет дана, док блиски рођаци црнину носе годину дана.

У етнографској грађи која се односи на средишњи део Косова и Метохије у оквиру истраживања Дене Дебељковића (Дебељковић 1907: 239) и Татомира Вукановића (Вукановић 2001: 345–353)[188] не постоје записи текстова тужбалица. Међутим, забележени су описи сахране, као и подаци из којих сазнајемо да су све жене из куће окруживале мртваца и кукале „на сав глас" (Дебељковић 1907: 239). Сличне наводе исказао је и Татомир Вукановић, који је описао радње карактеристичне за тренутак када наступи смрт. Према његовим речима, на подручју Косова Поља укућани су преминулом палили свећу и постављали је поред главе, руке прекрштали на грудима, а очи и уста затварали. У том моменту су жене и девојке окруживале умрлог и објављивале тужну вест „кукајући за њим из свега гласа" (Вукановић 2001: 348). Из овог описа се запажа да је у прошлости више особа могло да оплакује покојника истовремено, али је у оквиру постигнуте звучне „полифоније" сваки појединачни исказ представљао засебан акт исказивања емоција.

Током опсервације терена од 2015. до 2017. године, специфичну и емоцијама надахнуту форму тужења извела је Верица Секулић из села Ливађе оплакујући своју мајку (пример бр. 34). Њено извођење карактерише прозни садржај са стиховима чија дужина варира (од седмерца до деветерца). Поетска хетерометрија је последица осмишљавања текста у тренутку када се „кука", при чему се тренутне емоције претачу у музичко-поетску целину. Текст је испреплетан узвиком *joj*, који у тренутку појаве представља иницијални поетско-музички маркер (пример бр. 34). Процес слободног формирања вербалних исказа заснован је на употреби стабилних семантичких парадигми, као што је „мотив прекоревања" или „потенцирања личне празнине" (Вукичевић-Закић 1995: 156).[189] Такви мотиви су изражени речима: „… А како ме мајко ти остави? / А ја више мајку немам… / Како ће ћерка и без тебе?" Током извођења ожалошћена жена обраћа се мајци користећи пригодне речи: „Мајко

---

[188] Татомир Вукановић је описао погреб и посмртне обичаје на читавом простору Косова и Метохије, са посебним освртом на специфичности које су карактеристичне у појединим пределима (Вукановић 2001: 345–353).

[189] Издвајање мотива је начињено на основу рада Мирјане Закић, која је потцртавањем поетских мотива указала на семантичке парадигме у оплакивању мртвих у Заплању (Вукичевић-Закић 1995: 156). Поред тога, коришћена су сазнања из области народне књижевности, која се односе на расветљавање композиционих карактеристика тужбалица и епитафа (Чоловић 1984: 17–139).

моја, име моје, милос’ моја”. Репетитивност речи „мајко” успоставља особен ритам текста и наглашава сугестивност при апострофирању покојника, а у исто време додатно потенцира једносмерност комуникационог тока.

Мелодика забележеног примера (бр. 34) реализује се у оквиру велике сексте са интонативно лабилним хиперфиналисом (пример бр. 34). Мелодијска линија у оквиру континуирано извођених стихова обележена је силазним током са поступно сведенијим мелодијским покретом при крају мелопоетске целине. Слободан начин организације певаних стихова сагледив је како на формалном тако и на метроритмичком и мелодијском плану, прожетом импровизационим елементима.

Назив „кукање” распрострањен је не само на централној територији Косова и Метохије већ и на ширем српском етничком простору, о чему говоре истраживања у различитим областима Србије спроведена током 20. века. Народна терминологија упућује на читав корпус синонима као што су: „запевање”, „тужење”, „кукање”, „нарицање” (Големовић 1999: 45) и „завијање” (Вукичевић-Закић 1995: 171–183).[190] У оквиру етских тумачења општеприхваћен је појам „тужбалица”, којим се најчешће именује музичко-поетска форма (Латковић 1975: 166–171). Без обзира на локалне називе, тужбалице се тумаче као специфични видови „комуникације” са оностраним (Јовановић 1992: 65) и означитељи другачије просторно-временске димензије повлачењем границе између уобичајеног света и хтонског (Исто: 66–67).

На основу досадашњих сазнања о карактеристикама тужбалица у другим крајевима Србије, највећи степен сличности „кукања” из Ливађа може се успоставити са примерима овог жанра из југоисточне Србије (Големовић 1999: 48). Заједничка компонента односи се на метричку неуједначеност текста (Големовић 1999: 48), као и на мотиве који се издвајају у оквиру садржаја (Вукичевић-Закић 1995: 156). Појава општих места и узвици бола током излагања поетске равни карактеришу плакање за покојником и у другим деловима Србије, посебно у западним областима (Девић 1986: 219–220). На поетском плану, тужбалица из Ливађа поседује карактеристике које Видо Латковић

---

[190] Текстове оплакивања први је записао Вук Караџић у првој половини 19. века, уз коментар да се у свим српским крајевима „нариче или тужи за мртвима” (Караџић 1841: 122).

препознаје код словенских народа који су некада чинили Југославију, исказане у узвишеном тону казивања препуном „дирљивих прекора умрломе зашто напушта своје" (Латковић 1975: 171). Иако је текст тужбалице импровизован, начин приповедања и коришћење разнородних стабилних елемената усмене традиције упућују на постојање „технике усменог стварања" (Самарџија 2012: 54). С тим у вези, релација „стабилног и нестабилног елемента, односно семантичког и синтаксичког плана у поетском изразу" еквивалентна је односу „постојаног и непостојаног у музичком језику" (Вукичевић-Закић 1995: 162).

Бавећи се формалним и семантичким питањима везаним за тужење у Србији, Димитрије Големовић је као најзначајније музичке одлике констатовао „падајућу мелодијску линију" и нестабилну интонацију (Големовић 1999: 45), што је установљено и у примеру кукања из централног дела Косова и Метохије (пример бр. 34). При анализи различитих вокалних и поетских облика у српском певању, Сања Радиновић је формалне карактеристике тужбалица означила као „литанијски макроформални тип", што подразумева примере који садрже „снажан печат индивидуалног стила и импровизације" (Радиновић 2011: 271, 359). Слободно креирање музичке мисли у оплакивању из Лепине одговара „прокомпонованом облику" ове форме који је констатован у примерима из југоисточне Србије (Големовић 1999: 48). Речитативност вокалног исказа такође кореспондира са одликама тужбалица које се у српској етномузиколошкој литератури често квалификују као жанр у коме доминира „речитативно набрајање" (Петровић 1989: 58) и „испољава се речитативно сензибилна интонација и интерпретација" (Девић 1986: 44).

На основу компарације „кукања" из Лепине код Приштине са примерима из других области запажа се висок степен сличности, што указује на низ заједничких особености. Карактеристике поетског и музичког текста проистичу из функције „кукања", као и чињенице да је реч о „монолошком општењу" чији је садржај у комуникацијском систему једносмеран (Вукичевић-Закић 1995: 158). Непостојаност поетске и музичке равни чини тужбалицу „јединственим усменим остварењем" у оквиру обредног система (Исто: 157), што потврђује и пример „кукања" из централног дела Косова и Метохије.

4.8 ЉУБАВНЕ ПЕСМЕ

Неупоредиво највећи број забележених вокалних облика у централном делу Косова и Метохије припада категорији љубавних песама. Заступљеност и разноврсност ових усмених творевина на широј територији Србије резултирала је одређењем љубавне лирике као „једне од најбогатијих" врста у народној лирској поезији, која лако стиче популарност, брзо се преноси и подложна је променама у временским и просторним оквирима (Пешић и Милошевић-Ђорђевић 1997: 141).

Љубавне песме на испитиваном подручју нису родно детерминисане: изводе их и жене и мушкарци, што је, по речима мештана, пракса „од давнина". Њихово солистичко или групно једногласно певање од стране доминантно истог пола (ређе различитог, и то у случајевима заједничког вокалног интерпретирања брачних партнера) извођено је све до 70-их година прошлог века углавном без инструменталне пратње. Сходно народним казивањима, љубавне песме биле су саставни део породичних – свадбених и славских – празновања, као и зимских окупљања девојака на „седењкама" („седницама"[191]). На шири конситуациони оквир њиховог извођења упућују речи Милунке Костић из Грачанице: „Кад сам била млада, ако жњем, ако копам, ја певам, без умора (...) А певала сам и кроз авлију (...), до потока се чула песма." Иста казивачица посебно истиче своје учешће на јавним сценама, на приредбама које су одржаване испред манастира током обележавања најзначајнијих српских празника (превасходно Видовдана), чији значај пропраћа исказом да су такве организоване прилике „помогле очувању појединих песама". У исто време, ова јавна представљања и вокални квалитети Милунке Костић обезбедили су јој потоња гостовања у Радио Приштини, сарадњу са проф. Драгославом Девићем и учешће на БЕМУС-у.

Наступи солиста уз оркестре који су деловали при културно-уметничким друштвима, или уз друге инструменталне ансамбле у склопу разних манифестација, прати се од 70-их година двадесетог века. Највећу популарност стекли су фестивали такмичарског карактера, нарочито фестивал „Акорди Косова", који је дуги низ година одржаван у Приштини, и „Фестивал старосрпске песме Косова и Метохије", покренут 1997. године на иницијативу Ратка Поповића, секретара Културно-просветне заједнице Косова и Метохије. Програмски концепт прво-

---

[191] Овај назив забележен је једино у насељу Скуланево.

поменутог фестивала налагао је извођење забавних и мелодија у народном духу чији аутори су били композитори југословенског реномеа, што је одговарало генералној социјалистичко-идеолошкој концепцији музичких манифестација на територији тадашње СФРЈ (попут фестивала у Опатији, Загребу, Split, „Београдског пролећа"...). Према речима једног од учесника овог фестивала – Момчила Трајковића из Чаглавице – аранжмани народног оркестра Радио Приштине, под вођством Исака Мућолија (Isak Muçolli), базирали су се превасходно на „косовско-албанском мелосу". Интерпретатори компонованих песама већим делом су били припадници албанске, а у мањој мери – српске националности.[192] Значајну прекретницу у таквом процесу „асимилације Срба и путем музике" представљало је, сходно Трајковићевом исказу, оснивање српског народног оркестра Радио Приштине, 1986. године.[193] Под руководством Славка Стефановића, овај оркестар је био активан све до 1999. године, а тај период Трајковић карактерише као време „повратка српске песме и српских аранжмана у Радио Приштину".

Друга значајна манифестација, „Фестивал старосрпске песме Косова и Метохије", одржава се спорадично од 1997. године, најпре у Приштини, потом у Зубином Потоку и Грачаници. Захваљујући аудицијама за певаче у разним косовскометохијским срединама, као и у Радио Приштини, чији су селектори (били) Ратко Поповић, Мајда Поповић и Благоје Кошанин, квалитетни наступи извођача подразумевали су и репертоар усаглашен са иницијалном идејом покретања Фестивала, која је, према речима Ратка Поповића, била „очување традиције и изворне народне песме која се све више предавала забораву", што због „наглог исељавања становништва са Косова и Метохије", тако и због „шунда и кича у народној музици, који је такорећи плавио читав овај простор".[194]

---

[192] Поред Момчила Трајковића, међу српским певачима из централног дела Косова и Метохије који су наступали на овом фестивалу запажене резултате је остварила и Милица Милисављевић из Косовске Митровице, у периоду од 1977. до 1989. године. https://sr.wikipedia.org/sr/Милица_Милисављевић_Дугалић Датум последњег приступа: 3.7.2018.

[193] Оркестар је формиран на иницијативу Момчила Трајковића, који је у функцији секретара Градског комитета СК Приштине имао значајан уплив на креирање културне политике централног дела Косова и Метохије.

[194] Сходно Поповићевој изјави, на овим фестивалима посебно су се истакли извођачи из Грачанице – Жика Арсић, Миодраг Симић, Милева Ђекић и Милан Андрејевић, као и Драган Филић из села Бостане (Ново Брдо).

Ефекти овог фестивала, већ од његове почетне реализације, били су вишеструки. Најпре, многе „од песама након фестивала брзо су се нашле на репертоарима многих естрадних уметника широм Србије" (Поповић 2018: 7). Захваљујући таквој масмедијској презентацији, изразитој мелодичности ових вокалних форми и тематици коју опевају, али и актуелним политичким дешавањима која су освестила потребу за јачањем српског националног идентитета, значајан број ових песама постаје и део репертоара припадника млађих нараштаја, у њиховим солистичким или популарним ансамбалским формацијама. У исто време, јасна метроритмичка пулсација иманентна многим љубавним песмама утицала је на то да поједине од њих буду укључене у кореографије које на овој територији изводи национални ансамбл Косова и Метохије – „Венац", са седиштем у Грачаници.[195] Вокална солисткиња овог Ансамбла – Сташа Копривица из Лапљег Села – наводи да је највећи број тих песама учила уз оркестар „Венца" и са постављених снимака на Јутјубу. Иако слуша различите музичке жанрове, посебну емоцију јој побуђују „косовске песме" у којима провејава „бол, јецај и туга у гласу". Дугогодишњи члан оркестра у „Венцу" – Зоран Спасић из Ајвалије (који је свирао дарабуку и гоч све до свог упокојења, 2016. године) – изјавио је да су „мелодије косовскометохијских песама у прошлости биле једноставније (...) и развученије, и да је неке од њих уредио хармоникаш 'Венца' Ивица Стевић и тиме их учинио пријатнијим за уши".

Селектовани музички материјал овог жанра (укупно 47 примера, бр. 35–81) представља већи и репрезентативни део љубавних лирских

---

[195] За српско становништво Косова и Метохије ансамбл „Венац" је „темељ неговања традиције" са ових простора. О томе сведоче и следеће изјаве мештана: „Када такав ансамбл не би постојао грађани би били учаурени и не би видели шта је лепота и красота једног ансамбла" (транскрипт интервјуа са Љубомиром Максимовићем, 5. 9. 2015, Грачаница); „Мислим да кроз песме и игре овом народу овде даје допринос што се тиче баш очувања српске баштине. Помаже им да схвате колика је тежина тог српског бола и јецаја и патње, барем што се тиче овде на простору Косова и Метохије, а такође и да ето (...) одржи свест о свему томе" (транскрипт интервјуа са Сташом Копривицом из Лапљег Села, 7. 9. 2015, Грачаница); „Та њихова ношња и игра је изнад свега (...), то је толико лепо (...), ја заборавим све кад њих гледам (...). То је нешто што подсећа да смо уопште постојали на Косову и Метохији" (транскрипт интервјуа са Миодрагом Симићем, 6. 9. 2015, Сушица); „Сваки пут сам рекла: век су ми продужили (...), живот су ми продужили (...), све очи ми сузе (...), много нам значе" (транскрипт интервјуа са Снежаном Симић, 6. 9. 2015, Сушица).

вокалних облика регистрованих на истраживаном подручју. Поредак песама извршен је према њиховој некадашњој функционалној одређености (од свадбених, ђурђевданских, велигданских, жетварских, до песама које нису обредно-обичајно спецификоване), затим према доминантној функцији коју ове песме имају у актуелној народној пракси, а делимично и сходно увидима у њихову територијалну заступљеност: од примера који су типични(ји) за централни део Косова и Метохије, преко оних који су бележени и у суседним местима (околини Косовске Каменице и Гњилана, Великој Хочи, Ораховцу, Призрену, Сувој Реци, Јањеву, Штрпцу, Средској, Пећи...), до примера који су део вокалног наслеђа и у областима изван територије Косова и Метохије (Врању, Крајишту, Охриду, Лазарoпољу, Скопљу, Тетову...). „Условност” ових критеријума у вези је са чињеницом да су, у првом случају, поједине песме „надживеле” своју првобитну намену и опстале као љубавне и тако су извођене током разноврсних окупљања, а да су, у другом случају, премашиле „изворне” обласне границе музичким миграцијама на релацији суседних простора.

Методолошки приступ анализи лирских љубавних песама обухвата компаративно разматрање на више нивоа:

– На синхронијском плану, упоредно сагледавање истих песама од стране различитих извођача омогућава бољи увид у идиолекатска обележја интерпретатора;
– У дијахронијској равни, компарација истих примера на истраживаном простору, као и на широј територији Косова и Метохије, доприноси спознавању степена стабилности или промена поетских и музичких карактеристика ових вокалних форми у интервалу дужем од једног века, као и музичко-дијалекатских специфичности централног дела Косова и Метохије у односу на околне области;
– Поређење начина извођења песама бележених на терену са популарним вокалним/вокално-инструменталним интерпретацијама радијских музичара, неотрадиционалних или поп група широм Србије, реферише на видљивост ових новијих музичких пракси путем масмедијског приказивања и на степен њиховог утицаја на историјско презентнији (традиционалнији) музички израз области Косова и Метохије.

Подела песама у публикованим музичким грађама са територије Косова и Метохије, које су бележене од краја 19. до средине 20. века, вршена је од стране приређивача тих збирки (Драгослава Девића, у: Мокрањац 1996; Милојевић 2004), или самих записивача (Милојевић 1928; Васиљевић 1950: 8, који јасно назначава да се при класификацији љубавних песама руководио текстуалним мотивима, а при подели обредних – њиховом наменом).[196] У поређењу са Васиљевићевим потпуни(ји)м подацима о функцији песама, коментари у теренским бележницама претходних сакупљача, са иначе веома драгоценим запажањима и промишљањима о мелодијама, само спорадично садрже информацију о намени песама које су регистроване и приликом испитивања централног подручја Косова и Метохије, 2015–2017. Прецизнији и контекстуално разрађенији подаци о функцији ових музичких облика у народној пракси прве и друге деценије 21. века налазе се у (не)публикованим етномузиколошким чланцима и студијама, посвећеним вокалном наслеђу појединих области: призренско-подримском крају (Стоиљковић 2016), околини Гњилана (Трифуновић 2016), средишњем простору Косова и Метохије (Бараћ 2014; Закић и Ранковић 2016).

У односу на лирске љубавне песме у прилогу овог рада, истоимене мелодије у расположивим писаним изворима са територије Косова и Метохије упућују на опстанак бројних примера ових вокалних творевина у дужем историјском периоду, као и на њихову заступљеност у ширим просторним оквирима. Од посебног значаја је и дијахронијско сагледавање функционалне димензије песама, која је због прецизније информативне вредности ишчитавана искључиво из коментара теренских записивача.

Поједини од ових вокалних облика у музичким изворима назначени су као „свадбене песме“ или „свадбене игре с певањем“:

- „Ч'гловчанке, све девојке“, пример бр. 35 (Васиљевић 1950: 181, 318, пример бр. 358, Приштина, 1947, „свадбена игра с певањем“);
- „'Ајде, Стамена, бела, румена“, пример бр. 39 (Васиљевић 1950: 133, 285, пример бр. 256, Призрен, 1946, „свадбена шаљива песма“ коју „певају Горани на састанцима у дому испрошене девојке или вереног момка“);

---

[196] О често недоследној класификацији ових као и других песама од стране приређивача или аутора збирки у назначеном периоду, видети: Думнић 2013: 83–99.

– „Густа ми магла паднала", пример бр. 47 (Васиљевић 1950: 137, 288, пример бр. 268, Штрпце, 1947, пева се „приликом облачења невесте");
– „Ангелин девојче, што си наљућено?", примери бр. 48 и 49 (Васиљевић 1950: 157, 304, пример бр. 311; Угљаре, 1947, „свадбена песма"; Трифуновић 2016: 82, 105, примери бр. 19 и 41, Белица, Беривојце, „свадбена песма").

Некима од записаних песама придодата су различита функцио- нална својства:

– „Што гу нема Цвета кроз обор да шета?" пример бр. 37 („Цвето, мори, Цвето, Цвето, калушо" – Мокрањац 1996: 142, пример бр. 123, (Приштина?), 1896 , „градска, коло"; Милојевић 2004: 123, 124, примери бр. 46а и 46б, Приштина, Урошевац, 1930, „песма уз игру"; Васиљевић 1950: 132, 284, 285, пример бр. 254, „свадбена песма", Гњилане, 1946, са основним стихом „Што гу нема Цвета по двор да се шета"; Јанковић и Јанковић 1951: 57, 181, пример бр. 24, Гњи- лане, „свадбена игра"; Бараћ 2014: пример бр. 7, Сушице, „љубавног карактера");
– „Булбул ми пева, ружа ми цвета, мој ми га драги још нема", пример бр. 40 (Јанковић и Јанковић 1937: 36, 144, пример бр. 13, Косовска Митровица, „игра која није везана за нарочите дане"; Васиљевић 1950: 166, 308, пример бр. 324, Призрен, 1946, „свадбена игра с пе- вањем"; Стоиљковић 2016: пример бр. 37, Велика Хоча, „свадбена песма"; Трифуновић 2016: 84, пример бр. 21, Белица,[197] извођена у разним приликама);
– „Билбил пиле, не пој рано", примери бр. 41, 42 (Васиљевић 1950: 166, 167, 308, пример бр. 325, „свадбена игра с певањем"; Призрен, 1946; Стоиљковић 2016: пример бр. 36, Велика Хоча, „свадбена песма"; Бараћ 2014: пример бр. 4, Скуланево, „љубавног карактера");
– „У село кавга голема", пример бр. 45 (Јанковић и Јанковић 1951: 207, пример бр. 71, Клокот – Грљане, уз игру; Васиљевић 1950: 164, 307, пример бр. 320; Гњилане, 1947, „свадбена игра с певањем";

---

[197] У оквиру својих теренских истраживања, Сања Трифуновић је интервјуи- сала и жене које су се 90-их година прошлог века доселиле у област Белице (чији је административни центар град Јагодина) из околине Гњилана и Новог Брда (Три- фуновић 2016: 7, 8).

Трифуновић 2016: 88, пример бр. 25, Беривојце, извођена у разним приликама);

- „Тамна ноћи, тамна ли си?" – примери бр. 43, 44 (Васиљевић 1950: 71, 72, 237, пример бр. 124, Призрен, „љубавна/печалбарска"; Исто: 163, 164, 306, пример бр. 319, Липљан, „свадбена пошалица");
- „Ој, јабуко, зеленико" – пример бр. 51 (Васиљевић 1950: 19, 20, 201, 202, примери бр. 9а, 9б, 9в, 9г, Велика Хоча, Сува Река, Јањево, Призрен – „љубавна/печалбарска"; Трифуновић 2016: 79, пример бр. 15, 16, Коретиште, Белица, „свадбена");
- „Жалос' моја саг, да сам девојка" – пример бр. 57 (Нушић 1986 [1902]: 130, Косово Поље, текст свадбене песме која се изводи приликом облачења невесте; Милојевић 2004: 74, пример бр. 10, Вучитрн, 1930, свадбена песма коју изводе младине другарице, приликом изласка младе из дома, текстуална варијанта на стр. 99, пример бр. 31; Јанковић и Јанковић 1937: 162, пример бр. 50, Призрен, игра; Васиљевић 1950: 61, 77, 231, 242, примери бр. 103, 138, Приштина, Угљаре, 1947, „љубавна/печалбарска"; Трифуновић 2016: 68, пример бр. 5, Белица, извођена у разним приликама);
- „Што ти косе замршене?" – пример бр. 53 (Милојевић 2004: 69, пример бр. 5, Липљан, 1930, „ђурђевска, великденска"; Васиљевић 1950: 116, 274, примери бр. 224а, 224б, Угљаре, Приштина, 1947, „љубавна/стара родољубива"; Трифуновић 2016: 67, пример бр. 4, Коретиште, „свадбена");
- „Стојна мома бразду копа", примери бр. 59, 60 (Милојевић 2004: 129, пример бр. 50, Урошевац, 1930, песма уз игру; Васиљевић 1950: 132, 285, пример бр. 255, Угљаре, 1946, „пева се на копању испроше-ној девојци"; Исто: 184, 321, пример бр. 365, Косовска Митровица, 1940, „пева се као посленичка и као љубавна");
- „Јечам жњела Косовка девојка", пример бр. 62 (Васиљевић 1950: 185, 186, 322, 323, пример бр. 372, Угљаре, 1947, „жетварска са љубавним мотивом"; Трифуновић 2016: 101, пример бр. 37, Беривојце, забавна).

У односу на примере у прилогу овог рада, мањи број је оних који су у постојећем записаном музичком материјалу са разних подручја Косова и Метохије недвосмислено сврстани у категорију љубавних песама, извођених у разним приликама. Реч је о следећим вокалним творевинама:

- „Синоћ коњи не дођоше", примери бр. 54–56а (Трифуновић 2016: 100, пример бр. 36, Беривојце);
- „Лешо пиле, Лешо, мамина калешо", пример бр. 65 (Васиљевић 1950: 75, 241, пример бр. 133, Гњилане, 1947);
- „Пошла ми Сутка на воду", пример бр. 68 (Васиљевић 1950: 34, 210, пример бр. 42, Пећ, 1946);
- „Болна љуба, болна лежи", пример бр. 69 (Васиљевић 1950: 39, 214, пример бр. 54, Гњилане, 1947);
- „Изгрејала сјајна месечина", пример бр. 71 (Трифуновић 2016: 92, пример бр. 29, Беривојце);
- „Ранио сам јутрос рано, рано пред зоре", пример бр. 73 (Милојевић 2004: 228, 264, 265, примери бр. 123, 151а, 151б, Липљан, Призрен, Вучитрн, 1930 – „стара косовска у свакој прилици"; Васиљевић 1950: 95, 96, 256, примери бр. 179а, 179б, 179в, Гњилане, Призрен, Пећ – „љубавна/ печалбарска");
- „Мори, Недо, бела Недо", пример бр. 74 (Васиљевић 1950: 114, 273, пример. бр. 218, Косовска Митровица, 1940 – „стара родољубива песма").

Из назначене функционалности ових песама јасно је да је већина таквих примера са љубавном тематиком извођена и у ранијем периоду у разноврсним конситуацијама. Најилустративнији су примери са одредницом „свадбене игре с певањем", које су и данас обавезни део свадбеног светковања. Песме које су у коментарима ранијих записивача означаване као „свадбене", попут: „Ангелин, девојче, што си наљућено?", „Ој, јабуко, зеленико", „Жалос' моја, саг да сам девојка", очигледно су у периоду последњих деценија опстале као део репертоара извођен у разним приликама, те их саговорници на недавно спроведеним теренским истраживањима третирају као љубавне песме.

Повезаност љубавних вокалних форми са обредним – календарским („везаним за древну земљорадничку годину", које „најчешће припадају широком репертоару љубавне лирике, с елементима хумора, прилагодљиве безмало свакој прилици"; Krnjević 1986: 300, 304) и породично--обредним[198] (свадбеним) – често је истицана у радовима етномузиколога, теоретичара и историчара народне књижевности (Васиљевић

---

[198] О подели обредних песама на календарске и породично-обредне, сходно „начелу времена и приликама у којима су се изводиле", видети: Krnjević 1986: 300.

1960: 137; Golemović 2005: 23–55; Недић 1976: 48; Krnjević 1986: 298–304). Као што је већ поменуто, најчвршћу везу свадбених са љубавним песмама могуће је тумачити поступним удаљавањем од њихове првобитне обредне функције и прелажењем у жанр чисте лирике са другачијом, општенаменском димензијом. Такав преображајни процес у којем „чиста (права) лирика" дугује свој развитак највише свадбеним песмама (Васиљевић 1960: 137) третира се у научном дискурсу као природан ток „развоја и стварања најљудскијег мита, мита животворне љубави" (Krnjević 1986: 304). Према етномузиколошким увидима, еволутивни процес од обредне до љубавне лирике подразумева два вида појавности: „транспозицију" (са минималним музичко-поетским изменама) и „прави развој" (са већим променама на музичко-формалном и текстуалном плану) (Golemović 2005: 30–31). Имајући у виду некадашњу функционалну одређеност наведених косовских песама у свадбеном обреду, могуће је претпоставити њихов даљи временски преображај у жанр необредних љубавних песама.

У тематском смислу, записане песме обухватају шири спектар мотива изразите личне, унутрашње емоционалне обојености: од непосредног исказивања девојачких вредности и лепоте младих (примери бр. 35, 36, 38, 59, 60, 61), преко љубавне чежње (примери бр. 40, 41, 42, 46, 51, 54, 55, 56, 56а, 58, 62, 64, 66, 68, 69, 70, 72, 75, 81), припреме невесте за свадбени чин (примери бр. 37, 47), до недостижне љубави (примери бр. 71, 73, 78, 80), трагичне (пример бр. 79 баладног карактера), или несрећне, услед неиспуњеног очекивања везаног за избор брачног партнера (примери 39, 43, 44, 45, 53, 57, 63, 65), као могуће последице наметнутих патријархалних породичних и друштвених норми (примери бр. 48, 49, 50, 52, 67).[199] Поједине од ових песама прожете су и родољубивим осећањем, које је посебно изражено у текстовима који опевају догађаје из српско-турских ратова (примери бр. 74 /„комитска"/, 76, 77).

Ток лирског збивања испољава се на дијалошком или монолошком плану, као и комбинацијом ових поетско-композиционих поступака у конституисању текстуалних целина.

---

[199] Наведени мотиви су карактеристични за разне типове лирских љубавних песама на ширем српском простору – „од оних са идиличном атмосфером и уздржаним наговештајима (...), до шаљивих, враголастих (...) и сензуално-чежњивих (...)" (Пешић – Милошевић-Ђорђевић 1997: 141; видети и: Латковић 1975: 196–205; Krnjević 1986: 140–143).

У погледу семантичке и информативне вредности поетског садржаја у дијахронијском току, новији записи углавном су нижег нумеричко-информативног квалитета, односно садрже мањи број стихова у излагању дате поруке. То је посебно изражено у верзијама следећих песама: „Булбул ми пева, ружа ми цвета, мој ми га драги још нема" (пример бр. 40; уп. са: Јанковић и Јанковић 1937: 144, пример бр. 13); „Билбил пиле, не пој рано" (примери бр. 41, 42; уп. са: Васиљевић 1950: 308, пример бр. 325); „У село кавга голема" (пример бр. 45; уп. са: Васиљевић 1950: 307, пример бр. 320); „Тамна ноћи, тамна ли си?" (примери бр. 43, 44; уп. са: Васиљевић 1950: 306, пример бр. 319); „Ој, јабуко, зеленико" (пример бр. 51; уп. са: Васиљевић 1950: 201, 202, примери бр. 9а, 9г); „Жалос' моја, саг да сам девојка" (пример бр. 57; уп. са: Јанковић и Јанковић 1937: 162, пример бр. 50; Васиљевић 1950: 231, пример бр. 103); „Што ти косе замршене?" (пример бр. 53; уп. са: Милојевић 2004: 69, пример бр. 5; Васиљевић 1950: 274, пример бр. 224); „Стојна мома бразду копа" (примери бр. 59, 60; уп. са: Милојевић 2004: 129, пример бр. 50; Васиљевић 1950: 285, 321, примери бр. 255, 365); „Лешо пиле, Лешо, мамина калешо" (пример бр. 65, уп. са: Васиљевић 1950: 241, пример бр. 133); „Мори, Недо, бела Недо" (пример бр. 74, уп. са: Милојевић 2004: 168, пример бр. 76). Појаву редукције стихова могуће је посматрати кроз призму дисконтинуитета личне праксе певача, а с тим у вези и заборава извођача, нарочито оних старије доби (на шта су нам они сами указивали приликом вођених интервјуа).

Конструкција највећег броја текстова базирана је на комбинацији основних стихова и рефрена. Најзаступљенију силабичку версификациону основу главних стихова чини симетрични осмерац (примери бр. 35, 41, 42, 43, 44, 51, 53, 54, 55, 56, 56а, 59, 60, 61, 64, 69, 72, 74, 76), потом асиметрични десетерац (примери бр. 52, 57, 58, 62, 67, 70, 71, 77, 79). Готово у свим наведеним стиховима присутан је изосилабичан поступак (низање стихова једнаке дужине) са изометричном унутрашњом шемом (која подразумева исти број и распоред цезура).[200] Мањи број основних стихова базиран је на несиметричном осмерцу (примери бр. 36, 45, 47, 63, 68, 80), и на симетричном десетерцу (примери бр. 38, 39, 46, 66). Могуће одступање од ове базичне метрике, односно успостављање хетеросилабичних и хетерометричних односа, узроковано

---

[200] О српској народној версификацији, видети шире: Радиновић 2017: 13–71,

је продужењем осмерца за један слог (у примерима бр. 36, 47, 63, 80), или скраћењем десетерца за један слог (у примеру бр. 39).[201]

Сложенију, и свакако ређу, метричку подлогу представља симетрични дванаестерац (примери бр. 37, 48, 49, 50, 65, 78; са скраћењем за један слог у примеру бр. 65), као и асиметрични тринаестерац (са повременим четрнаестерцем у примеру бр. 75, или са изостављених пет слогова у трећој строфи у примеру бр. 73).

Очигледно је, дакле, да се наведено одступање од акаталектичних стихова (метричког стожера) манифестује већим делом кроз њихову измењену хиперкаталектичну форму (продужену за један слог), и мањим – кроз каталектичну (скраћену за један слог).[202] Хетеросилабичан и, последично, хетерометричан поступак може се сматрати последицом случајних омашки и/или меморијских потешкоћа (нарочито код старијих певача) у излагању музичко-поетске целине. С друге стране, сагласно констатацији Сање Радиновић, хетерометрични стихови су знатно заступљенији у поетским текстовима са Косова и Метохије, као „и из других јужних и источних делова Србије, (...) него у осталим регионима наше земље", што је најчешће скопчано са присуством асиметричне (хемиолне) музичке метрике, која поступком „уситњавања и укрупњавања метроритмичких трајања у музичком ткиву песме" дозвољава уклапање стихова различите дужине (Радиновић 2017: 73). Поводом изразитије примене мешовитих и метрички сложенијих стихова – базираних на комбинацији осамнаестерца 5, 5, 5, 3, петнаестерца 5, 4, 6 и деветнаестерца 5, 5, 6, 3 (пример бр. 40), или шеснаестерца 4, 4, 3, 2, 3 и тринаестерца 4, 4, 5 (пример бр. 81) – могуће је претпоставити утицај из македонске праксе, коју, за разлику од српског фолклора,

---

[201] Овде треба скренути пажњу на појаву синицезе, тј. повезивања два вокала у један слог како у једној речи тако и на граници речи, при чему се „не увећава број слогова у стиху (...), већ се вокали који је граде стапају у својеврсни дифтонг, композитни вокал сачињен од два вокала" (Радиновић 2017: 85, 86). Синицеза је присутна у следећим стиховима: „Два детета: Гига_и Гаја" (други стих у симетрично осмерачком примеру бр. 61); „Она мени одговара тужно_и жалосно: / „Мани ме се, лудо_и младо, ја сам жалосна" (четврти и пети стих у тринаестерачком примеру бр. 73); „Направил сам кулу_од девет спрата" (трећи стих у асиметрично десетерачком примеру бр. 77); „Шеснаеста пуна, седамна_еста ступа" (први стих у симетрично дванаестерачком примеру бр. 78).

[202] О поменутим измењеним формама стихова основне метрике, видети: Радиновић 2017: 72, 73.

одликује постојање разноликих врста стиховне метрике (Радиновић 2017: 51).

У погледу формације поетских текстова, забележене примере највећим делом карактерише астрофично (стихично) уређење, са подразумевајућим низањем стихова обично „у континуитету, без обједињавања у строфе", које представља и доминантну структуралну одлику српских песама (Радиновић 2017: 29, 101). Другачија – строфична формација, са „фрагментацијом континуираног стиховног низа на мање и затворене формалне целине" (Исто: 101), јавља се у следећим видовима: дистисима (пример бр. 66, 67, 76), катренима (пример бр. 40, 69, 79), или као варијабилна строфа (пример бр. 65, 72). Поједини од ових примера (бр. 66 и 69) поседују карактеристике хомологне строфе, базиране на варираном понављању иницијалне строфе у обликовању поетског текста, која је генерално заступљенија у вокалној традицији јужних области Србије (Радиновић 2017: 120–132; Лаловић 2008, 11). Поред ретке појаве недоследног ланчаног надовезивања стихова (у примеру бр. 36), пажњу завређују и следеће фонетске фигуре: киклос (Радиновић 2017: 89, 90), такође изузетна појава окружујућих стихова у симетричном осмерцу (пример бр. 35), и анадиплоза (Исто: 88), која се јавља у узастопном облику понављања другог полустиха на почетку следећег стиха у симетричном осмерцу (пример бр. 60), или у повременом виду такве репетиције у симетричном десетерцу (пример бр. 39), у симетричном дванаестерцу (примери бр. 48, 49, 50) и у симетричном осмерцу (пример бр. 59).

У односу на конструктивну улогу у образовању мелострофе, рефрени у забележеним љубавним песмама припадају категорији несамосталних и самосталних рефрена.[203] Најзаступљенији тип несамосталног рефрена јавља се у следећим видовима:

– припевне једносложне ексакламације (и – пример бр. 57);
– припевне лексеме (Радо – пример бр. 78);
– упевних постојаних (поновљивих) лексема/синтагми (мори – примери бр. 45, 63, 69; море – пример бр. 47; аман, аман – примери бр. 43, 44; џанум – примери бр. 48, 49, 50; дадо – примери бр. 59, 60, 61;

---

[203] О подели рефрена на несамосталне и самосталне, као и о њиховом месту и функцији у народном певању, видети: Големовић 2000.

мајчице – пример бр. 62; <u>Станојле</u> – пример бр. 56; <u>шалај</u> – пример бр. 81; <u>Дино моме</u> – пример бр. 53), или променљивих лексема/ синтагми (<u>џанум</u> и <u>нане</u> – пример бр. 49; <u>дадо</u> и <u>мори</u> – пример бр. 51; <u>јагодо</u> и <u>драга душо</u> – пример бр. 52; <u>Станојле</u> и <u>девојче</u> – примери бр. 54, 55, 56а; <u>душо, Нешо, мајке</u> и <u>лудо</u> – пример бр. 65; <u>Недо, аго</u> и <u>Туре</u> – пример бр. 74);

- комбинацији претпевног и (не)постојаног упева (<u>море</u> и <u>нане</u> и <u>мила нане</u> – пример бр. 71; <u>еј</u> и <u>мори</u> – пример бр. 80);
- припевних мањих синтагматских целина (<u>јадна ја, јадна ја</u> – пример бр. 35), или упевних (<u>ај</u> и <u>мори, Ђурђо</u> – пример бр. 77)
- „припевним рефреном са улогом упевног"[204] (<u>мори, Божано</u> – пример бр. 46; <u>('ајде) симбиле мој</u> – пример бр. 68);
- комбинацији претпевних, упевних и припевних мањих синтагматских целина (<u>ој</u> и <u>брацо мој</u> и <u>мили мој</u> и <u>јоф, јоф, јоф</u> – пример бр. 70);
- комбинацији краћих и дужих упевних синтаксичких јединица (<u>јагње моје</u> и <u>оф, аман, аман, калушице млада</u> – пример бр. 41, са додатим варијантним обликом – <u>оф, аман, аман, девојчице млада</u> – пример бр. 42);
- каденцијалног поновљеног певаног стиха (<u>Да идам, мила нано, да видам, / да идам, мила нано, да видам</u> – пример бр. 38).

Наведени рефрени углавном су део истоимених мелопоетских целина бележених и у ранијем периоду у насељима средишњег дела Косова и Метохије. Изузеци су, на пример, упеви: <u>јагње моје</u> (Васиљевић 1950: 163, 164, пример бр. 319), уместо <u>аман, аман</u> у песми „Тамна ноћи, тамна ли си?" (примери бр. 43, 44); <u>душо</u> (Васиљевић 1950: 157, пример бр. 311), <u>мори</u> (Милојевић 2004: 165, пример бр. 74б, 1930), уместо <u>џанум</u> у песми „Ангелин, девојче, што си наљућено?" (примери бр. 48, 49); <u>аман, аман</u> (Васиљевић 1950: 20, пример бр. 9в), уместо <u>дадо</u> и <u>мори</u> у песми „Ој, јабуко, зеленико" (пример бр. 51).

Знатно ређи, самостални тип рефрена поседује својство завршног мелострофичног маркера, у виду (поновљеног) стиха/стихова („<u>Ој, Цвето,</u>

---

[204] Овакво именовање, предложено од Димитрија Големовића, односи се на појаву истог рефрена на крајевима сваког (обично два) мелостиха, те, сходно својим позицијама у мелострофи, имају функцију и упевног и припевног рефрена (Големовић 2000: 61).

Цвето, Цвето калушо, срце и душо” – пример бр. 37; „Ej, Марушо, моја душо, / еј, Марушо, моје кротко јагње” – пример бр. 66; „Сама легни, сама дигни, а ја, јадна, сама не могу, леле, / сама легни, сама дигни, а ја, јадна, сама не могу”, у комбинацији са упевом сеј о мила – пример бр. 39). Самостални рефрени, иако у метричком смислу различити од осталих поетских стихова, јесу семантички повезани са поруком главног поетског садржаја.

Једностиховна основа поетског текста чини доминантну мелострофичну конструкцију забележених песама (примери бр. 35, 37, 38, 40, 41, 42, 44, 45, 46, 47, 48, 49, 50, 51, 52, 53, 54, 55, 56, 56а, 57, 59, 60, 61, 64, 66, 70, 71, 72, 73, 75, 76, 77, 78). Ређи су примери са другачијом основом: двостиховном (примери бр. 36, 43, 62, 67, 68, 69, 74, 79), или варијабилном – са: једним и два стиха (пример бр. 58); два и три стиха (пример бр. 81); два и четири стиха (пример бр. 39); три и четири стиха (пример бр. 63); четири и пет стихова (пример бр. 65); пет, шест и седам стихова (пример бр. 80). Продужење главног поетског текста узроковано је видовима понављања делова стиха: првог полустиха (пример бр. 69; 51 у другој мелострофи); другог полустиха (примери бр. 54, 55, 56, 56а; 58 изузев у четвртој мелострофи), или оба полустиха (примери бр. 41, 42, 57, 70, 71, 73). Образовању сложеније макроформалне конструкције певаног текста доприносе честа понављања комплетног стиха или стихова (примери бр. 38, 40, 44, 45, 46, 47, 48, 49, 50, 51, 53, 59, 60, 61, 62, 65, 66, 67, 68, 75, 76, 78, 79; 63 у првој мелострофи; 39 у првој и другој мелострофи), понекад комбинована са поновним излагањем једног полустиха (првог – у примерима бр. 52, 69, 77; другог – у примерима бр. 37, 72), а нарочито припевни (самостални) рефренски стихови или строфе (примери бр. 37, 38, 39, 66).

Однос поетског и музичког израза на микро/макро нивоу у највећем броју примера је кореспондентан. Изузеци су дужи или краћи застанци, односно паузе које се јављају у току певаног стиха, на местима након: четвртог слога у поновљеном стиху (пример бр. 50 у симетричном дванаестерцу); другог слога у поновљеном стиху (пример бр. 59 у симетричном осмерцу,[205] као и број 61 у симетричном осмерцу); шестог

---

[205] Еквивалентна позиционираност цезуре налази се у Милојевићевом запису истоимене песме из Урошевца, из 1930. године (Милојевић 2004: 129, пример бр. 50). У оквиру других Милојевићевих примера из централног дела Косова и Мето-

слога у другом стиху (пример бр. 63 у асиметричном осмерцу); десетог слога у првом стиху и након 4. слога у поновљеном стиху (пример бр. 48 у симетричном дванаестерцу); десетог слога у првом стиху и трећег слога у поновљеном стиху (пример бр. 49 у симетричном дванаестерцу); деветог слога (пример бр. 46 у симетричном десетерцу, и пример бр. 81, у шеснаестерцу); трећег слога у упеву (пример бр. 77 у асиметрич- ном десетерцу); седмог слога у другом стиху и шестог слога у трећем и петом стиху (пример бр. 80, у деветерцу и асиметричном осмерцу). Осим прекида мелодијског тока, такви застанци могу бити обележени дужим трајањем појединих слогова, на пример: осмог слога у десете- рачком рефрену (пример бр. 38); другог слога у симетричном осмерцу (пример бр. 51), чиме се у извесном смислу такође замагљује подудар- ност поетских и музичких сегмената.

Феномен поменутог застоја често је разматран у етномузиколошкој литератури. Први помен потиче из пера Владимира Ђорђевића, који је у предговору своје збирке *Српске народне мелодије (Јужна Србија)* за- бележио и следеће: „Догађа се да се и мелодија код једног слога преки- не, па се, после кратке паузе, као са неким уздахом, опет, истим слогом продужи" (Ђорђевић 1928: XVII).[206] Потоња научна занимања за такву појаву резултирала су другачијим тумачењима етномузиколога у вези са њеним могућим разлогом или функцијом у мелострофичном току. Сличног су гледишта Цвјетко Рихтман и Николај Кауфман (Николай Кауфман) кад објашњавају паузу у контексту „снажног пјевања", твр- дећи да се „напјев чешће прекида ради предаха" (Rihtman 1969: 178), или као последица „неправилног дисања певачице" (Кауфман 1963: 37). Другачија интерпретација Изалија Земцовског (Изалий Земцовский) заснива се на сагледавању застанка у светлу обредно-магијске потребе за „прикривањем песничке цезуре", односно дељењем „строфе на два несиметрична дела, насупрот симетричној конструкцији стиха", у циљу доживљавања тока као „непрекидног, зачараног кретања" (Земцовски

хије, поменимо да се цезура (иако нема пандан у нашем прилогу, бр. 53) јавља и у песми „Што ти косе замршене", из Липљана, после трећег слога у поновљеном стиху (Милојевић 2004: 69, пример бр. 5).

[206] У мелодијама са територије Косова и Метохије Ђорђевић бележи такву паузу након 4. слога у симетричном дванаестерцу (пример бр. 400, Доња Гуштерица), после 1. слога у поновљеном симетрично осмерачком стиху (пример бр. 422, Пећ) (Ђорђевић 1928: 144, 152).

1968: 65, 66). Специфичност разматраних дводелних мелопоетских структура, базираних на поновљеном мелостиху (због чега их аутор назива „удвојеном строфом"), у вези је са појавом мелодијске цезуре која „сече стих увек на једном месту и увек неочекивано – у почетку фразе која се понавља" (Исто: 65), што је и најчешћи случај у наведеним примерима са Косова и Метохије. Компаративна проучавања Земцовског указала су на постојање таквог застоја у пролећно-летњим вокалним формама, као и у свадбеном циклусу песама на ширем словенском простору – у руској традицији и у обредном фолклору Јужних Словена (Исто: 61–68). Сагласно резултатима актуелнијих истраживања музичког фолклора у Србији, непоклапање цезура напева и стиха доминантно карактерише обредну праксу источних и јужних српских области (Каран 2007: 31, Закић 2009а: 155–159; Радиновић 2011: 303–304),[207] што је такође један од повезујућих елемената љубавних песама са обредним жанровима на Косову и Метохији. „Музичка улога" паузе у певању нашла се у фокусу разматрања Димитрија Големовића, који је због устаљене позиције у мелострофи именује као „рефренску паузу" (Големовић 2000: 62–64). Големовићевом реферисању на тумачење енергетске и естетске вредности паузе у уметничкој музици од стране Зофије Лисе (Zofia Lissa, исто: 64) може се прикључити музички ефекат „одложеног очекивања" привременог прекида музичког тока, који Леонард Мејер (Leonard Meyer) интерпретира као очекивање „задовољено након паузе, не зато што се уводи нешто што је недостајало већ зато што поново почиње оно што је већ било прекинуто" (Мејер 1986: 178). Комплемен-

---

[207] Својеврсна аналогија може се успоставити са феноменом неподударања дужина музичких и играчких одсека, који су Љубица и Даница Јанковић регистровале у примерима са разних простора, нарочито на територији Косова и Метохије, југоисточне Србије и Македоније (Јанковић, и Јанковић 1934: 97; 1937: 9, 46; 1939: 49, 155; 1951, напомене уз играчке обрасце; 1952: 130–133,138; 1964а: 190–192; *Двадесет народних игара* 1949а: 9; Јанковић, 1955: 65–79). Ова појава је, најпре, именована као „привидна аритмичност и привидна асиметричност", а потом, од стране Љубице Јанковић, као „појединачна аритмичност у ритмичности целине извођења орске игре и мелодије" (Јанковић 1968). Такво размимоилажење музичких и играчких образаца, које, сагласно њиховом говору, даје посебну драж игри, потврђено је и у каснијим анализама музичког обликовања игре *чачак* у југоисточној Србији, где „одсуство строге зависности музике и игре (и текста као основе) је погодно тле за већи степен слободе и исказивање свирачевих (...) способности" (Вукичевић 1989: 390).

тарност последњих објашњења, где се функцији застанка приписује важно и обредно (ванмузичко) и музичко-структурално својство, чини се суштинским при детерминисању његове појавности у жанру љубавних песама.

Обухватност различитих (метро)ритмичких обликовања ових песама манифестује се кроз примену следећих система:

– слободног, parlando rubato (примери бр. 53, 56, 57, 58, 74);
– прожимајућег parlando rubato и метрички одређеног – дистрибутивног система (примери бр. 48, 49, 50, 64);
– дистрибутивног, са парном – дводелном или четвороделном – мером (примери бр. 35, 41, 42, 43, 44, 54, 55, 69, 70, 73, 77, 79), знатно ређе – троделном (пример бр. 75), или комбинацијом парних и непарних мера (пример бр. 62);
– асиметричног ритма (аксак, хемиолна метрика) – 7/8 (примери бр. 38, 40, 47, 51, 52, 60, 63, 65, 66, 67, 68, 71, 72, 78, 79, 80, 81), или 7/16 (пример 36, 37, 39, 45, 46 са продужењем на крају првог мелостиха у 10/16, 56а, 59, 61, 76), дактилског облика (са унутрашњом организацијом 3, 2, 2).

Доследност поменутих (дистрибутивних и асиметричних) ритмичких система у мелострофичним излагањима може бити нарушена продужавањем основне метричке јединице/јединица на крају: последњег чланка стиха (пример бр. 73), полустихова (пример бр. 65) или стихова (примери бр. 36, 66, 67, 79); ређе, скраћивањем тих јединица на завршецима стихова (пример бр. 41, 80). У доминантно силабичном току ових мелодија, повремени мелизматични сегменти обично су позиционирани на последњем слогу првог полустиха (видети примере бр. 40, 41, 43, 44, 45, 48, 49, 50), доприносећи тиме истакнутијој динамичности музичко-поетског израза.

Израженија мелизматика у оквирима веће агогичке слободе одликује извођење песама у parlando rubato систему, што илуструје следећи пример:

Пример бр. 56:

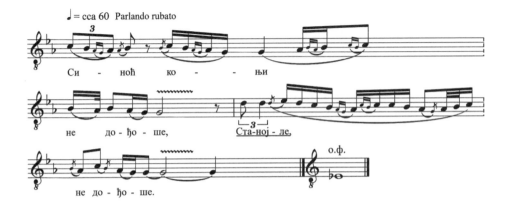

Поред чињенице постојања различитих мелодијско-ритмичких верзија ове песме од стране различитих певача (упоредити примере бр. 54, 55, 56), посебну пажњу завређује казивање Момчила Трајковића из Чаглавице о властитим разлозима њеног другачијег интерпретирања. Према Трајковићевим речима, песму је први пут чуо од Драгиње Јевтић из Сушице, која ју је изводила, како он то наводи, „на славски начин", односно маниром „отегнутог певања", презентованог примером бр. 56. Мотивисан, након тога, идејом да ову песму „ритмички убрза" уз аранжманску поставку Златка Стојановића, како би добила играчки карактер и постала пријемчивија за ширу популацију,[208] Трајковић је био иницијатор стварања новог музичког текста на бази постојећег поетског предлошка:

Пример бр. 56а:

---

[208] Трајковић наводи: „Ритам оживљава песму, она можда губи на емоцијама, на тој сети и тако даље, али на неки други начин кроз игру она показује ту другу страну (...), једну невероватну емоцију кроз покрет" (транскрипт интервјуа са Момчилом Трајковићем, 6. 9. 2015, Чаглавица).

У односу на старију верзију, нова интерпретација песме „Синоћ коњи не дођоше" садржи промене на метроритмичком, агогичком, мелодијском, орнаменталном плану. Реч је о трансформацији parlando rubato ритмичког система у асиметричну меру 7/16, бржем темпу извођења са једноставнијом мелодиком и скромнијом орнаментиком. У конкретном случају интервенције на преузетом музичком обрасцу, као концепту преобликовања/трансформације традиције, односно свесног мењања елемената музичког садржаја (Åkesson 2006), јасно је да повећавање активности једног музичког елемента прати смањивање дејства других музичких елемената, при чему метроритмичка компонента добија функцију „структурног тежишта" (Popović 1998: 109), односно „морфолошке доминанте" реализоване у „комплексу композиционих средстава музичког дела" (Мациевский 2002: 14). Поред тога, оркестарска пратња и придодати женски вокал (Милице Мицке Милисављевић на снимку за Радио Приштину 1985. године, потом Данке Стојиљковић на снимку са Народним ансамблом РТС под управом Бранислава Ђокића 2002. године[209]), допринели су такође, према Трајковићевом исказу, већој популарности ове песме.[210]

На значај медијског утицаја указује и искуство Миодрага Симића из Сушице, чија је ранија „развученија" солистичка интерпретација ове вокалне нумере претрпела исте промене у извођењу са Националним ансамблом „Венац", будући да „оркестар није био у могућности да га прати на другачији начин".

У оквиру промена на дијахронијском плану, од посебне важности је констатација сестара Јанковић о преображају музичке мере 3/4 у меру 7/8, у многим орским песмама (Јанковић и Јанковић 1952: 33). „Треба имати на уму да су оне, као и претходни српски мелографи, сасвим изузетно бележиле неравномерни метар у примерима из југоисточне и јужне Србије (Косово и Метохија), а који се већ дужи низ деценија интерпретирају (углавном) у мери 7/8" (Закић 2014: 251). Могући разлог томе, с једне стране, је одсуство фонографа све до 30-их година 20. века (а који је и тада био права реткост), што је мелографима из

---

[209] Видети: https://www.youtube.com/watch?v=KrClLpCmiRc Датум последњег приступа: 12.11.2018.

[210] О извођењу исте песме у аутентичној контекстуалној ситуацији (на славама) у локалној заједници, занимљива је Трајковићева изјава да је не пева „на модеран начин, већ на старовремски".

ранијег периода стварало велике потешкоће при записивању песама „на слух" (директно од казивача), на шта упућују и Мокрањеви искази о потреби за снимањем на терену у циљу веродостојнијег бележења народних мелодија (Мокрањац 1996: XV). Томе треба придодати и могуће недовољно познавање хемиолне метрике и искуство у перципирању асиметричног ритма од стране српских фолклориста и композитора у првим деценијама 20. века, о чему сведоче речи Владимира Ђорђевића „о тешко схватљивом ритму" у понеким мелодијама тадашње Јужне Србије (углавном данашње Македоније), услед чега је у таквим примерима изостављао метроримичку одредницу (Ђорђевић 1928: XV; Ђорђевић 1931: 13).[211] Свакако да недостатак фонографских снимака из овог периода онемогућује прецизније утврђивање хемиолне метрике у записима ранијих мелографа (Фрациле 1994). С друге стране, јасно означавање асиметричног ритма у појединим мелодијама Мокрањца, Милојевића, Ђорђевића, а потом и сестара Јанковић, говори о томе да српски записивачи нису имали већих проблема са опажањем неравномерне пулсације у музици са територије Косова и Метохије. Учесталију примену асиметричног ритма на овом простору сестре Јанковић тумаче најпре као последицу утицаја ромске и турске музике са „оријенталним ритмовима", нарочито на територији Македоније, Косова и Метохије, југоисточне Србије, Босне и Херцеговине (Јанковић и Јанковић 1952: 33). Поред тога, како наводе, већ у време њиховог бележења неке од народних мелодија које су раније извођене у мери 3/4 добијају своје вокалне и инструменталне варијанте извођењем у мери 7/8 у радијским емисијама (Исто). Несумњиво је, дакле, да су ове варијанте последица и музичких аранжмана, односно масмедијске продукције, која је у новом метроритмичком обликовању популаризовала нарочито песме са територије Косова и Метохије и југоисточне Србије.[212]

---

[211] „Ако у мелодији има више разних тактова, ја сам их назначио у почетку. Само онде где је разноврсност у такту у већој мери, ја сам промене тактова бележио у току мелодије. Има мелодија где сам поједине ставове, групе, одвајао испрекиданим цртама (попут краћих зареза у Милојевићевим аутографима – прим. ауторки), а има их доста и таквих код којих нисам могао да одредим такт, те сам их оставио без означеног такта" (Ђорђевић 1928: XVII).

[212] Овај масмедијски утицај може бити и кључан у преобликовању метроритмичке компоненте песама са овог простора, те свакако заслужује пуну пажњу у наредним истраживањима.

Напоредо с тим, значајнијем инфилтрирању ових метроритмичких структура на поменутој територији свакако да су погодовале географске диспозиције, будући да је реч о граничном простору са Бугарском и Македонијом, у чијим праксама је асиметрични ритам веома заступљен (Фрациле 1994; 2018: 395–409; Радиновић 2010: 13–21; Закић 2014: 251).

Као прилог претходно реченом, наводимо неке од примера који су на територији Косова и Метохије до средине 20. века бележени у дистрибутивном систему (непарном и, знатно ређе, парном), а који су изведени при актуелном истраживању у асиметричном ритму (7/8, 7/16):

- „Што гу нема Цвета кроз обор да шета?" пример бр. 37 („Цвето, мори, Цвето, Цвето, калушо" – Мокрањац 1996: 142, пример бр. 123, мера: 3/8, (место?), 1896; Милојевић 2004: 123, 124, примери бр. 46а и 46б, мера: 3/4[213], Приштина, Урошевац, 1930; Јанковић и Јанковић 1951: 181, пример бр. 24, мера: 3/4, Гњилане; Васиљевић 1950: 132, пример бр. 254, мера: 3/4, Гњилане);
- „'Ајде, Стамена, бела, румена", пример бр. 39 (Милојевић 2004: 128, пример бр. 49, мера: 3/4[214], Призрен, 1930);
- „Булбул ми пева, ружа ми цвета, мој ми га драги још нема", пример бр. 40 (Милојевић 2004: 232, пример бр. 127, мера: 3/4[215], Призрен, 1930; Јанковић и Јанковић 1937: 144, пример бр. 13, мера: 3/4, Косовска Митровица);
- „У село кавга голема", пример бр. 45 (Јанковић и Јанковић 1951: 207, пример бр. 71, мера: 2/4, Клокот – Гњилане);
- „Што ми је мерак пољак да будем", пример бр. 46 (Јанковић и Јанковић 1937: 143, пример бр. 11, мера: 3/4, Косовска Митровица);
- „Ој, јабуко зеленико", пример бр. 51 (Милојевић 2004: 237, пример бр. 131, мера: 3/4 и 4/4, Пољике, 1933; Васиљевић 1950: 19, 20, пример бр. 9а, мера: 3/4, Велика Хоча, пример бр. 9в, мера 4/4 и 6/4, Јањево, пример бр. 9г, мера: 3/4 и 6/4, Призрен);
- „Стојна мома бразду копа", пример бр. 59, 60 (Васиљевић 1950: 184, пример бр. 365, мера: 3/4, Косовска Митровица).

---

[213] Назначавање мере (у загради) учињено је при редиговању ове збирке, а на основу Милојевићевих често коришћених „краћих зареза" уместо „тактних црта" у његовим аутографима (Милојевић 2004: 14, 15).

[214] Исто.

[215] Исто.

Највећи број љубавних песама остварује мелодијски ток у обиму чисте кварте, квинте или велике сексте, са различитим тонским односима. Њихову основу доминантно чини дурски тетракорд / пентакорд / хексакорд (примери бр. 45, 54, 57 / 37, 47, 49 и 50, 51, 60, 71, 76 / 39, 40, 46, 70, 80), или молски тетракорд / пентакорд / хексакорд (примери бр. 59, 61 / 35, 55, 73, 78, 79 / пример бр. 65 са повременим повишавањем терце изнад финалиса), знатно ређе – фригијски тетракорд (примери бр. 36, 38), или комбинација дурског и молског пентакорда (пример бр. 48). Ужи распон, у виду молског трикорда, представља изузетак (пример бр. 64). Сходно тонском амбитусу и мелодијском обликовању, Милојевић је такве примере сврстао у категорију „мелодија доњег музичког слоја" (односно сеоске музичке традиције), које „су примитивног склопа и одишу нечим исконско нашим, расним, кријући у себи клицу наше словенске особености (...)", разликујући их од песама „горњег музичког слоја" (односно градске музичке традиције), са „широким мелодијама, источњачког типа" са „оријенталним шарама у којима има прекомерне секунде и са могућим преласком из дубоке тонске сфере у вишу" (Милојевић 2004: 18, 19, 29). Другој категорији припадају мелодије ширег распона и са специфичнијим тонским односима, попут миксолидијске лествице у овиру мале септиме / октаве / ундециме (примери бр. 42 / 41, 52, 63, 75 са повременом алтерацијом септиме, 81 / 69), или са елементима „хиџаз" макама (Милојевић 2004: 37), са прекомерном секундом у доњем тетракорду, у амбитусу квинте / мале или велике сексте / мале септиме / октаве (примери бр. 43, 44, 53, 67 и 72 са повременим снижавањем кварте / примери бр. 56, 56а, 43, 58 / пример бр. 74 са повременом алтерацијом кварте / пример бр. 68). Изразита мелодијска распеваност доприноси и успостављању две мелодијске гравитације – на вишим и нижим тонским сферама (као у примерима бр. 39, 63).[216]

Већем мелодијском распону значајно доприносе терцни, квартни, квинтни, секстни, па и септимни узлазни скокови, присутни у знатном броју љубавних песама (примери бр. 37, 38, 39, 40, 41, 48, 52, 53, 54, 55,

---

[216] Ова појава је очигледно једна од карактеристика посебно љубавних песама на ширем простору Косова и Метохије. Шире о томе видети: Стоиљковић 2016: 75–78.

56, 62, 65, 66, 67, 68, 69, 71, 72, 74, 75, 77, 78, 80, 81). Ови покрети углавном су носиоци највећег енергетског потенцијала; у многим случајевима они „одређују горњу границу интонационог поља и усмеравају даљи мелодијски ток, који је обележен комплементарним поступно силазним мелодијским покретом (...)" (Закић 2009а: 121, 122). Такав наступ супротног кретања говори о „тенденцији ка попуњавању структурних празнина", што, по Леонарду Мејеру (Leonard Meyer), доприноси поновном успостављању мелодијске континуације, те утиску добре обликованости музичког низа (Мејер 1986: 178–185). Поменути скокови посебно су изразити у наредној песми:

Пример бр. 68:

Кулминациони тонови често су позиционирани у иницијалним сегментима мелострофа, или на самом иницијалису (примери бр. 35, 40, 43, 44, 47, 48, 49, 50, 51, 53, 54, 55, 56а, 58, 59, 60, 61, 63, 71 / 39, 46, 57, 64, 66, 67, 70, 72, 76, 79), чиме се у првом случају профилише доминантно узлазно-силазна мелодијска линија, а у другом – превасходно силазни мелодијски ток. То илуструју следећи музички фрагменти:

Пример бр. 53 (први мелостих):

Пример бр. 57 (први полустих):

У осталим мелодијама кулминација је по први пут достигнута у даљем музичком току: на почетку другог мелостиха (примери бр. 36, 37, 68, 74, 75, 81); у другом полустиху иницијалног мелостиха (примери бр. 38, 62, 73, 77); на поновљеном првом полустиху (примери бр. 45, 69); током рефренског упева (примери бр. 41, 42, 43, 52, 56); на претпоследњем стиху мелострофе (пример бр. 65, 80).

Извођење највећег броја песама базира се на једном тематском материјалу са различитим видовима мелострофичног структурисања: од изразитије фрагментарности (као у примерима бр. 54, 55, 57, 73), до (поновљених) реченичних и периодичних структура (примери бр. 35, 36, 37, 40, 43, 44, 45, 46, 47, 48, 49, 50, 51, 52, 53, 56, 56а, 58, 59, 60, 61, 64, 71, 72, 76, 78, 79) – са могућим већим степеном варирања у рефренском стиху (пример бр. 38), каденцијалном сегменту поновљеног мелостиха (пример бр. 40), иницијалном сегменту другог мелостиха (пример бр. 67), или са значајном променом у рефренском упеву (примери бр. 41, 42). Изразитија динамичност музичког тока на макроплану појединих песама остварена је другачијим мелодијским обликовањем основних поетских стихова или рефрена (примери бр. 39, 62, 63, 65, 66, 68, 69, 70, 74, 75, 77, 80, 81). Један од могућих видова такве динамичне опозиције, односно „тенденције ка повећању и смањењу напетости" (Arnhajm 1998: 346), јесте и мелодијски контраст између иницијално високо интонираних основних стихова са силазним покретом и рефренских стихова таласасте профилисаности у знатно ужем амбитусу.

Пример бр. 66:

Сложеније мелострофичне конструкције засноване су и на својеврсној макротроделној музичкој обликованости, успостављеној мелодијски истакнутијим почетним стихом или ексамацијом и каденцијалним стиховима у односу на медијално излагање мелостихова (примери бр. 65, 80).

Истоимене примере забележене у суседним насељима током најновијих теренских истраживања карактерише:

– готово идентична музичка обликованост (примери бр. 41 и 42, уп. са: Бараћ 2014: пример бр. 4, Скуланево; 43 и 44; 48, 49 и 50[217]; 59, [61][218]; уп. и пример бр. 73 са: Бараћ 2004: пример бр. 3, Сушица);

– различитост на мелодијском и метроритмичком плану (примери бр. 54, 55, 56, 56а; уп. и примере бр. 43 и 44 са: Бараћ 2014: пример бр. 1[219], место?);

– различитост у мелодијском смислу (уп. пример бр. 37 са највероватније старијом верзијом ове песме: Бараћ 2014: пример бр. 7, Сушица);

---

[217] Пример бр. 50 има другачији само иницијални стих.

[218] Пример бр. 61 је отпеван на исти начин као и пример бр. 59, али садржи потпуно другачији текст. Могући разлог томе је што га је извела иста певачица.

[219] У овом примеру и текст је различит у односу на примере бр. 43 и 44.

– различитост на тонском плану (примери бр. 59 и 60; уп. и пример бр. 63 са: Бараћ 2014: пример бр. 10, Сушица);
– различитост на тонском и метроритмичком плану (уп. пример бр. 64 са: Бараћ 2014: пример бр. 2, Кузмин).

У односу на исте песме бележене у ранијем периоду са овог простора, може се констатовати следеће:

– значајна подударност свих музичких компонената (уп. пример бр. 35 са: Васиљевић 1950: 181, пример бр. 358, Приштина; уп. примере бр. 43 и 44 са: Милојевић 2004: 230, пример бр. 125, Урошевац, 1930, и са: Васиљевић: 1950: 163, 164, пример бр. 319, Липљан; уп. примере бр. 48, 49, 50 са: Милојевић 2004: 164, 165, примери бр. 74а и 74б, Липљан, Приштина, 1930, и са: Васиљевић 1950: 157, пример бр. 311, Угљаре; уп. пример бр. 53 са једноставнијом мелодиком у Мокрањчевом, Милојевићевом и Васиљевићевом запису: Мокрањац 1996: 156, пример бр. 143, Приштина, 1896; Милојевић 2004: 69, пример бр. 5, Липљан, 1930; Васиљевић 1950: 116, пример бр. 224а (са променљивим тонским односима), Угљаре и пример бр. 224б, Приштина; уп. пример бр. 73 са: Васиљевић: 1950: 78, пример бр. 141, Угљаре, и са једноставнијим Ђорђевићевим записом: Ђорђевић 1928: 153, пример бр. 424, Косовска Митровица);
– слична мелодијска и различита метроритмичка обликованост (уп. пример бр. 46 са једноставнијим записом сестара Јанковић: Јанковић и Јанковић 1937: 143, пример бр. 11, Косовска Митровица; уп. пример бр. 57 са: Васиљевић 1950: 61, пример бр. 103, Приштина; уп. пример бр. 60 са: Васиљевић 1950: 184, пример бр. 365, Косовска Митровица; уп. пример бр. 74 са: Васиљевић 1950: 114, пример бр. 218, Косовска Митровица);
– различитост на мелодијском, метроритмичком и формалном плану (уп. пример бр. 37 са, по свему судећи, старијим и међусобно сличним верзијама ове песме које су забележили Мокрањац и Милојевић – Мокрањац 1996: 142, пример бр. 123, Приштина? 1896; Милојевић 2004: 123, 124, примери бр. 46а, 46б, Приштина, Урошевац, 1930);
– препознатљива мелодика са различитим тонским оквиром (уп. пример бр. 73 са: Мокрањац: 1996: 184, пример бр. 187, Приштина? 1896; Милојевић 2004: 265, пример бр. 151б, Вучитрн, 1930);

– различитост на мелодијском, метроритмичком, тонском (и формалном) плану (уп. пример бр 51 са: Васиљевић 1950: 20, пример бр. 9в, Јањево; уп. пример бр. 57 са: Милојевић 2004: 74, пример бр. 10, Вучитрн, 1930; Васиљевић: 1950: 77, пример бр. 138, Угљаре; уп. примере бр. 59 и 60 са: Милојевић 2004: 129, пример бр. 50, Урошевац, 1930; уп. пример бр. 59 са: Васиљевић 1950: 184, пример бр. 365, Косовска Митровица; уп. пример бр. 62 са: Васиљевић 1950: 185, 186, пример бр. 372, Угљаре; уп. пример бр. 63 са: Васиљевић 1950: 78, пример бр. 142, Угљаре; уп. пример бр. 73 са: Мокрањац 1996: 184, пример бр. 188, Приштина? 1896; уп. пример бр. 74 са: Милојевић 2004: 168, пример бр. 76, Приштина, 1930).

Поред великог броја аналогних (истоимених) мелодија регистрованих у истом и различитом периоду, уочене диферентности музичких компонената на првом – синхронијском нивоу могу се довести у везу са другачијим начином традиционалног обликовања музичког садржаја у различитим насељима и/или са идиолекатским особеностима, док су оне на другом – дијахронијском нивоу (напоредо са поменутим могућим разлозима), претпостављамо, мањим делом узроковане другачијим технолошким могућностима бележења, а већим делом – процесом промена у временском току.

Изузетна бројност забележених љубавних песама у актуелном тренутку указује, најпре, на значајну одрживост ове вокалне категорије у народном животу Косова и Метохије. Сумирајући речено, „постојаност и променљивост поетско-музичких елемената огледа се у: очуваности ширег спектра мотива и композиционих поступака у семантици исказиваних порука; поступку скраћивања поетских текстова и недоследнијој версификацији у појединим песмама у дијахронији; махом стабилном принципу мелопоетског структурисања; могућим променама у мелодијском току, музичкој мери и тонским односима. Наведене промене су изразитије у истоименим песмама из разних области, али се, свакако у мањој мери, јављају и у примерима бележеним у средишњем делу Косова и Метохије" (Закић и Ранковић 2016: 78).

Опстанак многих облика музичког изражавања потврђују искуства старијих сеоских певача, чије активности су увек остајале у границама датих локалних заједница. „У оквиру сопственог етничког и географског простора, они су неговали репертоар песама карактеристичан за локалну средину, а учешћем у процесима интерпретације и стварања музике заузимали су позицију унутар одређене друштвене групе" (Zakić and Ranković 2014). Имајући у виду да се мноштво идентитетских образаца гради кроз традиционалну музичку праксу (Rice 2007: 17–37), од појединачних и колективних до социјалних и националних (Golubović 2007: 522; Ристивојевић 2009: 1), ова пракса је од велике важности за српску културну матрицу датог региона.

Великој популарности ових песама широм Србије, као и у суседним земљама, допринела су, најпре, извођења вокалних солиста уз пратњу народних оркестара Радио Београда (почев од Јордана Николића) од средине 20. века (Барać 2016: 50). Њихова јавна емитовања, нарочито у почетном периоду, подразумевала су примену једноставнијих оркестарских аранжмана и истицања солистичких вокалних деоница. Будући да су певачи значајним делом били директни носиоци музичког израза Косова и Метохије, јасно је да се њихове вокалне интерпретације углавном нису разликовале од наслеђених образаца (изузев у већ поменутим случајевима преображавања rubato система у дистрибутивни или асиметрични ритам). Потреба за личном промоцијом ових извођача „свакако је мотивисана и њиховом жељом за популаризацијом песама са Косова и Метохије" (Zakić and Ranković 2016: 54–56). Узорност таквих интерпретација сагледива је и у извођењима бројних данашњих вокалних солиста уз пратњу радијских оркестара.

Други важан тренутак у промоцији музичког наслеђа Косова и Метохије у вези је са оснивањем неотрадиционалних вокалних и вокално-инструменталних група у Београду, од 90-их година 20. века, које су у периоду ратног метежа подстицане идејом о презентацији музичког израза са ових простора, као важног креатора „националних, колективних и личних идентитета у Србији" (Zakić 2014: 271). Другим речима, стремљења ових група, које су у јавним представљањима ревитализовале и праксу свирања на кавалу – инструменталном симболу Косова и Метохије (Jovanović 2012; Закић и Јовановић 2013, 2014), у сагласју су са новијим научним поставкама о перформативности, којима се музика сагледава као индексички знак социјалног идентитета (Rice 2007: 34), односно „као медијум који не само да рефлектује и енкодира значења везана за идентитете, већ и учествује у њиховом стварању" (Милановић 2007: 125).

Растући број солиста и група у Србији, па и у региону, у последње готово три деценије, чији репертоар садржи и песме из разних крајева Косова и Метохије, доминантно је обележен коришћењем различитог инструментаријума, понекад и са примесама оријенталне звучности. У таквим аранжираним реинтерпретацијама честа је примена аксак ритма, који постаје симбол балканског фолклорног музичког израза. Уз јасну препознатљивост вокалне (додуше, понекад поједностављене) и поетске компоненте, треба истаћи и појаву редукције поетских текстова приликом њиховог ланчаног надовезивања на концертима савремених певача и бендова, као и на савременим свадбама (Бараћ 2016: 51). Такав феномен може се тумачити као потреба за достизањем жељеног динамичког ефекта, али и као уступак медијацији која рекреира традицију, чиме се, у исто време, песме прилагођавају „брзој економији рецепције савременог слушаоца" (Ненић 2009: 29). Тенденција ка „осавремењивању традиције" присутна и у извођењу ансамбала који негују хибридни, трансжанровски израз (етно-џез/поп/рок правац), као „грану српске world music сцене" (Zakić i Nenić 2012: 170), резултира конструисањем глобалне слике о музици Косова и Метохије, која подразумева значајним делом изостанак локалних/регионалних стилски самосвојних, а међусобно хетерогених, обележја овог простора. Савремене реинтерпретације ових песама у новом контексту, измештене из локалних, приватних и свакодневних обичајних ситуација, а презентоване на јавним, сценским просторима (концертима, фестивалима…, односно аренама за живу музику – *arenas for life music*) и у медијским аренама (штампаним и електронским медијима – *media arenas*; Lundberg, Malm and Ronström 2003: 344), које кључно заговарају већ поменути концепт преобликовања/трансформације традиције (Åkesson 2006: 8), утицале су у извесној мери на вокална извођења припадника млађих генерација централног дела Косова и Метохије (у погледу мелодијског, метроритмичког, донекле и сажетијег поетског излагања). Неминовност утицаја наведених медија, као егзогених (спољних) околности, у вези је са могућностима њиховог „контакта са неограниченим, отвореним културним контекстом или ширим светом упућивања" (Закић 2009а: 29), при чему песме у даљем преносу, у случају њиховог доследнијег реферисања на новије обрасце, носе одлике затворенијих (фиксиранијих) музичко-поетских целина. Овде би се могла повући извесна паралела са односом усменог (варијабилно исказиваног) текста и писаног (фиксираног) текста, који Кирил В. Чистов тумачи као разлику између природне „контактне" комуникације и „техничке" комуникације (према: Lozica 1979: 46), а Антоњина Клосковска (Antonina Kloskowska) као диферентност модела „актуелне друштвене културе" и „потенцијалне друштвене културе" у којој се комуникација врши по принципу „одложене интеракције" (Kloskowska 2001: 183–185). С обзиром на постојећу праксу интерпретирања песама према теренским записима са Косова и Метохије (почев од Јордана Николића до данас), уочава се да солисти и малобројније актуелне групе чији су узори забележени теренски извори посежу за концептом рекреирања традиције са снажним ослонцем на писани музички материјал, који у њиховим извођењима укључује минималне и несвесне промене типичне за усмену традицију (Åkesson 2006: 8), а који се као такав суштински разликује од осмишљеног концепта преобликовања/трансформације традиције.

У контексту реактуелизације традиционалног музичког звука централног дела Косова и Метохије, важно је поменути да су најновија теренска истраживања овог простора кључно препозната од стране најзначајније културно-уметничке институције Косова и Метохије, Националног ансамбла „Венац" из Грачанице. Сарадња са овим ансамблом подразумева активну ангажованост етномузиколога у спровођењу обука традиционалног певања и свирања, остварену кроз „пренос знања и вештина (...) од стручњака и представника пракси" (Закић 2018б: 346). Таква врста примењене ангажованости етномузиколога, умрежена са искуствима носилаца пракси у оквиру локалних заједница, одговара Хасовом (Peter Haas) поимању „епистемичке заједнице", као „колектива који ради заједно на решавању и анализирању одређених проблема или елемената – области чији су термини епистемолошки дефинисани" (према: Harrison 2012: 505–529).

5. ЗАВРШНА РАЗМАТРАЊА

Научна монографија *Срйско йевачко наслеђе ценйралноī дела Косова и Мейохије* базирана је на теренским истраживањима музичко-фолклорног материјала, спровођеним од 2015. до 2017. године у насељима географски позиционираним између Вучитрна и Урошевца. Иако је дати мултиетнички, мултикултурни и мултиконфесионални простор почетно подразумевао испитивање културалних пракси различитих етничких и верских ентитета, такво целовито истраживање у данашњем тренутку, обележеном нарушеним међунационалним односима, није било могуће спровести.

Фокусирање на музички фолклор српског становништва резултирало је увидима у добру очуваност вокалних форми, мањим делом само у меморији њихових некадашњих интерпретатора (као што су песме извођене током обредног љуљања, додолског и крстоношког обреда, делимично и приликом чина „ројења пчела"), а у већој мери и у контексту актуелне народне праксе (попут божићних, свадбених, славских и љубавних песама). Жанровска разноврсност и бројност сакупљених примера, обележена и њиховом историјском димензијом у народним наративима, показала се као изузетно вредан и инспиративан материјал за даље етномузиколошко тумачење.

Ток испитивачког процеса, од рекогносцирања терена и екстензивног типа истраживања до интензивног типа, подразумевао је помак оријентације од класичне, квантитативне истраживачке парадигме ка квалитативној, интерпретативној и реконструктивној. Тиме је првобитно статистичко бележење етнографског и музичког материјала употпуњавано дубљим разумевањем значаја и значења музике у датим контекстима и конситуационим оквирима. Тиме је, у исто време, спровођење технике (полу)структурисаних интервјуа водило ка слободнијем типу конверзације, што је резултирало како другачијом позиционираношћу истраживача (од нашег неутралнијег приступа до активнијег учешћа у комуникацији са испитаницима), тако и другачијим третманом испитиваних субјеката (не само као извора података већ и као креатора научних резултата). Другим речима, интензиван и квалитативан приступ, заједно са методом поновљеног истраживања спровођеном у многим локалитетима, допринео је потпунијем ангажману учесника у теренском комуникационом процесу. Напоредо са сазнањима о музичким формама презентованим изван аутентичне ситуације, метод партиципативног посматрања места музике у актуелном догађају, исказан нашим учешћем у свадбеном обреду у Грачаници, резултирао је новим интерпретативним спознајама о музичким догађајима као очуваним и модификованим друштвено-културним вредностима.

Деловањем и у домену „примењене етномузикологије", базиране на интензивнијем повезивању истраживачког рада и одрживости културних елемената, иницирале смо идеју о заштити праксе „певања уз ројење пчела" – и данас актуелне у појединим насељима централног дела Косова и Метохије, што је и реализовано уписом овог елемента на Националну листу нематеријалног културног наслеђа Републике Србије (2017). У складу са таквим приступом теренском истраживању, као сопственом научном и друштвеном ангажману, мотивисале смо и чланове Ансамбла народних игара и песама Косова и Метохије „Венац" из Грачанице да се укључе у наш терински рад и тиме стекну увиде у шири музички (и плесни) репертоар области коју презентују на сцени.

Транскрибована етнографска и музичка грађа представљала је неопходну основу научном тумачењу стилско-интерпретативних карактеристика вокалних жанрова, чији поредак у студији већим делом кореспондира са временом њиховог извођења у годишњем народном календару. Реинтерпретација наратива културних „инсајдера" укључила је и поступак дословне цитатности казивача, у случајевима када смо сматрале да би директно резонирање са њиховим „гласовима" допринело потпунијем разумевању испитиваних појавности, као и „ишчитавању" историјске трансформације музичких творевина условљене политичким, идеолошким, социолошким и културолошким факторима у дужем периоду.

Примена, најпре, аналитичке методе подразумевала је сагледавање сингуларних поетских и музичких текстова на синтаксичком, семантичком и интерпретативном плану. У поетском смислу, то је значило фокусирање на конструкционе и садржајне аспекте текстова, а у музичком – минуциозно разматрање карактера мелодике, ритма и метра, тонских висина и орнаментике. Корелативним посматрањем поетских и музичких текстова утврђен је значајан степен кореспондентности њихових структуралних јединица. Тумачење ових музичко-поетских целина у светлу њиховог културног постојања подразумевало је и укључивање контекстуално-ситуационе анализе, детерминисане интертекстуалном разменом елемената који припадају различитим системима (кодовима): вербалном, музичком, акционалном, локативном, темпоралном и персоналном. Тиме су у потпуности осветљени функција и место музике у датим обредним догађајима и свакодневним друштвеним приликама.

Даљи, компаративни приступ референтним вокалним примерима бележеним у разним областима Косова и Метохије од краја 19. века, као и у другим крајевима Србије, водио је ка сагледавању музике као процеса у културним и историјским токовима. Овај приступ резултирао је увидима у изразитију мелодијску постојаност песама у дијахронији, а истовремено указао на редукцију поетског садржаја у недавно записиваним песмама, што се може тумачити као последица меморијских потешкоћа у интерпретацији појединих обредних вокалних форми које дужи низ деценија нису актуелне у народном животу. Таквом додатном контекстуализацијом аналитичко-компаративни метод омогућио је дубље научно разматрање музичке традиције и музичке процесуалности у синхронијским и дијахронијским оквирима. Напоредо с тим, интердисциплинарни приступ, базиран на умрежавању етномузиколошког дискурса са сазнањима из других научних области (етнологије, антропологије, теорије народне књижевности, лингвистике, теорије информације и семиологије), допринео је разумевању значења конкретних музичко-поетских текстова кроз синергију са другим друштвеним текстовима.

Посебна пажња у овој студији посвећена је жанру љубавних песама – по заступљености најпрезентнијој лирској категорији у животу српског становништва централног дела Косова и Метохије. Њиховој великој популарности широм Србије допринела су извођења радијских музичара, а од 90-их година 20. века и формираних вокално/инструменталних група, која су, поред личних промоција, мотивисана и потребом за очувањем српског музичког идентитета на овом простору. Поредбеним поступком извршена је анализа теренски сакупљених снимака и нових медијских реинтерпретација, којом је приказан степен одрживости аутентичних фолклорно-музичких форми, као и могућност њихових трансформација у савременом културалном контексту.

Наратив о вокалном наслеђу централног подручја Косова и Метохије са различитих аспеката објашњава музичке текстове и на тај начин расветљава интригантност и виталност културне традиције ове области. Ради се о територији на којој се још увек поштују патријархалне регуле, религиозност и традицијом остварене вредности. У таквом окружењу песма је жива и има посебно место у идентификацији локалне заједнице са српским етосом и културном баштином Косова и Метохије. Зато музички идиом представља неисцрпан истраживачки изазов и предмет етномузиколошке опсервације. Поред остварених научних резултата, верујемо да ће ова студија бити и инспирација младим извођачима да обогате свој репертоар и тиме допринесу очувању нематеријалног наслеђа Косова и Метохије.

SERBIAN SONG HERITAGE OF THE CENTRAL PART OF KOSOVO AND METOHIJA

SUMMARY

A scientific monograph *Serbian song heritage of the central part of Kosovo and Metohija* is based on field researches of the music-folklore material, carried out between 2015 and 2017 in the settlements geographically positioned between Vučitrn and Uroševac. Although the given multiethnic, multicultural and multiconfessional space initially implied the analysis of cultural practice with different ethnic and religious entities, such an overwhelming research could not be carried out in a present moment, marked by perturbed national relations.

Focusing on a music folclore of the Serbian population resulted in founding well-preserved vocal forms. These were less preserved in just a memory of their former interpreters (such as songs performed during ritual swinging, dodole[1] and cross-bearing rituals, partly during the act of "bee clustering"[2]), and more in the context of current folk practice (such as Christmas, Patron Saint Day and love songs). Genre diversity and the numerosity of the collected examples, marked also by their historical dimension in the folk narrations, appeared to be a remarkably valuable and inspirative material for further ethnomusicological interpretation.

The course of the analysis process, from the recognizing of the field and the extensive research type to the intensive one, implied the shift of orientation from classical, quantitative research paradigm towards qualitative, interpretative and reconstructive one. Thus, the original statistical recording

---

[1] Girls singing ritual songs to attract rain
[2] Ritual games

of ethnographic and musical material was completing the deeper under-standing of the importance and meaning of music under the given contexts and consituational frames. At the same time, conducting the technique of (half)structured interviews led towards the freer type of conversation. Thus resulted in different positioning of researchers (from our more neutral approach to a more active participation in communication with the examinees) and a different treatment of the examined subjects (not only as data source, but also as creators of the scientific results).

In other words, an intensive and qualitative approach, together with the method of the repeated research carried out on many localities, contributed to a more complete engagement of the participants in the field communication process. Parallel with the findings on the musical forms presented outside the authentic situation, the method of the participative analysis of the place music has in a current event, expressed by our participation in a wedding ritual in Gračanica, resulted in new interpretative knowledge about musical events as preserved and modified social-cultural values.

By acting even within the domain of "applied ethnomusicology", based on a more intensive linking of research work and the sustainability of cultural elements, we initiated the idea of the protection of practice "singing along the bee clustering" – present even today in some of the settlements in the central part of Kosovo and Metohija, which was materialized by enlisting this element on the National list of non-material cultural heritage of the Republic of Serbia (2017). In accordance with such an approach to the field research, as personal scientific and social engagement, we motivated the members of the Ensemble of folk dances and songs from Kosovo and Me-tohija "Venac"[3] from Gračanica to join our field work and gain insight of a wider musical (and dance) repertoir of the field they present on scene.

Transcribed ethnographic and musical materials represented a necessary basis for a scientific interpretation of stylistic-interpretative characteristics of vocal genres, the sequence of which mainly corresponds in the study with the time of their performance in the annual folk calendar. Re-interpretation of narrations by cultural "insiders" included also the process of literal speaker's citation, in cases where we thought that the direct resonating with their "voices" would contribute to a more complete understanding of the examined appearances as well as the "reading" of historical transformation of musical

---

[3] Wreath

creations conditioned politically, ideologically, sociologically and culturally within a longer period of time.

The application of, primarily, analytical method, implied the overview of singular poetic and musical texts on syntactic, semantic and interpretative plan. In poetic sense, it meant focusing on constructional and content aspects of texts, and in musical sense – a minute analysis of the character of melody, rhythm and meter, pitch and ornaments. By correlative viewing of poetic and musical texts, there was established a high degree of correspondence of their structural units. The analysis of these musical-poetic units in light of their cultural existence also implied contextual-situational analysis, determined by an intertextual exchange of elements belonging to various systems (codes): verbal, musical, actional, location, temporal and personal. Thus, the function and space of music in given ritual events and everyday social circumstances was entirely alight.

Further comparative method with referent vocal examples recorded in different areas of Kosovo and Metohija as of the end of the 19th century, as well as in other parts of Serbia, led to a perception of music as a process in cultural and historical streaming. This approach resulted in insights to a more expressed melodic existence of songs in diachrony, and simultaneously, indicated the reduction of poetic contents in recently recorded songs, which can be interpreted as a consequence of memorizing difficulties in the inter-pretation of certain ritual vocal forms that has not been present in folk life for many decades. With such additional contextualization, analytical-com-parative method enabled a deeper scientific analyzing of a musical tradition and musical processuality in synchronic and diachronic frames. Paralelly, the interdisciplinary approach, based on cross-linking of the ethno musicolo-gical discourse with the knowledge from other scientific areas (ethnology, anthropology, folk literature theory, linguistics, information theory and semiology), contributed to the understanding of meanings of concrete musical-poetic texts through synergy with other social texts.

A special attention in this study is paid to the genre of love songs – the most frequently present lyric category in life of the Serbian population from the central parts of Kosovo and Metohija. Their great popularity across Serbia was enhanced by performances of radio musicians and, as of 1990s, by the forming of vocal/instrumental groups that, apart from personal promotions, were motivated by the need to preserve Serbian musical identity in this region. Using the comparative method, the analysis was done regarding the recordings collected on the field and new media re-interpretations. It demonstrated the degree of sustainability of authentic folklore-musical forms, as well as the possibility of their transformations in contemporary cultural context.

ЛИТЕРАТУРА

Ајдачић, Дејан (1998). „Жанрови свадбених песама", *Кодови словенских култура: свадба*, бр. 3. Београд: CLIO, 218–238.

Åkesson, Ingrid (2006). "Recreation, Reshaping, and Renewal among Contemporary Swedish Folk Singers (Attitudes toward Tradition in Vocal Folk Music Revitalization)". http://musikforskning.se/stmonline/vol_9/akesson/akesson.pdf Датум последњег приступа: 15. 8. 2019.

Anđelković, Jelena (2001). „Pesme uz obredno ljuljanje" (seminarski rad odbranjen na Katedri za etnomuzikologiju FMU u Beogradu; u rukopisu).

Arnhajm, Rudolf (1998). *Umetnost i vizuelno opažanje (Psihologija stvaralačkog gledanja)*. Beograd: СКЦ.

Atkenson, David (2004). "Revival, Genuine or Spurious? Folk Song: Tradition, Revival, and Re-Creation". Eds. Ian Russell & David Atkenson. Aberdeen, University of Aberdeen – Elhistone Institute.
http://www.musik.uu.se/ssm/stmonline/vol_9/akesson/index.html Датум последњег приступа: 3. 7. 2015.

Bandić, Dušan (1990). *Carstvo zemaljsko i carstvo nebesko*. Beograd: Biblioteka XX vek.

Бараћ, Јована (2014). „Трагови вокалног наслеђа на простору централног Косова" (семинарски рад одбрањен на Катедри за етномузикологију ФМУ у Београду; у рукопису).

Бараћ, Јована (2016). „Музика као гарант идентитета на примеру косовске песме *Удаде се Живка Сиринићка*", *Музички талас* (ур. Бранка Радовић), год. 23, бр. 45. Београд: Clio, 48–56.

Barz, Gregory F. (2008). "Confronting the Fiel(note) In and Out of the Field: Misuc, Voices, Texts, and Experiences in Dialogue", *Shadows in the Field (New Perspectives for Fieldwork in Ethnomusicology)* (Secon Edition; Edited by: Gregory Barz & Timothy J. Cooley). OXFORD: University Press: 206–223.

Bartok, Bela (1951). *Serbo-Croatian Folk Songs. Texts and Transcriptions of 75 Folk Songs from the Milman Parry Collection and a Morphology of Serbo-Croatian Folk Melodies.* New York: Columbia University Press.

Benze, Maks (1977). „Sažeti temelji moderne estetike", *Estetika i teorija informacije* (ur. Umberto Eko). Beograd: Prosveta, 49–74.

Бећковић, Матија (1989). *Косово најскупља српска реч*. Ваљево: Глас цркве.

Бицевски, Трпко (1997). „Пчеларските песни во Македонија", *Македонски фолклор*. Скопје, 149–157.

Бицевски, Трпко (2001). *Народната песна на Гораните*. Скопје: Институт за фолклор „Марко Цепенков".

Бован, Владимир (1971). *Народне йесме са Косова и Метохије у зайисима йрвих сакуйљача и рад Ивана Стейановича Јастребова*. Приштина: Филозофски факултет.

Бован, Владимир (1972). *Антологија срйске народне лирике Косова и Метохије*. Приштина: Јединство.

Бован, Владимир (1980). *Народна књижевност Срба на Косову и Метохији, лирске йесме I*. Приштина: Јединство.

Бован, Владимир (2000). *Обредне народне йесме са Косова и Метохије*. Приштина: Институт за српску културу, Бања Лука: Бесједа, Исток: Дом културе „Свети Сава".

Бован, Владимир (2006). *Срйске народне умотворине са Косова и Метохије на страницама Цариградског гласника* (ур. Владимир Бован). Лепосавић: Хвосно.

Бован, Саша (2010). „Косово – идеолошки полигон новог милитаристичког хуманизма", *Косово и Метохија у цивилизацијским токовима (међународни тематски зборник)*, књ. 4 (Социологија и друге друштвене науке). Косовска Митровица: Универзитет у Приштини – Филозофски факултет, 133–148.

Богдановић, Димитрије (1986). *Књига о Косову*, књ. DLXVI. Београд: САНУ.

Bojković, Biljana (2000). „Пчелске песме u Srbiji" (seminarski rad odbranjen na Katedri za etnomuzikologiju FMU u Beogradu; u rukopisu).

Borković, Milan (1979a). *Kontrarevolucija u Srbiji (kvislinška uprava 1941–1944)*, knjiga prva (1941–1942). Beograd: Sloboda.

Borković, Milan (1979б). *Kontrarevolucija u Srbiji (kvislinška uprava 1941–1944)*, knjiga druga (1941–1944). Beograd: Sloboda.

Босић, Мила (1996). *Годишњи обичаји Срба у Војводини*. Нови Сад: Музеј Војводине.

Bratić, Dobrila (1993). *Gluvo doba*. Beograd: Plato.

Брашњовић-Торњански, Светлана (2015). *Коледарске и божићне йесме у контексту зимских календарских обреда* (докторска дисертација одбрањена на Филозофском факултету у Новом Саду – Одсек за српску књижевност; у рукопису).

Васиљевић, Миодраг А. (1950). *Југословенски музички фолклор, I: Народне мелодије које се йевају на Космету*. Београд: Просвета.

Васиљевић, Миодраг А. (1960). *Народне мелодије лесковачког краја*. САН: Посебна издања, књ. СССХХХ, Музиколошки институт, књ. 11. Београд: Научно дело.

Васиљевић, Миодраг А. (1964). „Функције и врсте гласова у српском народном певању", *Рад VII Конгреса СУФЈ (Охрид, 1960)*. Охрид, 375–380.

Васиљевић, Миодраг А. (2003). *Народне мелодије с Косова и Метохије* (ур. Зорислава М. Васиљевић). Београд: Београдска књига, Књажевац: Нота.

Васић, Оливера и Големовић, Димитрије (1994). *Таково у игри и йесми*. Горњи Милановац: Типопластика.

Васић, Оливера (2004а). „Игре у обредним поворкама зимског и сушног периода године", *Етнокореологија: трагови*. Београд, 106–110.

Васић, Оливера (2004б). „Лепота чаролије на примеру три начина извођења додолског обреда у Србији". *Етнокореологија: трагови*. Београд, 73–80.

Вемић, Мирчета (2005). *Етничка карта дела Старе Србије (према путопису Милоша С. Милојевића 1871–1877. год.* Београд: Географски институт САНУ „Јован Цвијић”.

Веселиновић, Милојко В. (1895). *Поглед кроз Косово.* Београд: Издање трговине Јевте М. Павловића и компаније.

Vukanović, Tatomir (1986а). *Srbi na Kosovu I.* Vranje: Nova Jugoslavija.

Vukanović, Tatomir (1986б). *Srbi na Kosovu II.* Vranje: Nova Jugoslavija.

Vukanović, Tatomir (1986в). *Srbi na Kosovu III.* Vranje: Nova Jugoslavija.

Вукановић, Татомир (2001). *Енциклопедија народног живота, обичаја и веровања у Срба на Косову и Метохији (VI век – почетак XX века).* Београд: Војноиздавачки завод, Verzalpress.

Вукичевић, Мирјана (1989), „Начини музичког обликовања игре *Чачак* у југоисточној Србији”, *Зборник радова XXXVI конгреса СУФЈ (Сокобања, 1989).* Београд: УФС, 388–394.

Вукичевић-Закић, Мирјана (1995). „Оплакивање мртвих у Заплању”, *Фолклор–музика–дело (IV Међународни симпозијум).* Београд: Факултет музичке уметности, 152–183.

Vukičević-Zakić, Mirjana (1997). ”Bewailing of the Dead in Zaplanje”, *Folklore – Music – Work of art* (IV International Symposium). Belgrade, 146–173.

Вукичевић-Закић, Мирјана (2006). „*Шта* и *како* значе песме уз обредно љуљање”. *Историја и мистерија музике (у част Роксанде Пејовић).* Музиколошке студије – монографије, св. 2, Катедра за музикологију. Београд: ФМУ, 483–490.

Гајић, Марта (1998). „Басма за престанак кише – део српског дечијег вокалног наслеђа” (семинарски рад одбрањен на Катедри за етномузикологију ФМУ у Београду; у рукопису).

Гаљак, Коста (2010). „Демографске последице исељавања српског и осталог неалбанског становништва на Косову и Метохији под притиском албанских националиста и сепаратиста”, *Косово и Метохија у цивилизацијским токовима (међународни тематски зборник),* књ. 4 (Социологија и друге друштвене науке). Косовска Митровица, Универзитет у Приштини – Филозофски факултет, 211–225.

Gerc, Kliford (1998). *Tumačenje kultura,* 1, 2. Biblioteka XX vek (ur. Ivan Čolović). Beograd: Čigoja štampa.

Големовић, Димитрије О. (1980). *Народне песме и игре у околини Бујановца.* Београд: Етнографски институт САНУ, Посебна издања, књ. 21.

Големовић Димитрије (1989). „Певање које то и јесте и није”, *Фолклор и његова уметничка транспозиција.* Београд: ФМУ, 73–80.

Големовић, Димитрије (1990). *Народна музика титовоужичког краја,* књ. 30, св. 2. Београд: Етнографски институт САНУ.

Големовић, Димитрије (1999). „Улога музике у посмртним обичајима Србије и Црне Горе”, *Нови звук – интернационални часопис за музику,* бр. 14. Београд: Савез организација композитора Србије, Музички информативни центар, 43–50.

Големовић, Димитрије О. (2000). *Рефрен у народном певању (од обреда до забаве).* Београд: Реноме – Бијељина, Бања Лука: Академија уметности.

Golemović, Dimitrije O. (2005). „Srpsko narodno pevanje u razvojnom procesu: od obredne do ljubavne lirike”, *Etnomuzikološki ogledi.* Beograd: Biblioteka XX vek, knj. 25, 23–55.

Golemović, Dimitrije O. (2006). „Romi i srpska obredna praksa", *Čovek kao muzičko biće* (ur. Ivan Čolović). Beograd: Biblioteka XX vek, 109–121.

Големовић, Димитрије О. (2006). „О рефрену, опет, али, скоро сигурно, не и последњи пут", *Историја и мистерија музике (у част Роксанде Пејовић)*. Београд: ФМУ, 521–535.

Golemović, Dimitrije O. (2011). „Kako se oblikovao refren (na primeru srpskih pčelskih pesama)", *Фольклор и мы: Традициональная культура в зеркале ее восприятий* (Сборник научных статей, посвященный 70-летию И. И. Земцовского), часть II. Санкт-Петрбург, 100–111.

Голубева, Марианна С. (2012). „Локальные традиции русских старожилов Архангельского района республики Башкортостан (на примере свадебного фольклора)", *Фольклор: историческая традиция и современные полевые исследования (Материалы Четвертой международной научной конференции памяти А. В. Рудневой)*. Москва: Научно-издательский центр „Московская консерватория", 136–156.

Golubović, Zagorka (2007). *Antropologija, Izabrana dela*, tom I. Beograd: Službeni glasnik.

Дебељковић, Дена (1907). „Обичаји српског народа на Косову Пољу", *СЕЗ*, књ. VII. Београд: СКА, 173–332.

Девић, Драгослав (1986). *Народна музика Драгачева (облици и развој)*. Београд: ФМУ.

Девић, Драгослав (1990). *Народна музика Црноречја у светлости етногенетских процеса*. Бољевац: ЈП ШТАМПА, Радио и филм Бор, Културно-образовни центар Бољевац, Београд: Факултет музичке уметности.

Девић, Драгослав (1992). „Народна музика", *Језик, култура и цивилизација, Културна историја Сврљига II*. Сврљиг: Народни универзитет, Ниш: Просвета, 429–539.

Девић, Драгослав (2003). „Паганско осећање живота у савременим пчелским песмама у Србији". *Човек и музика* (Међународни симпозијум, Београд, 20–23. јун 2001). Београд: Vedes, 631–651.

Димитријевић, Димитрије (2011). „Музичко стваралаштво Властимира Павловића Царевца" (дипломски рад одбрањен на Катедри за етномузикологију ФМУ у Београду; у рукопису).

Думнић, Марија (2013). „Градска музика на Косову и Метохији у истраживањима српских етномузиколога током XX века". Београд: *Гласник Етнографског института САНУ*, LXI(2), 83–98.

Ђорђевић, Владимир Р. (1928). *Српске народне мелодије (Јужна Србија)*. Скопље.

Ђорђевић, Владимир Р. (1931). *Српске народне мелодије (предратна Србија)*. Београд.

Ђорђевић, Драгутин М. (1958). *Живот и обичаји народни у Лесковачкој Морави*. СЕЗб, бр. LXX, Одељење друштвених наука. Живот и обичаји народни, књ. 31. Београд: САН – Научно дело.

Еко, Umberto (1973). *Kultura, informacija, komunikacija*. Beograd: Nolit.

Закић, Мирјана (2008). „Контекст–конситуација–текст", *Зборник радова са научног скупа „Дани Владе С. Милошевића"*. Бања Лука: Академија умјетности у Бањој Луци, Музиколошко друштво Републике Српске, 215–227.

Закић, Мирјана (2009a). *Обредне песме зимског полугођа – системи звучних знакова у традицији југоисточне Србије*, Етномузиколошке дисертације, св. 1. Београд: ФМУ.

Закић, Мирјана (2009б). „Комплементарност поетског и музичког система у обредним опходима домова", *Музикологија* (Часопис музиколошког института САНУ), бр. 9 (ур. Катарина Томашевић). Београд, 133–152.

Zakić, Mirjana (2009в). "Rainmaking songs (dodole songs) in Serbia", *Македонски фолклор*, год. XXXV, бр. 67. Скопје: Институт за фолклор „Марко Цепенков", 249–271.

Zakić, Mirjana (2010). "Calendar cycle: Collective biography of the people", *(Auto)Biography as a Musicological Discourse (The Ninth International Conference)*, Department of Musicology, Faculty of Music, University of Arts in Belgrade, Musicological studies: collections of papers, vol. 3 (ed. Tatjana Marković & Vesna Mikić). Belgrade, 444–451.

Zakić, Mirjana i Nenić, Iva (2012). „World music u Srbiji: eluzivnost, razvoj, potencijali", *World music u Srbiji. Prvih 30 godina 1982–2012*. Specijalno izdanje, god. VI, četvorobroj 19–22: 166–171.

Закић, Мирјана и Јовановић, Јелена (2013). „Ликовни, етнографски и литерарни извори о инструменту кавалу на територији Србије и Македоније", *Зборник Матице српске за сценске уметности и музику*, 49. Нови Сад: Матица српска, 9–22.

Закић, Мирјана и Јовановић, Јелена (2014). „Етномузиколошки извори о инструменту *кавалу* на територији Србије и Македоније", *Зборник Матице српске за сценске уметности и музику*, бр. 50. Нови Сад: Матица српска, 9–24.

Закић, Мирјана (2016). „Додолске песме: традиција и модерност", *Савремена српска фолклористика III* (ур. Бошко Сувајџић, Данијела Поповић-Николић, Данијела Петковић, Мирјана Бојанић-Ћирковић). Београд: Удружење фолклориста Србије, Универзитетска библиотека „Светозар Марковић", Ниш: Филозофски факултет универзитета у Нишу, 81–92.

Закић, Мирјана и Ранковић, Сања (2016). „Лирске љубавне песме песме Срба у централном делу Косова и Метохије", *Музичка и играчка традиција мултиетничке и мултикултуралне Србије* (ур. С. Радиновић и Д. Големовић). Београд: ФМУ у Београду, 63–101.

Zakić Mirjana and Ranković, Sanja (2016) "The Reinterpretation of Songs from Kosovo and Metohija in Mass-media Productions", First Symposium of the ICTM Study group on Music of the Slavic World, 13–15 October 2016. Ljubljana: Institute of Ethnomusicology ZRC SAZU, Department of Musicology Faculty of Arts, ICTM, Cultural and Ethnomusicological Society, Imago Sloveniae, The Forum of Slavic Cultures (у штампи).

Закић, Мирјана (2017). „Песме уз обредно љуљање у Сиринићкој жупи", *Савремена српска фолклористика IV* (ур. Бошко Сувајџић). Београд: Удружење српских фолклориста, 295–300.

Zakić, Mirjana and Ranković, Sanja (2017). "Current Music and Dance Practice of Central Kosovo and Metohija: transformations since the 1990s", *New Sound, International journal of Music*, 49 (ed. in-chief Mirjana Veselinović-Hofman). Belgrade, 35–51.

Закић, Мирјана (2018а). „Лазаричке песме у етнографској студији Ивана Степановича Јастребова 'Обичаји и песме Срба у Турској'", *Савремена српска фолклористика, 5, Фолклорно наслеђе Срба са Косова и Метохије у словенском контексту* (зборник радова поводом међународног научног скупа, одржаног 12. и 13. октобра 2017. године у Призрену и у Великој Хочи; ур. Валентина Питулић).

Призрен: Богословија „Светог Кирила и Методија”; Нови Сад: Матица српска, 11–27.

Закић, Мирјана (2018б). „Модели очувања традиционалне песме Косова и Метохије”. *Традиционално и савремено у уметности и образовању* (тематски зборник међународног значаја, ур. Драгана Цицовић Сарајлић, Вера Обрадовић, Петар Ђуза). Косовска Митровица: Факултет уметности Универзитета у Приштини са привременим седиштем у Косовској Митровици, 341–350.

Земцовски, Изалиј (1968). „Прилог питању строфике народних песама (из јужнословенско-руских паралела)”, *Народно стваралаштво – folklor*, год. VII, св. 25, 61–69.

Земцовский, Изалий (1975). *Мелодика календарных песен*. Музыка: Ленинград.

Zemtsovsky, Izalij (1997). ”An Attempt at a Synthetic Paradigm”, *Ethnomusicology*. Champaign 7, 41(2), 185–205.

Zečević, Slobodan (1973). *Elementi naše mitologije u narodnim obredima uz igru*. Izdanja muzeja grada Zenice, Radovi V, Zenica.

Зечевић, Слободан (1982). *Култ мртвих код Срба*. Београд: ИРО „Вук Караџић”, Етнографски музеј.

Златановић, Момчило (1982). *Народно песништво јужне Србије*. Врање.

Златановић, Сања (2018). *Етничка идентификација на послератном подручју: српска заједница југоисточног Косова*. Београд: Етнографски институт САНУ, књ. 89.

Иванова, Радост (1998). „Свадба као систем знакова”. *Кодови словенских култура*, бр. 3 (ур. Дејан Ајдачић). Београд: Clio, 7–13.

Ivić, Ivan D. (1987). *Čovek kao animal symbolicum*. Beograd: Nolit.

Илијин, Милица (1963). „Обредно љуљање у пролеће”. *Рад IX конгреса СФЈ (Мостар–Требиње, 1962)* (ур. Јован Вуковић). Сарајево, 273–286.

Jakovljević, Rastko (2009). ”Dead public spaces – live private corners: (Re)contextualization of musically public and private”, *Музикологија (Musicology)* (ур. Катарина Томашевић), 9. Београд: Музиколошки институт САНУ, 51–62.

Јанковић, Љубица (1936). „Народне игре на Косову”, *ГЕМ у Београду* XI, 1–16.

Јанковић, Љубица С. и Јанковић, Даница С. (1937). *Народне игре*, књ. II. Београд: Просвета.

Јанковић, Љубица С. и Јанковић, Даница С. (1949). *Народне игре*, књ. V. Београд: Просвета.

Јанковић, Љубица С. и Јанковић, Даница С. (1951). *Народне игре*, књ. VI. Београд: Просвета.

Јастребов, И. С. (1879). *Подаци за историју српске цркве*. Београд.

Ястребов, И. С. (1889). *Обычаи и пѣсни турецкихъ Сербовъ* (второе изданіе). С. Петербургъ.

Јевтић, Тихомир Ђ. (1974). *Живот и гајење пчела*. Београд.

Јовановић, Бојан (1992). *Српска књига мртвих*. Ниш: Градина.

Јовановић, Јелена (2002). *Свадбене песме и обичаји у Горњој Јасеници (у Шумадији)*. Београд: Музиколошки институт САНУ.

Јовановић, Јелена (2004). „Све сам га редила”, *Избегличко Косово* (ур. Биљана Сикимић), Лицеум 8. Крагујевац, 71–75.

Jovanović, Jelena (2012). ”Identities expressed through practice of kaval playing and building in Serbia in 1990s”, *Musical practices in the Balkans: ethnomusicological perspectives*, Academic conferences, Vol. CXLII, Department of Fine Arts and Music, Book 8. Belgrade: SASA, Institute of Musicology, 183–202.

Јовановић, Јелена (2014). *Вокална традиција Јасенице у светлости етногенетских процеса.* Београд: Музиколошки институт САНУ.

Јокић, Јасмина (2010). „Ритуални плач у свадбеној поезији Срба са Косова и Метохије", *Косово и Метохија у цивилизацијским токовима (међународни тематски зборник)*, књига 2. Универзитет у Приштини, Филозофски факултет, Косовска Митровица, 91–103.

Каран, Марија (2007). *Мелодијска цезура у српском вокалном наслеђу (типологија, заступљеност, улога у мелопоетском обликовању)* (дипломски рад одбрањен на Катедри за етномузикологију ФМУ у Београду; у рукопису).

Караџић, Вук Стефановић (1972). *Српске народне пјесме*, књига прва [Беч, 1841], Београд: Нолит.

Караџић, Вук Стефановић (1972). *Српски рјечник (истумачен њемачкијем и латинскијем ријечима)* [Беч, 1852]. Београд: Нолит.

Кауфман, Николай (1968). *Българската многогласна народна песен.* София: Наука и изкуство.

Кирюшина, Татьяна В. (2008). „Традиционная свадьба Средней Унжи", *Мир традиционной музыкальной культуры* (выпуск 174). Москва: Министерство культуры Российской федерации – Российская Академия Музыки имени Гнесиных, 316–339.

Kloskowska, Antonjina (2001). *Sociologija kulture.* Beograd: Čigoja štampa.

Cook, Nicholas (2008). "We are all (ethno)musicologists now", *The New (Ethno)musicologies* (Edited by Henry Stobart). Lanham, Maryland – Toronto – Plymouth, UK: The Scarecrow Press, Inc., 48–70.

Cooley, Timothy J. and Barz, Gregory (2008). "Casting Shadows: Fieldwork is Dead! Long Live Fieldwork! Introduction", *Shadows in the Field (New Perspectives for Fieldwork in Ethnomusicology)* (Secon Edition; Edited by: Gregory Barz & Timothy J. Cooley). Oxford: University Press, 3–24.

Костић, Петар (1931). „Светога – красно име – слава у Призрену", *ГЕМ у Београду*, књ. VI, 28–34.

Krnjević, Hatidža (1986). *Lirski istočnici (iz istorije poetike lirske narodne poezije).* Beograd: BIGZ, Priština: Jedinstvo.

Крстић, Ђорђе (1983). *Реченичка мелодија у српскохрватском језику.* Тршић: Вуков сабор, Београд: Рад.

Kun, Tomas S. (1974). *Struktura naučnih revolucija.* Beograd: Nolit.

Лазаревић, Велибор (2009). „Божићне песме на Косову и Метохији", *Баштина*, св. 26. Приштина–Лепосавић: Институт за српску културу, 79–91.

Лајић Михајловић, Данка и Јовановић, Јелена (2018). „Снимци традиционалне музике Косова и Метохије из архива Музиколошког института САНУ: теренско истраживање у служби науке и културе", *Савремена српска фолклористика. 5, Фолклорно наслеђе Срба са Косова и Метохије у словенском контексту* (зборник радова поводом међународног научног скупа, одржаног 12. и 13. октобра 2017. године у Призрену и у Великој Хочи; ур. Валентина Питулић). Призрен : Богословија „Светог Кирила и Методија"; Нови Сад : Матица српска, 195–213.

Лаловић, Јелена (2008). „Хомологна строфа у српској вокалној традицији (типологи- ја, музичко-структуралне закономерности, територијална распрострањеност” (семинарски рад одбрањен на Катери за етномузикологију ФМУ у Београду; у рукопису).

Латковић, Видо (1975). *Народна књижевносій I,* друго издање. Београд: Народна књига.

Lič, Edmund (1983). *Kultura i komunikacija.* Beograd: Prosveta.

Lozica, Ivan (1979). „Metateorija u folkloristici i filozofija umjetnosti”. *Narodna umjetnost,* knj. 16.

Лукић, Јована (2015). *Славске йесме у долини Средњей Ибра* (дипломски рад одбрањен на Катедри за етномузикологију ФМУ у Београду; у рукопису).

Lundberg, Dan, Krister, Malm, and Owe, Ronström (2003). *Music, Media, Multiculture: Changing Music scapes.* Stocholm: Svenskt Visarkiv.

Љубинковић, Ненад (1997). „Аграрна година и народни календар”, *Даница, срйски народни илусйровани календар за 1997. йодину.* Београд, 242–254.

Љубинковић, Ненад (2018). *Од Косовске бийке до Косовске лейенде.* Нови Сад: Матица српска.

Манојловић, Коста П. (1933). „Свадбени обичаји у Пећи”. *Гласник Ейнойрафскоі музеја у Београду,* књ. VIII (ур. Боривоје Дробњаковић). Београд: Државна штампарија Краљевине Југославије, 39–51.

Marinković, Dušan (2008). „Infrastruktura kvalitativnih istraživanja: ogled iz sociologije znanja”, *Metateorijske osnove kvalitativnih istraživanja* (priredio Dušan Stojnov). Beograd: Zepter Book World, 129–147.

Марјановић, Злата (1998). „Вокална музичка традиција села Брза (Прилог проучавању народног музичког стваралаштва југоисточне Србије на примеру породице Петровић)”, *Лесковачки зборник,* књ. XXXVIII. Лесковац: Народни музеј, 267–355.

Марковић, Јован Ђ. (1970). *Геоірафске обласйи СФРЈ.* Београд: Универзитет у Бео- граду – Грађевинска књига.

Марковић, Михаило (2010). Косово и европска цивилизација, *Косово и Мейохија у цивилизацијским йоковима (међународни йемайски зборник),* књ. 4 (Социоло- гија и друге друштвене науке). Косовска Митровица, Универзитет у Приштини – Филозофски факултет, 9–16.

Мациевский, И. В. (1980). „Народный музыкальный инструмент и методология его исследования (к насущным проблемам этноинструментоведения)”, *Акту- альные проблемы современной фольклористики.* Москва: Музыка: 153–159.

Mejer, Leonard B. (1977). „Značenje u muzici i teorija informacije”, *Estetika i teorija infor- macije* (ur. Umberto Eko). Beograd: Prosveta, 173–195.

Mejer, Leonard (1986). *Emocija i značenje u muzici.* Beograd: Nolit.

Милановић, Биљана (2007). „Колективни идентитети и музика”, *Музиколоіија* (Ча- сопис Музиколошког института САНУ), 7 (ур. Катарина Томашевић). Београд: САНУ, 119–134.

Миливојевић, Снежана (2010). „Промена етничке структуре становништва на Ко- сову и Метохији”, *Косово и Мейохија у цивилизацијским йоковима (међународ- ни йемайски зборник),* књ. 4 (Социологија и друге друштвене науке), Косовска Митровица, Универзитет у Приштини – Филозофски факултет, 555–573.

Милојевић, Милоје (2004). *Народне йесме и ийре Косова и Мешохије* (ур. Драгослав Девић). Београд: Завод за уџбенике и наставна средства – Кариђ фондација.

Милосављевић, Саша (2010). „Српско становништво на Косову и Метохији након 1999. године", *Косово и Мешохија у цивилизацијским шоковима (међународни шемашски зборник)*, књ. 4 (Социологија и друге друштвене науке). Косовска Митровица, Универзитет у Приштини – Филозофски факултет, 597–605.

Миљковић, Љубинко (1978). *Бања (рукойисни зборник) – Ешномузиколошке одлике и зайиси архаичке и новије вокалне и инсшруменшалне музичке шрадиције сокобањскоī краја.* Књажевац: Нота.

Миљковић, Љубинко. 1986. *Доња Јасеница.* Смедеревска Паланка: РО Центар за културу „Доња Јасеница".

Митровић, Љубиша (2010). „Културна политика и култура мира на Косову и Метохији – региону замрзнутог и конфликтног недовршеног мира и протомодерног стања друштвености", *Косово и Мешохија у цивилизацијским шоковима (међународни шемашски зборник)*, књ. 4 (Социологија и друге друштвене науке). Косовска Митровица, Универзитет у Приштини – Филозофски факултет, 637–654.

Мокрањац, Стеван Стојановић (1996). *Ешномузиколошки зайиси*, том 9 (ур. Драгослав Девић). Књажевац: Музичко-издавачко предузеће „Нота", Београд: Завод за уџбенике и наставна средства.

Моль, Абрахам (1966). *Теория информации и эстетическое восприятие.* Москва: Мир.

Moris, Čarls (1975). *Osnove teorije o znacima.* Beograd: BIGZ.

Музыкальная культура Русского Севера в научном наследии Б. Б. Ефименковой (2012). Москва: Музыка.

Недић, Владимир (1976). *О усменом йеснишшву.* Београд: СКЗ.

Ненић, Ива (2009) „*Пост-моменшум* традиције: етно и world music тумачења песме „Дуни ми, дуни, лађане", *Музички шалас*, бр. 38. Београд, 28–32.

Nettl, Bruno (2008). "Foreword", *Shadows in the Field (New Perspectives for Fieldwork in Ethnomusicology)* (Second Edition; Edited by: Gregory Barz & Timothy J. Cooley). OXFORD: Univerity Press: V–X.

Нушић, Бранислав Ђ. (1986). *Косово (ойис земље и народа)* (ур. Светлана Велмар-Јанковић). Београд: Просвета, Библиотека Баштина.

Papazoglu, Fanula (1969). *Srednjobalkanska plemena u predrimsko doba*, knj. 1, Centar za balkanološka ispitivanja. Sarajevo: Djela.

Pavlović, Jelena (2008). „Istraživač kao sagovornik: uvažavanjem priča do transformacije praksi", *Metateorijske osnove kvalitativnih istraživanja* (ur. Dušan Stojnov). Beograd: Zepter Book World, 219–236.

Pejović, Roksanda (2005). *Muzički instrumenti srednjovekovne Srbije.* Beograd: Clio.

Петровић, Радмила (1963). „Народне мелодије у пролећним обичајима", *Рад IX конīреса СФЈ (Мосшар–Требиње, 1962).* Сарајево, 407–416.

Petrović, Radmila (1964). „Narodna muzička tradicija u Komuni Leposavić", *Glasnik Muzeja Kosova i Metohije*, VII–VIII (1962–1963), 435–453.

Петровић, Радмила (1988). „Етномузиколошка истраживања на Косову", *Зборник Округлоī стола о научном исшраживању Косова одржаноī 26. и 27. фебруара 1985. īодине.* Научни скупови, књ. XLII (ур. Павле Ивић). Београд: САНУ, 155–161.

Petrović Radmila (1974). „Narodna muzika istočne Jugoslavije – proces akulturacije", *Zvuk*, 155–160.

Петровић, Радмила (1989). *Српска народна музика (йесма као израз народног музичког мишљења)*, Посебна издања књ. DXCIII, одељење друштвених наука књ. 98. Београд: Музиколошки институт САНУ.

Петровић, Сретен (1992). *Митологија, магија и обичаји. Културна историја Сврљига*, књ. 1. Ниш: Просвета, Сврљиг: Народни универзитет.

Петровић, Сретен (2000). *Српска митологија, Антройологија срйских ритуала*, књ. III. Ниш: Просвета.

Pettan, Svanibor (2010). *Lambada na Kosovu*. Biblioteka XX vek, knj. 187. Beograd: Biblioteka XX vek.

Пешић, Радмила и Милошевић-Ђорђевић, Нада (1997). *Народна књижевност*. Београд: Требник.

Питулић, Валентина (2007). *Семантика божура, усмено Косово*, књ. 1. Београд, Косовска Митровица: Библиотека „Калем".

Popović, Berislav (1998). *Muzička forma ili smisao u muzici*. Beograd: Clio, Kulturni centar Beograda.

Поповић, Ратко (2018). *Старосрйска йесма Косова и Метохије*. Грачаница: Културно--просветна заједница Косова и Метохије.

Раденковић, Љубинко (1996). *Симболика света у народној магији Јужних Словена*, Посебна издања, књ. 67. Београд: Балканолошки институт САНУ, Ниш: Просвета.

Радиновић, Сања (2002). „Оквирни стих у српском вокалном наслеђу", *Музика кроз мисао – Зборник радова са четвртог годишњег скуйа наставника и сарадника Катедре за музикологију и етномузикологију ФМУ у Београду (Београд, 21–22. јун 2002)*. Београд: ФМУ, 115–132.

Радиновић, Сања (2010). „Хемиолна метрика (асиметрични ритам) у српском музичком наслеђу – 'аутентичан' феномен или резултат акултурације?", *Зборник Матице срйске за за сценске уметности и музику*, бр. 43. Нови Сад, 7–22.

Радиновић, Сања (2011). *Облик и реч (Закономерности мелойоетског обликовања српских народних йесама као основа за методологију формалне анализе)*. Етномузиколошке студије – дисертације, св. 3. Београд: ФМУ.

Радиновић, Сања (2017). *Морфологија срйских народних йесама 1*. Београд: Hema Kheyea Neye.

Радовановић, Милован (2005). *Косово и Метохија у Рейублици Србији и Зайадном Балкану*. Београд: Mnemosyne.

Радовановић, Милован (2008). *Косово и Метохија: антройогеографске, историјско-географске, демографске и геойолотичке основе*. Београд: Службени гласник.

Ракочевић, Селена (2011). *Вокална традиција Срба у Доњем Банату*. Београд: Завод за уџбенике и наставна средства.

Ранковић, Сања (2013). *Вокални дијалекти динарских Срба у Војводини* (докторска дисертација одбрањена на Катедри за етномузикологију ФМУ у Београду; у рукопису).

Ранковић Сања (2016). „Традиционална музика Призренске Горе у сенци Отоманске империје", *Музикологија*, 20, 101–132.

Ранковић, Сања и Закић, Мирјана (2017). „Песме за ројење пчела у централном делу Косова и Метохије", *Владо С. Милошевић: етномузиколог, композитор и педагог, Традиција као инспирација*, тематски зборник са научног скупа 2016. године (ур. Соња Маринковић, Санда Додик, Драгица Панић-Кашански). Бања Лука: Академија умјетности Универзитета у Бањој Луци – Академија наука и умјетности Републике Српске – Музиколошко друштво Републике Српске, 296–312.

Резниченко, Евгения Б. (2008). „Поморские 'сведбение стихи' как особый вид северной причети", *Мир традиционной музыкальной культуры* (выпуск 174), Москва: Министерство культуры Российской федерации – Российская Академия Музыки имени Гнесиных, 301–316.

Rice, Timothy (2007). "Reflections on Music and Identity in Ethnomusicology", *Musicology*, No. 7. Belgrade: Musicology Institute SASA (Serbian Academy of Sciences and Arts), 17–37.

Rice, Timothy (2010). "Ethnomusicological Theory", *Yearbook for Traditional Music* 42. International Council for Traditional Music, 100–134.

Rice, Timothy (2014). *Ethnomusicology: A Very Short Introduction*. Oxford: University Press.

Ристивојевић, Марија (2009). „Улога музике у конструкцији етничког идентитета". *Етномузиколошко-антрополошке свеске*, 1–3, Београд.

Rihtman, Cvjetko (1969). „O nekim faktorima strukture melopoetskih oblika", *Народно стваралаштво – folklor*, св. 29–32, 173–179.

Rusić, Branislav (1963). „Pesme sa pevanjem uz ljuljanje kod Makedonaca i susednih južnoslovenskih i neslovenskih naroda", *Рад IX конгреса СФЈ (Мостар–Требиње, 1962)*. Сарајево, 333–355.

Ruskin, D. Jesse and Rice, Timothy (2012). "The Individual in Musical Ethnography", *Ethnomusicology (Journal of the Society for Ethnomusicology)* 56(2), 299–327.

Савић, Марија (2013). „Антички рударски центри Косова и Метохије", *Баштина*. Приштина–Лепосавић, 229–247.

Самарџија, Снежана (2011). „Функције дарова и даривања у усменој књижевности", *Жива реч, Зборник у част проф. др Наде Милошевић Ђорђевић*. Београд: Балканолошки институт САНУ, посебна издања, 115, 561–589.

Самарџија, Снежана (2012). *Увод у усмену књижевност*. Београд: Народна књига, Алфа.

Самарџић, Радован и Сима М. Ћирковић, Олга Зиројевић, Радмила Тричковић, Душан Т. Батаковић, Веселин Ђуретић, Коста Чавошки, Атанасије Јевтић (1989). *Косово и Метохија у српској историји*. Београд: СКЗ.

Silverman, Carol (2012). *Romani Routes (Cultural Politics & Balkan Music in Diaspora)*. Oxford: University Press.

Sinani, Danijel (2012). „O proučavanjima porodične slave u Srbiji", *Etnološko-antropološke sveske*. Beograd, 175–192.

Spyridakis, Georgios (1973). "Sur le balancement printanier chez les Grecs et autres peuples de la péninsule Balkanique", *Македонски фолклор*, год. VI, бр. 12. Скопје, 117–123.

Станковић, Сања (1993). *Индивидуално и колективно у орској и вокалној традицији жена у Гори* (дипломски рад одбрањен на Катедри за етномузикологију ФМУ у Београду; у рукопису).

Станковић, Сања (1995). „Основне музичко-играчке карактеристике Горе" *Шарпланинске жупе Гора, Средска и Опоље (антропогеографско-етнолошке, демографске, социолошке и културолошке карактеристике)*, Посебна издања, књига 40/II. Београд: Географски институт САНУ, 202–213.

Стоиљковић, Милена (2016). *Српско музичко наслеђе призренско-подримског краја* (мастер рад одбрањен на Катедри за етномузикологију ФМУ у Београду; у рукопису).

Стојанчевић, Владимир (1967). „Аустроугарско-српски сукоб у косовском вилајету на почетку 20. века", *Југословенски народи пред први светски рат*, Посебна издања САНУ CDXVI, Одељење друштвених наука, књ. 61. Београд, 847–876.

Теплова, Ирина Б. (2012). „Свадебные причитания среднесухонской традиции: к проблеме исполнительского стиля", *Фольклор: историческая традиция и современные полевые исследования (Материалы Четвертой международной научной конференции памяти А. В. Рудневой)*. Москва: Научно-издательский центр „Московская консерватория", 28–36.

Терзић, Славенко (2012). *Стара Србија (XIX–XX век), драма једне цивилизације (Рашка, Косово и Метохија, Скопско-тетовска област)*, (ур. Зоран Гутовић и Срђан Рудић). Нови Сад: Православна реч, Београд: Историјски институт.

Titon, Jeff Todd (2008). "Knowing Feldwork", *Shadows in the Fild (New Prespectives for Fieldwork in Ethnomusicology)*, Second Edition (eds. Gregory Barz and Timothy J. Cooley). Oxford: University Press, 25–41.

Тодоровић, Ивица и Александра Павићевић (2017). „Слава", *Етнологија и антропологија, мали лексикон српске културе*. Етнографски институт САНУ, 380–383.

Тодоровић, Ивица (2017). „Обредне поворке", *Етнологија и антропологија, мали лексикон српске културе*. (ур. Владимир Рогановић). Етнографски институт САНУ, 274–280.

Толстој, Никита И. (1995). *Језик словенске културе*. Ниш: Просвета.

Traerup, Birthe (1972). „Dvoglasno pjevanje u Prizrenskoj Gori", *Rad XVII Kongresa SUFJ (Poreč)*. Zagreb, 345–347.

Треруп, Бирте (1974). „Народна музика Призренске Горе", Рад *XIV Конгреса СУФЈ (Призрен 1967)*. Београд, 211–223.

Traerup, Birthe (1980). „Tupan i svirala u svadbenim obredima u selu Brodu, prizrenska Gora", Рад *XXV Конгреса СУФЈ (Берово 1978)*. Скопје, 483–488.

Трифуновић, Сања (2016), *Свадбене песме у околини Гњилана* (дипломски рад одбрањен на Катедри за етномузикологију ФМУ у Београду; у рукопису).

Turino, Thomas (1999). "Sings of Imagination, Identity, and Experience: A Percian semiotic theory for music", *Ethnomusicology* 43 (2), 221–255.

Ћупурдија, Бранко (1978). „Agrarna magija kao oblik obredne prakse u Srba", *Etnološke sveske*. Beograd, 66–76.

Урошевић, Атанасије (1990). *Косово*. Приштина: Јединство.

Филиповић, Миленко (1986). „Трагови Перунова култа код Јужних Словена", *Трачки коњаник*. Београд: Просвета.

Fracile, Nice (1987). *Vokalni muzički folklor Srba i Rumuna u Vojvodini*. Novi Sad: Matica srpska, Odeljenje za scenske umetnosti i muziku.

Фрациле, Нице (1994). Асиметрични ритам (аксак) у музичкој традицији балканских народа, *Зборник Матице српске за сценске уметности и музику*, бр. 14. Нови Сад, 31–56.

Фрациле, Нице (2014). *Траїом анійичких мейиричких сйоиа (комиараийивна ейно-музиколошка йроучавања).* Нови Сад: Академија уметности.

Frejzer, Džejms Džordž (1977). *Zlatna grana*, 1. Beograd: BIGZ.

Harrison, Klisala (2012). "Epistemologies of applied ethnomusicology", *Ethnomusicology*, vol. 56, no. 3: 505–529.

Hasani, Sinan (1986). *Kosovo – istine i zablude.* Zagreb: Centar za informacije i publicitet.

Hood, Mantle (1982) [1971]. *The ethnomusicologist.* Kent: The Kent State University Press.

Hofman, Ana (2010). "Storytelling in ethnomusicological research: A case study of female singers in southeastern Serbia", *(Auto)Biography as a Musicological Discourse* (Musicological studies: Collections of papers No.3) (editors: Tatjana Marković and Vesna Mikić). Belgrade: Department of Musicology, Faculty of Music, University of Arts in Belgrade: 97–107.

Цвијић, Јован (1906). *Основе за їеоїрафију и їеолоїију Македоније и Сйаре Србије,* књига прва и друга. Београд: СКА.

Чајкановић, Веселин (1994а). *Сйара срйска релиїија и мийолоїија.* књига прва (ур. Војислав Ђурић). Београд: Српска књижевна задруга, Београдски издавачко-графички завод, Просвета, Партенон М. А. М.

Чајкановић, Веселин (1994б). *Сйара срйска релиїија и мийолоїија.* књига друга (ур. Војислав Ђурић). Београд: Српска књижевна задруга, Београдски издавачко-графички завод, Просвета, Партенон М. А. М.

Чајкановић, Веселин. (1994в). *Сйара срйска релиїија и мийолоїија.* књига пета (ур. Војислав Ђурић). Београд: Српска књижевна задруга, Београдски издавачко-графички завод, Просвета, Партенон М. А. М.

Čelebi, Evlija (1967). *Putopis (odlomci o jugoslavenskim zemljama),* prevod: Hazim Šabanović. Sarajevo: Svjetlost.

Čolak, Nikola i Ive Mažuran (2000). *Janjevo (sedam stoljeća opstojnosti Hrvata na Kosovu).* Zagreb: Udruga „Janjevo", Matica hrvatska.

Čolović, Ivan (1984). *Divlja književnost (etnolingvističko proučavanje paraliterature),* prvo izdanje. Beograd: Nolit.

Шипић, Соња (1997). *Средска и Речане – музичка и орска йрадиција два села Средачке жуйе* (дипломски рад одбрањен на Катери за етномузикологију ФМУ у Београду; у рукопису).

Škaljić, Abdulah (1966). *Turcizmi u srpskohrvatskom jeziku.* Sarajevo.

Шуваковић, Урош (2010). „Глобализација насиља: 'Нови светски поредак' и отимање Косова и Метохије", *Косово и Мейохија у цивилизацијским йоковима (међународни йемайски зборник),* књ. 4 (Социологија и друге друштвене науке). Косовска Митровица, Универзитет у Приштини – Филозофски факултет, 932–942.

Шумада, Наталия (1989). „Некоторы черти общности в весенних играх и хороводах южных и восточых славян". *Македонски фолклор,* год. XXII, бр. 43. Скопје, 153–159.

Щуров, Вячеслав М. (2005). *С рюкзаком за песнями (Записки собирателя).* Москва: Редакция журнала „Самообразование".

Интернет извори:

https://www.youtube.com/watch?v=UQbkhLjExLE Датум последњег приступа: 25. 1. 2016.

https://www.youtube.com/watch?v=pvMhDA9zwCI Датум последњег приступа: 12. 2. 2016.

https://www.youtube.com/watch?v=kZAubOwSqEY Датум последњег приступа: 17. 2. 2016.

https://www.youtube.com/watch?v=YaF7MAzcZLg Датум последњег приступа: 15. 3. 2016.

https://www.youtube.com/watch?v=QiAZrtJ6GHg Датум последњег приступа: 3. 4. 2016.

https://www.youtube.com/watch?v=KrClLpCmiRc Датум последњег приступа: 12. 11. 2018.

https://sr.wikipedia.org/sr/Милица_Милисављевић_Дугалић Датум последњег приступа: 3. 7. 2018.

https://sh.wikipedia.org/wiki/Šota_(igra) Датум последњег приступа: 26. 7. 2019.

http://www.nkns.rs/cyr/popis-nkns/slava-krsno-ime-krsna-slava Датум последњег приступа: 18. 8. 2019.

https://ich.unesco.org/en/RL/slava-celebration-of-family-saint-patrons-day-01010 Датум последњег приступа: 18. 8. 2019.

http://nkns.rs/cyr/popis-nkns/pevanje-uz-rojenje-pchela Датум последњег приступа: 18. 8. 2019.

ПРИЛОГ 1:
НОТНИ ПРИМЕРИ

БОЖИЋНЕ ПЕСМЕ

Пример бр. 1

Господи помилуј

Верица Секулић, рођ. Танасковић (1943)
Ливађе

Госйоди йомилуј,
Госйоди йомилуј.

Господи помилуј,
Господи помилуј,
Господи помилуј.

*Певани текст у свим примерима означен је курзивом.

Напомена: мелострофа се понавља три пута.

Пример бр. 2

Божић, Божић Бата

Јоргованка Михајловић, рођ. Митровић (1939)
Рабовце

Бо - жић, Бо - жић   Ба - та,   но - си   ки - ту   зла - та,   да   по - зла - ти вра - та,   од   бо - је   до бо - је   и све ку - ће   до мо - је.

Божић, Божић Бата,
носи киту злата,
да йозлати врата,
од боје до боје
и све куће до моје.

Пример бр. 3

Божић, Божић Бата

Стана Маринковић, рођ. Стојковић (1940)
Кузмин

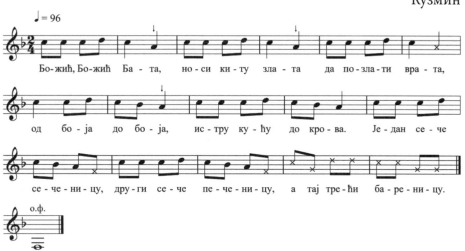

Божић, Божић Бата,
носи киту злата,
да йозлати врата,
од боја до боја,
истру кућу до крова.
Један сече сеченицу,
друти сече йеченицу,
а тај трећи бареницу.

Пример бр. 4

Божић, Божић Бата

Верица Нићић, рођ. Перенић (1937)
Добротин

Бо - жић,   Бо - жић,   Ба - та,   но - си   ки - ту   зла - та,   да по - зла - ти   вра - та,   од бо - ја до   бо -   ја   и ку - ћу на - шу до кро - ва.

Божић, Божић Бата,
носи киту злата,
да йозлати врата,
од боја до боја
и кућу нашу до крова.

II

ПЕСМЕ УЗ ОБРЕДНО ЉУЉАЊЕ

Пример бр. 5

Нишнула се млада мома

Олга Игић, рођ. Мићаловић (1945)
Бабин Мост

Нишнула се млада мома, и!

Нишнула се млада мома,
угледала младог момка
за кога ће да се уда.

Пример бр. 6

Чија мома на нишаљку?

Стана Маринковић, рођ. Стојковић (1940)
Кузмин

Чи - ја   мо - ма, мо - ре,   на   ни - шаљ - ку?

Чија мома, море, на нишаљку?

Чија мома, на нишаљку?
Чија да је, мајкина је,
чија да је, татина је.
Тата ће купи' ципелице,
мајка ће купит' кошуљицу.

Напомена: у последњој мелострофи изостаје рефрен море.

Пример бр. 7

Чије мома на нишаљку?

Душанка Петровић, рођ. Стефановић (1944)
Бабљак

Mo - pe, чи - је мо - ма на ни - шаљ - ку?

Море, чије мома на нишаљку?

Чије мома на нишаљку?
Чије да је Ранкова је.

Пример бр. 8

Чија мома на нишаљку?

Будимка Бојковић, рођ. Цветковић (1938)
Кузмин

Мо - ре, чи - ја мо - ма на ни - шаљ - ку?

Море, чија мома на нишаљку?

Чија мома на нишаљку?
Чија да је, мајкина је.

190

Пример бр. 9

Чија мома на нишаљку?

Верица Нићић, рођ. Перенић (1937)
Добротин

Мо - ре, чи - ja мо - ма

на ни - шаљ - ку?

Море, чија мома на нишаљку?

Чија мома на нишаљку?
Чије да је, мајкино је,
мајкино је и татино је.
Тата ће гу кундре купи,
мајка ће гу футарку изатки.

Пример бр. 10

Чија мома на нишаљку?

Оливера Спасић, рођ. Грујић (1939)
Племетина

Мо-ри, чи - ја   мо - ма   на   ни - шаљ - ку?

И, гај - та-не мој,   И!

Мори, чија мома на нишаљку?
И, гајтане мој, И!

Чија мома на нишаљку?
Чија да је мајкина је,
мајка ће ти шит' кошуљу.
Чија да је татина је,
тата ће ти кундре купит'.

III

ПЕСМЕ ЗА РОЈЕЊЕ ПЧЕЛА

Пример бр. 11

Дођи, бубо, у своју кућу

Јоргованка Михајловић, рођ. Митровић (1939)
Рабовце

Мат, бубо, мат, мат, мат, мат, мат, бубо, мат.

До-ђи, бу-бо, у сво-ју ку-ћу, и-де де-да да те че-ка,

и-де ба-ба да те че-ка. 'Ај-де, мат, мат,

мат, мат, бу-бо, мат.

Маш, бубо, маш,
маш, маш, маш, маш, бубо, маш.
Дођи, бубо, у своју кућу,
иде деда да ше чека,
иде баба да ше чека.
'Ајде, маш, маш,
маш, маш, бубо, маш.

'Оће ветар, блага бубо

Јовица Арсић (1944)
Батусе

Кот, кот, кот, кот, кот, кот, кот, кот, мат, мат, мат, мат, мат, мат.

Кот, бла-га бу-бо, кот, ми-ла ма-то, кот, кот, кот, кот, кот, кот, кот.

'О - ће ве - тар, бла - га - бу - бо, 'о - ће ве - тар, ми - ла - ма - то.

Кот, кот, кот, кот, кот. (звиждање) кот, кот, кот, кот,

кот, кот, кот, кот, мат, мат, мат, мат, мат, мат, мат, мат, и!

о.ф.

Кот, кот, кот, кот,
кот, кот, кот, кот,
мат, мат, мат, мат, мат, мат.
Кот, блага бубо,
кот, мила мато,
кот, кот, кот, кот,
кот, кот, кот.

'Оће ветар, блага бубо,
'оће ветар, мила мато.
Кот, кот, кот, кот, кот (звиждање)
кот, кот, кот, кот,
кот, кот, кот, кот,
мат, мат, мат, мат,
мат, мат, мат, мат, и!

Пример бр. 13

Прибери се, блага бубо

Дивна Николић, рођ. Цвејић (1951)
Лапље Село

Прибери се, блага бубо,
прибери се, мила моја.
Мат, мат, мат, кот, кот, кот.

Сабери их, мила моја

Будимка Бојковић, рођ. Цветковић (1938)
Кузмин

Коṫ, блаṫа бубо,
коṫ, коṫ, маṫ.
Сабери их, мила моја,
нема урук, блаṫа бубо,
ко урочи, лук у очи.
Коṫ, маṫ, маṫ, маṫ.

Пример бр. 15

Пребери ги, бубо моја

Видосава Нићић, рођ. Милићевић (1938)
Чаглавица

Пре-бе ри ги, бу-бо мо - ја, пре-бе - ри ги, ми-ла мо - ја,

мат, мат, мат. д, До-ста иг - ра, бу - бо мо - ја,

до - ста иг - ра, се - ле мо - ја, кот, кот, кот!

о.ф.

Пребери ги, бубо моја,
 īребери ги, мила моја,
маш, маш, маш.
д, Досша иīра, бубо моја,
досша иīра, селе моја,
кош, кош, кош.

Пример бр. 15а

Npебери ги, бубо моја

Видосава Нићић, рођ. Милићевић (1938)
Чаглавица

Кош, бубо моја,
кош, благо моја,
маш, маш, маш, маш, маш.
Npебери ѣи, бубо моја,
ѣребери ѣи, селе моја.
ð, Досша иѣра, блага бубо,
маш, маш, маш, маш.

198

Пример бр. 16

Пребери ги, мила бубо

Загорка Јанчетовић, рођ. Танасковић (1949)
Чаглавица

Пре-бе-ри ги, ми-ла бу-бо, пре-бе-ри ги, ми-ла мо-ја, кот, мат, мат, мат, мат. До-ста иг-раш, ми-ла бу-бо, пре-бе-ри ги, ми-ла мо-ја, кот, мат, мат, мат, мат. (звиждање) о.ф.

Пребери ги, мила бубо,
пребери ги, мила моја,
кот, мат, мат, мат, мат.
Доста играш, мила бубо,
пребери ги, мила моја,
кот, мат, мат, мат, мат. (звиждање)

Пример бр. 17

Пребери ги, мила мато

Младен Караџић (1942)
Лапље Село

Мат, мат, мат, мат,
кот, блага бубо.
Прибери ги, мила мато,
прибери ги, блага бубо,
нема урук, мила мато,
кот, кот, кот.
Доста игра, млада бубо,
доста игра, мила бубо,
кот, кот.

Нова кућа, нови двори,
дува ветар, пада киша.
Прибери ги, блага бубо,
прибери ги, мила мато,
прибери ги, мила селе,
мат, мат, мат, мат.
Дува ветар, пада киша,
мат, мат, мат.

Пример бр. 18

Бери рој, блага бубо

Драгица Данчетовић, рођ. Трајковић (1939)
Бабин Мост

Бери рој, _блага бубо_,
бери рој, _блага бубице_,
кот, _блага матице_,
мат, _мат_, _мат_, _мат_, _мат_.
Бери рој, _бубо_,
сабери и', _блага матице_,
кот, _блага бубо_,
кот, _блага бубице_,
ху, ху, ху! (звиждање)

Пример бр. 18а

Бери рој, блага бубо

Драгица Данчетовић, рођ. Трајковић (1939)
Бабин Мост

Ху, ху, ху! (звиждање)
Бери рој, блага бубо,
бери рој, блага матице,
сабери их, блага бубице,
кот, блага бубо,
кот, блага бубице.
Сабери их, блага матице,
мат, мат, мат, мат, мат,
кот, кот, кот, кот, кот.
Бери рој, бубо,
бери рој, бубице,
сабери и', бубо,
сабери и', матице,
(звиждање), ху, ху, ху!

IV

ДОДОЛСКЕ ПЕСМЕ

Пример бр. 19

Дај ми, Боже, росну кишу

Будимка Бојковић, рођ. Цветковић (1938)
Кузмин

Дај ми, Боже, росну кишу,
ој, додо, ој, додоле.

Дај ми, Боже, росну кишу,
да пороси наше поље,
наше њиве и ливаде.

Пример бр. 20

Додолица Бога моли

Стана Маринковић, рођ. Стојковић (1940)

Кузмин

До - до - ли - ца   Бо - га   мо - ли,   о,   до - до - ле.

о.ф.

I
Додолица Бога моли,
о, додоле.

II
Да удари росна киша,
дај, Боже, дај.

III
Додолица сиротица,
ој, додоле, дај, Боже, дај.

IV
Да удари росна киша,
дај, Боже, дај.

V
Да поквари наше поље,
дај, Боже, дај.

VI
Све ливаде и све баште,
дај, Боже, дај.

VII
Додолица сиротица,
ој, додоле, дај, Боже, дај.

Додолица Бога моли
да удари росна киша.
Додолица сиротица,
да удари росна киша,
да поквари наше поље,
све ливаде и све баште,
додолица сиротица.

Напомена: певани текст је исписан у целини због променљивог рефрена.

КРСТОНОШКА ПЕСМА

Пример бр. 21

Крсти носим, Бога молим

Милош Спасић (2000)
Племетина

Крсти носим, Бога молим,
Господи, Господи, помилуј, помилуј.

Крсти носим, Бога молим,
да удари росна киша,
да пороси наше поље.

VI

ПЕСМА ЗА ПРЕСТАНАК ГРАДА И КИШЕ

Пример бр. 22

Трајко, удављенику

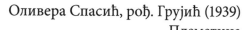

Оливера Спасић, рођ. Грујић (1939)
Племетина

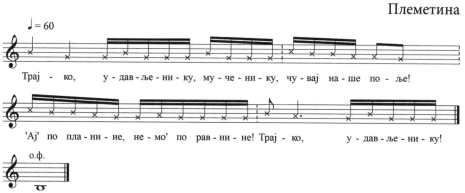

Трај - ко, у - дав - ље - ни - ку, му - че - ни - ку, чу - вај на - ше по - ље!

'Ај' по пла - ни - не, не - мо' по рав - ни - не! Трај - ко, у - дав - ље - ни - ку!

Трајко, удављенику, мученику,
чувај наше йоље!
'Ај' йо йланине, немо' йо равнине!
Трајко, удављенику!

207

VII

СВАДБЕНЕ ПЕСМЕ

Пример бр. 23

Ој, убаво девојко

Душанка Петровић, рођ. Стефановић (1944)
и Ратка Денић, рођ. Орлић (1940)
Бабљак

И, ој, у - ба - во, ој, у - ба - во,

и, *и,* де - вој - ко, *и!*

о.ф.

И, ој, убаво,
ој, убаво, и,
и, девојко, и!

Ој, убаво девојко,
ој, убаво девојко,
ој, убаво девојко.

Пример бр. 24

Ој, убаво девојко

Видосава Нићић, рођ. Милићевић (1938)
и Загорка Јанчетовић, рођ. Танасковић (1949)
Чаглавица

Ој, убаво,
ој, убаво, *и*,
и, девојко, и!

Ој, убаво девојко,
ој, убаво девојко,
ој, убаво девојко.

Пример бр. 25

Бричи ми се млади младожења

Дивна Ћирковић, рођ. Стојковић (1949)
Косово Поље

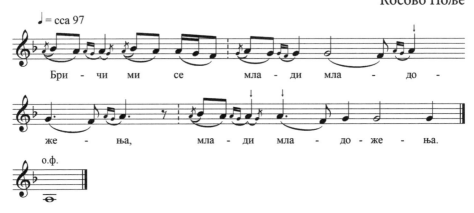

*Бричи ми се млади младожења,
млади младожења.*

Бричи ми се млади младожења,
бричи ми се па и бригу брине:
како ли ће па до младе стићи
и сватове младе jo' повести.

Пример бр. 26

Бричи ми се млади младожења

Ратко Поповић (1947)
Грачаница

Бри — чи ми се мла — ди

мла — до — же — ња, мла — ди

мла — до — же — ња.

Бричи ми се млади младожења,
млади младожења.

Бричи ми се млади младожења,
ем се бричи, ем ми бригу брижи,
што ће јутре путе да путује.

Пример бр. 27

Кум Бога моли

Драган Ђирковић (1984)
Грачаница

Кум Бо - га мо - ли, а - мин, а - мин, а - мин, а - мин,

кум Бо - га мо - ли, а - мин, а - мин, а - мин, а - мин,

и о - пет Бо - га мо - ли, а - мин, а - мин, а - мин, а - мин!

Кум Бога моли, амин, амин, амин, амин,
кум Бога моли, амин, амин, амин, амин,
и опет Бога моли, амин, амин, амин, амин!

Кум Бога моли!
Старејко Бога моли!
Домаћин Бога моли!

Пример бр. 28

Трешња се од корен трешњаше

Дивна Николић, рођ. Цвејић (1951)
Лапље Село

Треш-ња   се   од   ко - рен   треш - ња - ше,

мо - ма   се   од   мај -   ке   де - ла - ше.

о.ф.

Трешња се од корен трешњаше,
мома се од мајке делаше.

Трешња се од корен трешњаше,
мома се од мајке делаше:
„Праштавај, мајко, праштавај,
праштавајте, моја родбино!"

Пример бр. 29

Леле мене, одвојене
(свадбена тужбалица)

Загорка Јанчетовић, рођ. Танасковић (1949)
Чаглавица

Леле мене, одвојене,
одвојене од све своје,
од све своје, мајке моје.

214

Пример бр. 30

Леле мене, леле јадне
(свадбена тужбалица)

Милунка Костић, рођ. Димитријевић (1936)
Грачаница

Леле мене, леле јадне,
леле мене, друге моје,
друге моје, остадосте,
а ја требам да се удајем.
Ој, леле мене, друштво моје,
браћо моја и родитељи моји,
леле мене и леле јадне,
ја морам да вас оставим,
време дошло ја да пођем, ој, ој, ој!

215

Леле мене и леле јадне
(свадбена тужбалица)

Цвета Митровић, рођ. Рашић (1942)
Радево

♩ = сса 81

Ле - ле ме - не и ле - ле јад - не,   ле - ле ме - не, од све сво - је,

од све сво - је, од ку - ће мо - је,   што ме да - нас о - два - ја - те

да ос - та - вим мо - ју мај - ку,   мо - ју мај - ку и мо - га тај - ку,

а и мо - ју бра - ћу ми - лу,   а и мо - је сес - тре ми - ле,

ој,   ој.   О, мој тат - ко што ме у - да - де,

што ме у - да - де на да - ле - ко,   на да - ле - ко и пус - то пре - ко,

ку - ку ме - не, ка - ко ћу без вас?   Ле - ле ме - не, од - во - је - не,

од - во - је - не од све сво - је,   од све сво - је од ку - ће мо - је,

ој,   ој,   ој.   о.ф.

216

Леле мене и леле јадне,
леле мене од све своје,
од све своје, од куће моје,
што ме данас одвајате,
да оставим моју мајку,
моју мајку и мога тајку,
а и моју браћу милу,
а и моје сестре миле, ој, ој.
О, мој татко што ме удаде,
што ме удаде на далеко,
на далеко и пусто преко,
куку мене, како ћу без вас?
Леле мене, одвојене,
одвојене од све своје,
од све своје, од куће моје, ој, ој, ој.

VIII

СЛАВСКЕ ПЕСМЕ

Пример бр. 32

Кој ми пије славе Боже

Миодраг Симић (1950)
Сушица

*Кој ми пије славе Боже,
помогле му славе Боже
и сам Господ помогао,
и сам Господ помогао.*

Кој ми пије славе Боже,
помогле му славе Боже
и сам Господ помогао.

218

Пример бр. 33

Ко ми пије славе Боже?

Милунка Костић, рођ. Димитријевић (1936)
Грачаница

Ко   ми   пи –   је   сла – ве   Бо – же?

По –   мог – ле   му   сла – ве   Бож – је,

и   сам   Гос – под   по – мо – га – о.

и   сам   Гос – под   по – мо – га – о.

Ко ми пије славе Боже?
Помогле му славе Божје
и сам Господ помогао,
и сам Господ помогао.

Ко ми пије славе Боже?
Кој спомења славе Божје?

IX

„КУКАЊЕ" ЗА УМРЛИМ

Пример бр. 34

Joj, мене, мајко моја

Верица Секулић, рођ. Танасковић (1943)
Ливађе

♩ = сса 95

Joj, ме - не, мај - ко мо - ја,   а ка-ко ме мај-ко ти ос - та - ви?

А ја ви-ше мај-ку не-мам.   Joj,   мај - ко, и-ме мо - је,

joj, мај-ко, ми-лос мо-ја,   joj, мај-ко, ра-но   мо-ја.   Ка-ко ће ћер-ка и без   те-бе?

Ка' ћу, мај - ко, ја да до - ђем?   А те - бе мај - ко не - ма.

Joj, ме - не мо - ја мај - ко,   joj, ме - не ми-лос' мо - ја зад - ња.

о.ф.

Joj, мене, мајко моја,
а како ме мајко ти остави?
А ја више мајку немам.
Joj, мајко, име моје,
joj, мајко, милос' моја,
joj, мајко, рано моја.
Како ће ћерка и без тебе?
Ка' ћу, мајко, ја да дођем?
А тебе мајко нема.
Joj, мене моја мајко,
joj, мене милос' моја задња.

X

ЉУБАВНЕ ПЕСМЕ

Пример бр. 35

Ч'гловчанке, све девојке

Загорка Јанчетовић, рођ. Танасковић (1949)
Чаглавица

Ч'- глов- чан- ке,   све де - вој - ке,   јад - на   ја,   јад - на   ја.

Ч'гловчанке све девојке,
јадна ја, јадна ја.

Ч'гловчанке све девојке,
а Липљанке конопљарке,
ваздан спију, лице мију,
Ч'гловчанке све девојке.

Пример бр. 36

Кићенице, млада невесто

Загорка Јанчетовић, рођ. Танасковић (1949)
Чаглавица

Ки - ће - ни - це, мла - да не - ве - сто,

да ли си чу - ла, раз - бра - ла?

I
Кићенице, млада невесто,
*да ли си чула, разбрала?**

II
Да ли си чула, разбрала
за наше село убаво?

III
За наше село убаво
и наши момци убави?

IV
За наше село убаво
и младе моме убаве?

Кићенице, млада невесто,
да ли си чула, разбрала
за наше село убаво
и наши момци убави,
за наше село убаво
и младе моме убаве.

*Напомена: певани текст је исписан у целини због појаве потпуног ланца између I и II, и II и III мелострофе (што при уобичајеном приказу не би било видљиво).

Пример бр. 37

Што гу нема Цвета кроз обор да шета?

Загорка Јанчетовић, рођ. Танасковић (1949)
Чаглавица

Што гу нема Цвета кроз обор да шета,
што гу нема Цвета кроз обор да шета,
кроз обор да шета?
Ој, Цвето, Цвето, Цвето калушо, срце и душо.

Што гу нема Цвета кроз обор да шета?
Нит' је болна Цвета, нит' болнице чува,
већ гу дошли Цвете два-тројица гости.

Пример бр. 38

Оро се вије крај манастира

Загорка Јанчетовић, рођ. Танасковић (1949)
Чаглавица

O - ро се ви - је крај ма-на - сти - ра, о - ро се ви - је
крај ма-на - сти - ра. Да и-дам ми-ла на-но да ви - дам,
да и-дам ми-ла на-но да ви - дам.

Оро се вије крај манастира,
оро се вије крај манастира.
Да идам, мила нано, да видам,
да идам, мила нано, да видам.

Оро се вије крај манастира:
у прво оро све младе моме,
у друго оро све млади момци.

Пример бр. 39

'Ајде, Стамена, бела, румена

Драгољуб Миладиновић (1948)
Доња Брњица

I

'Ајде, *Стамена, бела, румена,*
'ајде, *Стамена, бела, румена,*
бела, румена, танка(ј), висока,
бела, румена, танка(ј), висока.
Сама легни, сама дигни,
а ја, јадна, сама не могу, леле,
сама легни, сама дигни,
а ја, јадна, сама не могу.

II
Сад си узела личноīа мужа,
сад си узела личноīа мужа,
личноīа мужа, недомаћина,
личноīа мужа, недомаћина.
<u>*Сама леīни, сама диīни,*</u>
<u>*а ја, јадна, сама не моīу, леле,*</u>
<u>*сама леīни, сама диīни,*</u>
<u>*а ја, јадна, сама не моīу.*</u>

III
Свако мешење – ћуфīек једење,
свако мешење – īорба кешење,
и īо мало, <u>сеīо мила</u>, слаīко једење,
и īо мало, <u>сеīо мила</u>, ћуфīек једење.
<u>*Сама леīни, сама диīни,*</u>
<u>*а ја, јадна, сама не моīу, леле,*</u>
<u>*сама леīни, сама диīни,*</u>
<u>*а ја, јадна, сама не моīу.*</u>

Ајде, Стамена, бела, румена,
бела, румена, танка, висока,
сад си узела личнога мужа,
личнога мужа, недомаћина.
Свако мешење – ћуфтек једење,
свако мешење – торба кешење,
и по мало слатко једење,
и по мало ћуфтек једење.

Напомена: певани текст је исписан у целини због различитог поетског структурисања мелострофа, као и због појаве рефрена само у III мело-строфи.

227

Пример бр. 40

Булбул ми пева, ружа ми цвета,
мој ми га драги још нема

Драгољуб Миладиновић (1948)
Доња Брњица

Булбул ми йева, ружа ми цвета, мој ми га драги још нема,
булбул ми йева, ружа ми цвета, мој ми га драги још нема.

Булбул ми пева, ружа ми цвета, мој ми га драги још нема.
Ај, отиш'о је у ђул башту под ружом да спије.

Да л' да га будим ил' да га љубим, да л' да га оставим да спије?
Нит' ћу га љубим, нит' ћу га будим, нит' ћу га оставим да спије.

Пример бр. 41

Биљбиљ пиле, не пој рано

Новица Китић (1947)
Угљаре

Биљбиљ пиле,
биљбиљ пиле, *јагње моје,* не пој рано,
оф, аман, аман, калушице млада, не пој рано.

Биљбиљ пиле, не пој рано,
не буди ми господара.
Сама сам га успавала,
сама ћу га разбудити.

Пример бр. 42

Билбил пиле, не пој рано

Драгољуб Миладиновић (1948)
Доња Брњица

Билбил йиле,
билбил йиле, *јагње моје*, не йој рано,
оф, аман, аман, калушице млада, не йој рано,
оф, аман, аман, девојчице млада, не йој рано.

Билбил пиле, не пој рано,
не буди ми господара,
сама сам га пробудила.

Пример бр. 43

Тамна ноћи, тамна ли си?

Загорка Јанчетовић, рођ. Танасковић (1949)
Чаглавица

Тамна ноћи, тамна ли си?
Невестице, аман, аман, дома ли си?

„Тамна ноћи, тамна ли си?
Невестице, дома ли си?"
„Дома јесам, сама нисам,
имам драгог пијаницу.
Ваздан пије, дома није,
а кад дође, с јадом дође!"

Пример бр. 44

Тамна ноћи, тамна ли си?

Будимка Бојковић, рођ. Цветковић (1938)
Кузмин

Тамна ноћи, *тамна ли си?*
Тамна ноћи, <u>аман, аман,</u> *тамна ли си?*

„Тамна ноћи, тамна ли си?
Девојчице, бледа ли си?
Девојчице, сама ли си?"
„Имам драго' аџамија,
сву ноћ скита, дома није,
а кад дође, легне, спије!"

Пример бр. 45

У село кавга голема

Драгољуб Миладиновић (1948)
Доња Брњица

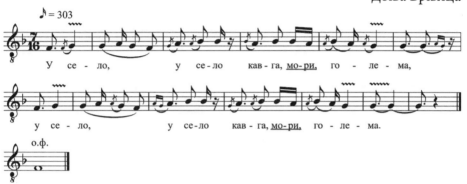

У село, у село кавга, *мори,* голема,
у село, у село кавга, *мори,* голема.

У село кавга голема,
девет се брата делаше,
најмлађег брата женише,
викаше сестру на радост:
„Дођи нам, сестро, на радост!"
„Мушко ми чедо на руке,
не могу, брате, да дођем!"

Пример бр. 46

Што ми је мерак пољак да будем

Драгољуб Миладиновић (1948)
Доња Брњица

Што ми је мерак пољак да будем, мори, Божано,
што ми је мерак пољак да будем, мори, Божано.

Што ми је мерак пољак да будем,
пољак да будем на твоја њива,
ти да ми жњејеш, ја да те слушам,
песме да појем, пушке да фрлам.

Пример бр. 47

Густа ми магла паднала

Слађана Петровић, рођ. Ђекић (1963)
Грачаница

*Густа ми магла јаднала, море,
густа ми магла јаднала.*

Густа ми магла паднала,
на тој ми равно Косово.
Под њом се ништа не види,
само једно дрво високо,
под њим ми седи терзије,
они ми шијев јелече.
Кол'ко су звезде на небо,
тол'ко су шарке на јелек.

Ангелин девојче, што си наљућено?

Загорка Јанчетовић, рођ. Танасковић (1949)
Чаглавица

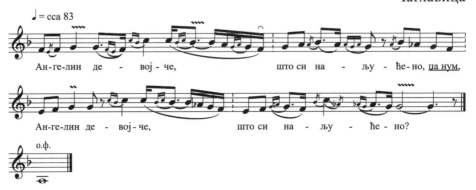

Анѓелин девојче, што си наљућено, џанум,
Анѓелин девојче, што си наљућено?

„Ангелин девојче, што си наљућено?
Да л' те глава боли, да ли половина?"
„Нит' ме глава боли, нити половина,
већ сам јадна, тужна, јако наљућена,
јако наљућена на ту стару мајку
што ме мене даде много на далеко,
много на далеко, у то пусто преко,
у то пусто преко, у богату кућу,
у богату кућу, у девет девера,
у девет девера и девет јетрва,
у девет јетрва, свекар и свекрва,
свекар и свекрва и девет колевки."

Пример бр. 49

Енгелин девојче, што си наљућено?

Видосава Нићић, рођ. Милићевић (1938)
Чаглавица

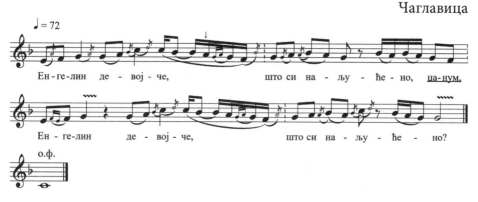

Ен-ге-лин де-вој-че, што си на-љу-ће-но, џа-нум,

Ен-ге-лин де-вој-че, што си на-љу-ће-но?

о.ф.

Енгелин девојче, што си наљућено, џанум,
Енгелин девојче, што си наљућено?

„Енгелин девојче, што си наљућено?
Ил' те глава боли или половина?”
„Нит' ме глава боли, нит' ме половина,
већ ме даде, нане, врло на далеко,
врло на далеко, у то пусто преко.”

Напомена: У IV мелострофи певачица мења рефрен џанум у нано.

Пример бр. 50

Маринка девојко, што си тако сетна?

Оливера Спасић, рођ. Грујић (1939)
Племетина

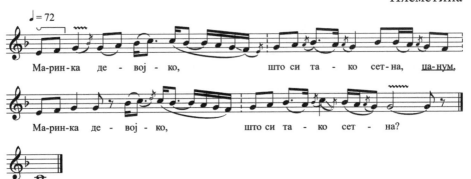

Ма-рин-ка де-вој-ко, што си та-ко сет-на, џа-нум,

Ма-рин-ка де-вој-ко, што си та-ко сет-на?

Маринка девојко, што си тако сетна, џанум,
Маринка девојко, што си тако сетна?

„Маринка девојко, што си тако сетна?
Што си тако сетна, сетна невесела?
Да л' те боли глава, да ли половина?”
„Нит' ме боли глава, нити половина,
но ме моји дали врло на долеко,
врло на долеко, у то пусто преко.
у то пусто преко, у кућу богату,
у кућу богату свекар и свекрва.”

Пример бр. 51

Ој, јабуко зеленико

Милунка Костић, рођ. Димитријевић (1936)
Грачаница

Ој, ја - бу - ко зе - ле - ни - ко, да - до,
ој, ја - бу - ко, мо-ри, зе - ле - ни - ко.

I
Ој, јабуко зеленико, дадо,
ој, јабуко, мори, зеленико.

II
Што си никла, мори, на сред села, дадо,
што си никла.

III
На две гране три јабуке, дадо,
на две гране три јабуке.

IV
А на трећу сокол стоји, дадо,
а на трећу сокол стоји.

V
Сокол стоји јаре броји, дадо,
сокол стоји јаре броји.

Ој, јабуко зеленико,
што си никла на сред села:
на две гране три јабуке,
а на трећу сокол стоји.
сокол стоји паре броји.

Напомена: певани текст је исписан у целини због променљивог рефрена.

Пример бр. 52

Удаде се Живка Сиринићка

Миодраг Симић (1953)
Сушица

Удаде се, јагодо,
удаде се, драга душо,
удаде се, Живка Сиринићка,
удаде се, Живка Сиринићка.

Удаде се Живка Сиринићка,
удаде се за Ђорђа Ђаковца.
Кад то чуо Мика Призренлија,
дзипну Мика кај да се помами,
па отиде пред Живкина врата:
„Зашто, Живке, ти мене превари?"
„Несам, Мико, ја тебе варала,
мене дали, несу ме питали!"

Пример бр. 53

Што ти косе замршене?

Момчило Трајковић (1950)
Чаглавица

Што ти ко - се   за - мр - ше - не, Ди - но, мо - ме,

што ти ко - се   за - мр - ше - не?

Што ти косе замршене, Дино, моме,
што ти косе замршене?

Што ти косе замршене
кајно свила у дућану?
Што ти очи замућене
кајно кава у филџану?

Пример бр. 54

Синоћ коњи не дођоше

Споменка Капетановић, рођ. Лазић (1941)
Доња Гуштерица

Синоћ коњи не дођоше,
Станојле, не дођоше,
девојче, не дођоше.

Синоћ коњи не дођоше.
Траг по трага у Стојана,
Стојанови на вечеру,
само Стојан не вечера.
Питала га стара мајка:
„Зашто, синко, не вечераш?"
„'Оћу, мајко, да се женим!"
„А коју ћеш, ој, Стојане?"
„'Оћу, мајко, лепу Раду!"

Напомена: II мелострофа је модел за све наредне.

Пример бр. 55

Синоћ коњи не дођоше

Стојан Максимовић (1933)
Грачаница

Синоћ коњи не дођоше,
Станојле, не дођоше,
девојче, не дођоше.

Синоћ коњи не дођоше.
Ај', да идемо да тражимо,
да тражимо у Стојана!
Кад дођосмо код Стојана,
Стојанови на вечеру,
Станој луди не вечера.

244

Пример бр. 56

Синоћ коњи не дођоше

Момчило Трајковић (1950)
Чаглавица

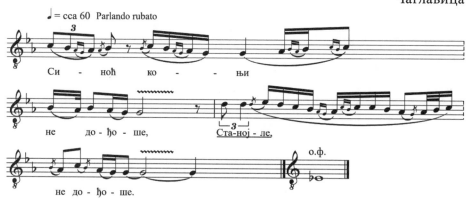

Синоћ коњи не дођоше,
Станојле, не дођоше.

Синоћ коњи не дођоше,
траг по трага у Стојана.
Стојанови на вечеру,
а Стојан ми не вечера.
Стојан млади кавал гради
да уграби младу мому,
да одмени стару мајку.

Пример бр. 56а

Синоћ коњи не дођоше

Момчило Трајковић (1950)
Чаглавица

Синоћ коњи не дођоше,
Станојле, не дођоше,
девојче, не дођоше.

Синоћ коњи не дођоше,
траг по трага у Стојана.
Стојанови на вечеру,
а Стојан ми не вечера.
Стојан млади кавал гради
да уграби младу мому,
да одмени стару мајку.

Пример бр. 57

Жалос' моја, саг да сам девојка

Стојан Максимовић (1933)
Грачаница

Жалос' моја,
жалос' моја, саг да сам девојка,
        саг да сам девојка, и!

Жалос' моја, саг' да сам девојка,
саг' би знала што би драго збрала:
што не пије вино, ем' ракије,
што не пуши лулу, ни дувана.

Пример бр. 58

Севдалино, најбоља девојко

Стана Маринковић, рођ. Стојковић (1940)
Кузмин

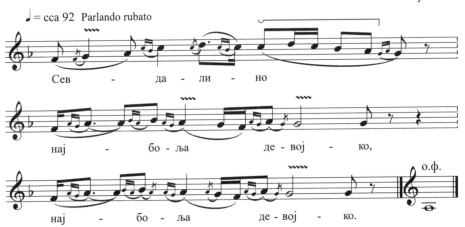

Сев - да - ли - но

нај - бо - ља де - вој - ко,

нај - бо - ља де - вој - ко.

I
Севдалино, најбоља девојко,
најбоља девојко.

II
Ти се хвалиш да се не превариш,
да се не превариш.

III
Синоћ дођох, синоћ те превари,
синоћ те превари.

IV
Да сам знао чешће би додио,
красан би ти милост доносио.

V
Од Велеза пребела мавеза,
пребела мавеза.

VI

A од Скойље йребело конойље,
йребело конойље.

Севдалино, најбоља девојко,
ти се хвалиш да се не превариш.
Синоћ дођох, синоћ те превари.
Да сам знао чешће би додио,
красан би ти милост доносио:
од Велеза пребела мавеза,
а од Скопље пребело конопље.

Напомена: певани текст је исписан у целини због другачијег обликовања
IV мелострофе.

Пример бр. 59

Стојна мома бразду копа

Милунка Костић, рођ. Димитријевић (1936)
Грачаница

Сшојна мома бразду коūа, дадо,
Сшојна мома бразду коūа.

Стојна мома бразду копа,
бразду копа, воду вади,
воду вади, цвеће сади.
'Де копала, ту заспала,
засадила струк босиљак.
Струк босиљак увенуће,
Стојна мома никад неће.

Пример бр. 60

Стојна мома бразду копа

Драгољуб Миладиновић (1948)
Доња Брњица

Стој - на   мо - ма   браз - ду ко - па,   да - до,

Стој - на   мо - ма   браз - ду ко - па.

о.ф.

Стојна мома бразду коūа, дадо,
Стојна мома бразду коūа.

Стојна мома бразду копа,
бразду копа, воду вади,
воду вади, цвеће сади,
цвеће сади, струк босиљак.

Свадише се два детета

Милунка Костић, рођ. Димитријевић (1936)
Грачаница

Свадише се два детета, *дадо,*
свадише се два детета.

Свадише се два детета,
два детета: Гига_ и Гаја.
Гигу бију, Гају брани.
Гига има добру жену,
добру жену, белу Лену,
и на Лену рамна снага,
рамна снага за Јордана,
и на снагу жута пуца,
да му Гаје срце пуца.
Лена носи два обеда,
стаде Гаја да је гледа.
Лена носи ситан соли,
стаде Гаја да је моли.

Пример бр. 62

Јечам жњела Косовка девојка

Драгица Данчетовић, рођ. Трајковић (1939)
Бабин Мост

Је-чам жње - ла Ко-сов-ка де - вој - ка,

је-чам жње-ла, мај-чи-це, је-чму го-во - ри - ла,

је - чам жње-ла, мај-чи-це, је-чму го-во - ри - ла.

о.ф.

Јечам жњела Косовка девојка,
јечам жњела, *мајчице*, јечму *говорила*,
јечам жњела, *мајчице*, јечму *говорила*.

Јечам жњела Косовка девојка,
јечам жњела, јечму говорила:
„Јечам жито, семе племенито,
ја те жњела, а ја те не јела.
Сватовски те коњи позобали,
или моји, или брата мога.
Боље моји него брата мога.”

253

Пример бр. 63

Стресну девојче јабуку

Миодраг Симић (1953)
Сушица

♪ =242

Стрес - ну де - вој - че, мо-ри, ја - бу - ку,

стрес - ну де - вој - че, мо-ри, ја - бу - ку,

на ко - га пад - не, мо-ри, ја - бу - ка

ње - му ће бид - не, мо-ри, не - вес - та.

о.ф.

I
Стресну девојче, мори, јабуку,
стресну девојче, мори, јабуку.
на кога јадне, мори, јабука,
њему ће бидне, мори, невеста.

II
Буде ли млада, мори, невеста,
(ј)у поље одма', мори, да поđе,
да набере цвеће, мори, шарено,
да направи меку, мори, постељу.

254

III

Стресну девојче, мори, јабуку,
јабука јаде, мори, на старца.
Викну девојче, мори, да плаче,
о, леле мене, мори, до Бога.

Стресну девојче јабуку,
на кога падне јабука,
њему ће бидне невеста.
Буде ли млада невеста,
у поље одма' да пође,
да набере цвеће шарено,
да направи меку постељу.
Стресну девојче јабуку,
јабука паде на старца.
Викну девојче да плаче:
„О, леле мене до Бога!"

Напомена: певани текст је исписан у целини због другачијег поетског структурирања I мелострофе.

Пример бр. 64

Ој, голубе, мајкин бане

Стана Маринковић, рођ. Стојковић (1940)
Кузмин

Ој, го - лу - бе,   мај - кин ба - не.

Ој, голубе, мајкин бане.

Ој, голубе, мајкин бане,
не ми треси крилем росу,
не мути ми кљунем воду,
већ ми гледај белу Јану.
Бела Јана гајтан плете,
плете, плете, па наметне,
на бећари очи метне.
А где старци вино пију
беле Јане душу вију.

Пример бр. 65

Лешо, пиле, Лешо, мамина калешо

Загорка Јанчетовић, рођ. Танасковић (1949)
Чаглавица

I

Лешо пиле, Лешо, душо, мамина калешо,
што не дођеш, ћери, Нешо, код мајке на гости?
Како да ти дођем, мајке, кад немам сас кога?
Имам једно момче, мајко, оно још малечко,
све по мене оди, за бошчу ме држи,
све по мене оди, за бошчу ме држи.

II

Ја појдо' на вода, <u>мајке</u>, а оно йо мене.
Даде, мори, даде, найуни ми куйче.
Несам ти дада, <u>лудо</u>, него сам ти жена,
желке те изеле, вуци те разнели,
желке те изеле, вуци те разнели!

III

Ја појдо' на дрва, <u>мајке</u>, а оно йо мене.
Даде, мори, даде, качи ме на конче.
Ја га ставим, мајке, йод конче га нађем.
Желке те изеле, вуци те разнели,
желке те изеле, вуци те разнели!

„Лешо пиле, Лешо, мамина калешо,
што не дођеш, ћери, код мајке на гости?"
„Како да ти дођем, кад немам сас кога?
Имам једно момче, оно још малечко,
све по мене оди, за бошчу ме држи.

Ја појдо' на вода, а оно по мене:
'Даде, мори, даде, напуни ми купче!'
Несам ти дада, него сам ти жена,
желке те изеле, вуци те разнели!

Ја појдо' на дрва, а оно по мене:
'Даде, мори, даде, качи ме на конче!'
Ја га ставим, мајке, под конче га нађем.
Желке те изеле, вуци те разнели!"

Напомена: певани текст је исписан у целини због другачијег броја ме-
лостихова у I мелострофи, као и због другачије примене променљивих
рефрена.

Пример бр. 66

Да л' си точила вино и ракију?

Зоран Спасић (1958–2016)
Ајвалија

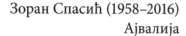

Да л' си точила вино и ракију?
Да л' си точила вино и ракију?
Еј, Марушо, моја душо,
еј, Марушо, моје кротко јагње.

„Да л' си точила вино и ракију?"
„Нисам точила, ни' ћу да точим!"

„Да л' си месила белу погачу?"
„Нисам месила, ни' ћу да месим!"

„Да л' си испекла љуту кокошку?"
„Нисам испекла, ни' ћу да печем!"

„Да л' си спремила меку постељу?"
„Ја сам спремила меку постељу!"

Пример бр. 67

Тодо, ћеро, зебу ли ти ноге?

Зоран Спасић (1958–2016)
Ајвалија

Тодо, ћеро, зебу ли *ши* ноīе?
Тодо, ћеро, зебу ли *ши* ноīе?
Сшара мајко, не ми зебу ноīе,
сшара мајко, не ми зебу ноīе.

„Тодо, ћеро, зебу ли ти ноге?"
„Стара мајко, не ми зебу ноге."

„Тодо, ћеро, боли ли те глава?"
„Стара мајко, не ме боли глава."

„Тодо, ћеро, пушка га убила."
„Стара мајко, тебе погодила."

„Тодо, ћеро, вода га однела."
„Стара мајко, мени га довела."

Пошла ми Сутка на воду

Зоран Спасић (1958–2016)
Ајвалија

Пош - ла ми Сут - ка на во - ду, сим - би - ле мој, са две, три стом - не у ру - ке, ај - де, сим - би - ле мој, са две, три стом - не у ру - ке, ај - де, сим - би - ле мој.

Пошла ми Сутка на воду,
симбиле мој,
са две, три стомне у руке,
`ајде, симбиле мој,
са две, три стомне у руке,
`ајде, симбиле мој.

Пошла ми Сутке на воду,
са две, три стомне у руке.
Излази гуја из воде,
уједе Сутку за руку.
Бела гу рука отече,
златна гу гривна затеже.
„Викни ми, мајко, лекара,
лекара, млада бећара.”

Пример бр. 69

Болна љуба, болна лежи

Зоран Спасић (1958–2016)
Ајвалија

Болна љуба, мори,
болна љуба,
болна љуба, болна лежи,
нит' умира,
нит' умира,
нит' умира, нит' се диза.

Болна љуба, болна лежи,
нит' умира, нит' се диза.
У сред зиму бостан тражи,
бостан нема, вреже има.

Болна љуба, болна лежи,
нит' умира, нит' се диза.
У сред зиму крушке тражи,
крушке нема дршке има.

Болна љуба, болна лежи,
нит' умира, нит' се диза.
У сред зиму гројзе тражи,
гројзе нема, гиџе има.

Болна љуба, болна лежи,
нит' умира, нит' се диза.

Напомена: рефрен мори се замењује рефреном нане од II мелострофе до краја песме.

Јад јадује, ником не казује

Богдан Ракић (1968)
Прилужје

Ој, јад јадује, брацо мој,
јад јадује, мили мој, ником не казује, јоф, јоф, јоф,
ником не казује, мили мој.

Јад јадује, ником не казује.
„Да сам знала што ћеш ти да дођеш,
спремила би' тетовске вечере,
спремила би' господске вечере,
спремила би' тетовске кокошке.
Да сам знала што ћеш ти да дођеш,
спремила би' призренске јабуке.
Да сам знала што ћеш ти да дођеш,
спремила би' те меке душеке.”

Пример бр. 71

Изгрејала сјајна месечина

Слађана Петровић, рођ. Ђекић (1963)
Грачаница

Море, изгрејала, нане,
море, изгрејала, сјајна месечина,
мила нане, сјајна месечина.

Изгрејала сјајна месечина.
Тој не беше сјајна месечина,
но тој беше Смиљана девојка.
Пуче пушка по та Крива Река,
побеже ми Смиљана девојка,
одведе гу Стојан Криворечан,
одведе гу горе у планине,
одведе гу горе да гу љуби.

Пример бр. 72

Сува крушка нема ’лада

Јелица Ћирковић, рођ. Савић (1953)
Добротин

Сува круш-ка не — ма ’ла — да, не-ма ’ла-да,
не — ма ’ла-да, су-ва круш-ка не — ма ’ла — да.

о.ф.

Сува крушка нема ’лада,
нема ’лада,
нема ’лада,
сува крушка нема ’лада.

Сува крушка нема ’лада.
„Ој, девојко, лепа, млада,
на кога ти оста’ нада?”

„На онога момка млада,
који има винограда
и оваца сто хиљада,
на њега ми оста’ нада.”

Пример бр. 73

Ранио сам јутрос рано, рано пред зоре

Миодраг Симић (1953)
Сушица

I

Ранио сам јутрос рано,
ранио сам јутрос рано, рано пред зоре,
рано пред зоре.

II

Сретнуо сам девојчицу, брегом шеташе,
брегом шеташе.

III

Ја гу реко' добро јутро.
Она мени одговара тужно_и жалосно,
тужно_и жалосно.

IV

Мани ме се, лудо_и младо, ја сам жалосна,
ја сам жалосна.

V

Драги ми је на далеко, (ј)у туђу земљу,
(ј)у туђу земљу.

Ранио сам јутрос рано, рано пред зоре,
сретнуо сам девојчицу, брегом шеташе.
Ја гу реко’ : „Добро јутро!”
Она мени одговара тужно_и жалосно:
„Мани ме се, лудо_и младо, ја сам жалосна.
Драги ми је на далеко, у туђу земљу.

(текст у наставку није отпеван, већ је рецитован)

Ја му пишем ситно писмо, ситно_и жалосно,
а он мени још поситно, још пожалосно:
’Ја сам ти се оженио, бољу узео.’”

Напомена: певани текст је исписан у целини због различитог облико-
вања мелострофа.

Пример бр. 74

Мори, Недо, бела, Недо

Миодраг Симић (1953)
Сушица

I

Мори, Недо, Недо, бела Недо,
да те питам, Недо, да ми кажеш.

II

Да л' прођоше, Недо, неки људи,
неки људи, Недо, све комите?

III

Кад ме питаш, аго, ће ти кажем
не смем тебе, Туре, ја да лажем.

IV

Ту прођоше, аго, неки људи,
неки људи, Туре, све делије.

V

Похараше, аго, твоје дворе,
одведоше, Туре, твоје буле.

„Мори, Недо, бела Недо,
да те питам, да ми кажеш.
Да л' прођоше неки људи,
неки људи све комите?"
„Кад ме питаш ће ти кажем,
не смем тебе ја да лажем.
Ту прођоше неки људи,
неки људи, све делије.
Похараше твоје дворе,
одведоше твоје буле."

Напомена: певани текст је исписан у целини због променљивог рефрена.

Пример бр. 75

Синоћ ми дође, лудо, младо, из туђе земље

Мирољуб Аћанчић (1972)
Милошево

Синоћ ми дође, лудо(ј), младо, из туђе земље,
синоћ ми дође, лудо(ј), младо, из туђе земље.

Синоћ ми дође, лудо, младо, из туђе земље.
А већ сутра књига стиже, мора да иде.
Верна му љуба коња седла, седла и плаче.
„Ћут', не плачи, верна љубо, опет ћу ти дођ'.”
„Не мож' проћи Овчар Поље, пуно чобана!”
„Ја ћу проћи Овчар Поље, коњем играјућ'.”

269

„Не мож’ проћи Шар-планину, пуну Качака!”
„Ја ћу проћи Шар-планину пушком пуцајућ.”
„Не мож’ проћи Вардар воду, мутну крваву!”
„Ја ћу проћи Вардар воду, коњем пливајућ.”

Пример бр. 76

Ој, девојко, Кумановко

Стана Маринковић, рођ. Стојковић (1940)
Кузмин

Ој, де - вој - ко, Ку - ма - нов - ко,

ој, де - вој - ко, Ку - ма - нов - ко.

Ој, девојко, Кумановко,
ој, девојко, Кумановко.

Ој, девојко, Кумановко,
отвори ми Куманово.

Да ти кажем нешто ново,
нешто ново за Косово.

Српска војска на Мердаре
бежу буле у шалваре.

Пример бр. 77

Прошета се кроз Стара Србија

Зоран Спасић (1958–2016)
Ајвалија

Прошета се, мори, Ђурђо,
прошета се,
ај, прошета се, мори, Ђурђо, кроз Стара Србија(ј),
прошета се, мори, Ђурђо, кроз Стара Србија.

Прошета се кроз Стара Србија.
Печарил сам у девет година,
направил сам кулу од девет спрата.

Шесна(ј)еста пуна, седамнаеста ступа

Зорица Јовановић, рођ. Ђекић (1960)
и Момир Јовановић (1955)
Сушица

Шесна(ј)еста пуна, седамнаеста ступа,
Шесна(ј)еста пуна, седамнаеста ступа, <u>Радо</u>.

Шеснаеста пуна, седамнаеста ступа,
у осамнајесту каваљера нашла.
Та мога драгана терају жандари.
„Терајте га, терај до мојега стана!
Украо ми слику са мога ормана.
То је била слика од мог љубавника.”
„А кад чујеш, драга, да сам погинуо,
целу Босну прођи, моме гробу дођи.”
„Како ћу ти, драги, ја гроба познати?”
„Лако ћеш ми, драга, ти гроба познати,
на сваком је гробу ружа расађена,
на моме је гробу трешња расађена,
и на трешњи, драга, свилена марама,
на марами пише: Не чекај ме више!”

Пример бр. 79

Била једна мала девојчица

Милунка Костић, рођ. Димитријевић (1936)
Грачаница

Била једна мала девојчица,
из мог села права лепотица.
Била једна мала девојчица,
из мог села права лепотица.

Била једна мала девојчица,
из мог села, права лепотица.
Очи чарне а усташца мала,
по имену Верица се звала.

Где год Вера на игранци била
свуд је Вера победу носила.
Чешља Вера своје косе густе
па одлази на игранке пусте.

Кад напуни шеснаес' година
верила се за јединог сина,

верила се за свога комшију
за некога Бору занатлију.

Куповао Бора ствари скупе,
само млади у љубав да ступе.
Ал' је Бора уживао славно,
уживао три месеца равно.

Кад напуни и месец четврти,
'оће Бора љубав да одступи.
Тада Бора користи прилику
те испроси Миру кафеџику.

Кад је дошло време већ при крају
да се Бора и Мира венчају,
из очију Вери сузе лију,
оде Вера Бори на капију.

„Шта је, Веро, шта се туда скиташ?
Шта ти имаш, ти мене да питаш?"
„Ништа, Боро, немам да те питам
већ сам дошла свадбу да честитам.

Нову свадбу и ново весеље,
то су моје најмилије жеље,
а још друго најмилије моје
да ти вратим све дарове твоје."

Ал' је Вера члан партије била
од партије леворвер добила.
Од партије леворвер добила,
десет метка у њега ставила.

Три му метка у груди уд'рила
и овако њему говорила:
„Аој, Боро, не проклињи срећу
и ја млада покрај тебе лећ' ћу."

Борина је мајка истрчала
и овако Бори казивала:
„Аој, Боро, аој, надо моја,
тебе уби вереница твоја!

Место да ми ти доведеш младу,
ти ћеш сутра у ледину 'ладну.
Место да си мајку веселио
ти си мајку у црно завио!"

Пример бр. 80

Учи ме, мајко, карај ме

Слађана Петровић, рођ. Ђекић (1963)
Грачаница

I

Еј, учи ме мајко, мори, карај ме,
како да ја земам, мори, Љиљана,
Љиљана мома, мори, убава,
на снага танка, мори, висока,
у лице бела, мори, румена,
Љиљана, една, мори, у мајке.

II

Стојане, сине, мори, Стојане,
послушај мајка, мори што збори,
па упрегни сури, мори волови,
па убери дрвља, мори, камења,
па сагради чешма, мори, шарена.
Сите се сељани, мори, ће дојде,
Љиљана мома, мори, ке дојде.

III

Стојан си мајку, мори, послуша,
па набере дрвља, мори, камења,
па сагради чешма, мори, шарена.
Сите сељани, мори, дојдоше,
Љиљана кучка, мори, не дојде.

„Учи ме мајко, карај ме,
како да ја земам Љиљана,
Љиљана мома убава,
на снага танка, висока,
у лице бела, румена,
Љиљана, една у мајке.”
„Стојане, сине Стојане,
послушај мајка што збори,
па упрегни сури волови,
па убери дрвља, камења,
па сагради чешма шарена.
Сите се сељани ће дојде,
Љиљана мома ке дојде.”

Стојан си мајку послуша,
па набере дрвља, камења,
па сагради чешма шарена.
Сите сељани дојдоше,
Љиљана кучка не дојде.

Напомена: певани текст је исписан у целини због неједнаких дужина мелострофа.

Пример бр. 81

Отвори ме, бело Ленче, вратанца, шалај, портица

Милунка Костић, рођ. Димитријевић (1936)
Грачаница

I

Отвори ми, бело Ленче, вратанца, шалај, портица,
да ти љубим, бело Ленче, устанца, рујна, румена.

II

Не могу ти, Миле, пиле, да станам, да ти отварам.
Легнала ми стара мајка на фустан, лудо на фустан,
ја не могу, Миле, пиле, да ти отварам.

„Отвори ми, бело Ленче, вратанца, шалај, портица,
да ти љубим, бело Ленче, устанца, рујна, румена."
„Не могу ти, Миле, пиле, да станам, да ти отварам.
Легнала ми стара мајка на фустан, лудо на фустан,
па не могу, Миле, пиле, да ти отварам!"

Напомена: певани текст је исписан у целини због неједнаких дужина мелострофа.

РЕГИСТАР НОТНИХ ПРИМЕРА:

1. Господи помилуј
2. Божић, Божић Бата
3. Божић, Божић Бата
4. Божић, Божић Бата
5. Нишнула се млада мома
6. Чија мома на нишаљку?
7. Чија мома на нишаљку?
8. Чија мома на нишаљку?
9. Чија мома на нишаљку?
10. Чија мома на нишаљку?
11. Дођи, бубо, у своју кућу
12. 'Оће ветар, блага бубо
13. Прибери се, блага бубо
14. Сабери их, мила моја
15. Пребери ги, бубо моја
15а. Пребери ги, бубо моја
16. Пребери ги, мила бубо
17. Пребери ги, мила мато
18. Бери рој, блага бубо
18а. Бери рој, блага бубо
19. Дај ми, Боже, росну кишу
20. Додолица Бога моли
21. Крсти носим, Бога молим
22. Трајко, удављенику
23. Ој, убаво девојко
24. Ој, убаво девојко

ПРИЛОГ 2:
ФОТОГРАФИЈЕ ИЗВОЂАЧА И КАЗИВАЧА

1. Татјана Маринковић са синовима Трајком, Војиславом и Стеваном, Кузмин 1928. године (из породичног албума Стане Маринковић из Кузмина)

2. Десанка и Трајко Маринковић на венчању са девером Стеваном, Кузмин 1938. године (из породичног албума Стане Маринковић из Кузмина)

3. Манастир Светог Димитрија у селу Сушица

4. Саборна црква Светог Цара Уроша у Урошевцу

5. Са казивачицама у селу Чаглавица (слева надесно: Сања Ранковић, Загорка Јанчетовић, Видосава Нићић и Мирјана Закић)

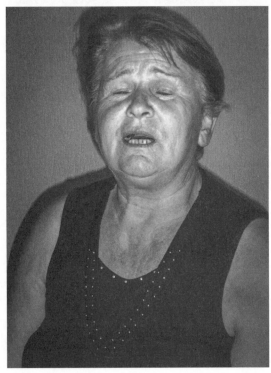

6. Загорка Јанчетовић из села Чаглавица

7. Младен Караџић из Лапљег Села

8. Мушки чланови породице Караџић из Лапљег Села

9. Стојан Максимовић из Грачанице

10. Јовица Арсић, пчелар из села Батусе и Мирјана Закић

11. Пчелар Јовица Арсић из села Батусе

12. Свадбено весеље испред манастира Грачаница

13. Млада улази у младожењину кућу носећи обредне хлебове испод пазуха
(Грачаница)

14. Породица Верице Секулић из села Ливађе

15. Дивна Николић из Лапљег Села

16. Сестре: Стана Маринковић из Кузмина и Дивна Ћирковић из Косова Поља

17. Оливера Спасић са унуком Милошем, село Племетина

18. Са Новицом и Чедомиром Младеновићем из села Ливађе

19. Драгица Данчетовић из села Бабин Мост

20. Момчило Трајковић из села Чаглавица

21. Са породицом Миодрага Симића из Сушице

22. Будимка Бојковић, село Кузмин

23. Милунка Костић из Грачанице

24. Са казивачима у селу Бабљак код Урошевца (слева надесно: Снежана Јовановић, директорка ансамбла „Венац"; два мушкарца, Војислав Петровић, Мирјана Закић, Душанка Петровић, Сања Ранковић, Ратка Денић и Трајко Влајковић, свештеник Српске православне цркве у Урошевцу.

ПРИЛОГ 3:
СПИСАК КАЗИВАЧА ПРЕМА МЕСТИМА ИСТРАЖИВАЊА

Ајвалија
Зоран Спасић (1958–2016)

Бабин Мост
Драгица Данчетовић (рођ. Трајковић, 1939. у Племетини)
Олга Игић (рођ. Мићаловић, 1945)

Бабљак
Војислав Петровић (1952)
Душанка Петровић (рођ. Стефановић, 1944)
Ратка Денић (рођ. Филић, 1940. у Смолушу)

Батусе
Јовица Арсић (1944)
Косара Делић (рођ. Ђорић, 1943. у Лапљем Селу)

Грачаница
Вебија Таири (1952)
Везира Таировић (рођ. Мемети, 1956)
Драган Тодоровић Гиле (рођ. 1971. у Приштини)
Еди Ибрахими (1979)
Кимета Таири (1973)
Љубомир Максимовић (1955)
Мајда Поповић (рођ. Перић, 1958)
Милунка Костић (рођ. Димитријевић, 1936)
Ратко Поповић (1947)
Слађана Петровић (рођ. Ђекић, 1963)
Стојан Максимовић Така (1933)
Трвко Петровић (1956)

Гуштерица
Ђорђе Зарковић (1957)
Љубинко Зарковић (1937)
Љубинко Кукурековић (1935)
Ненад Шубарић (1979)
Споменка Капетановић (рођ. Лазић, 1941)

Добротин
Бобан Стевовић (1972)
Верица Нићић (рођ. Перенић, 1937)
Доста Нићић (рођ. Ристић, 1932. у Тржну код Урошевца)
Живојин Нићић (1959)
Јелица Ћирковић (рођ. Савић, 1953. у Батусу)

Доња Брњица
Драгољуб Миладиновић (рођ. 1948. у Горњој Брњици)

Јањево
Матеј Палић, католички свештеник
Никола Родић (1972)
Танина Родић (1939)

Кишница
Снежана Јовановић (рођ. 1980. у Приштини)

Косово Поље
Дивна Ћирковић (рођ. Стојковић, 1949. у Кузмину)
Драган Ћирковић (1980)

Кузмин
Будимка Бојковић (рођ. Цветковић, 1938)
Стана Маринковић (рођ. Стојковић, 1940)

Лапље Село
Дивна Николић (рођ. Цвејић, 1951. године у Ливађу)
Младен Караџић (1942)
Олга Караџић (рођ. Миленковић, 1946)
Светислав Николић (1946)
Сташа Копривица (рођ. 1997. године у Приштини)

Лепина
Добрила Живковић (рођ. Митровић, 1929. у Лепини)
Младен Стојковић (рођ. 1935. у селу Богуновац код Медвеђе)

Ливађе
Бисерка Стојановић (рођ. Филић, 1961. у Словињу)
Верица Секулић (рођ. Танасковић, 1943. у Чаглавици)
Мирјана Стојановић (рођ. Јовановић, 1948. у Косину код Урошевца)
Новица Младеновић (1933)
Радмила Стојановић (рођ. Славковић, 1948. у Горњој Брњици)
Чедомир Младеновић (1936)

Милошево
Мирољуб Ађанчић (1972)

Племетина
Ерсад Буњаку (1996)
Милош Спасић (2000)
Мустафа Џемаљ (1989)
Оливера Спасић (рођ. Грујић, 1931. у Сибовцу)

Прилужје
Богдан Ракић (1968)
Јелица Ракић (рођ. Војиновић у Главотини)

Приштина
Дилавер Круезију (Dilaver Kryeziu) (рођ. 1957. у Рогачици код Косовске Каменице)
Скендер Тачи (Skender Thaqi) (рођ. 1975. у Смалушу код Липљана)

Рабовце
Јоргованка Михајловић (рођ. Митровић, 1939. у Прилужју)

Радево
Оливера Митровић (рођ. Николић, 1963. у Бабљаку)
Цвета Митровић (рођ. Рашић, 1942. у Добротину)

Скуланево
Ковиљка Талић (рођ. Милетић, 1950. у Коњуху)
Нада Шабић (рођ. Талић, 1937. у Скуланеву)

Суви До
Јованка Милићевић (рођ. Костић, 1945. у Лепини)
Јоргованка Милићевић (рођ. Костић, 1945. у Угљару)
Павка Костић (рођ. Стефановић, 1948. у Бабљаку)

Сушица
Бојан Јовановић (1983)
Зорица Јовановић (рођ. Ђекић, 1960. у Грачаници)
Миодраг Симић (1953)
Момир Јовановић (1955)
Снежана Симић (рођ. Филић, 1957)

Угљаре
Новица Китић (1947)
Предраг Арсић (рођ. 1958. у Матичану)

Урошевац
Трајко Влајковић, свештеник (1992)

Чаглавица
Видосава Нићић (рођ. Милићевић, 1938. у Доњој Брњици)
Загорка Јанчетовић (рођ. Танасковић, 1949. године у Чаглавици)
Момчило Трајковић (1950)

РЕГИСТАР ИМЕНА

РЕГИСТАР ПОЈМОВА

Регистре сачинила
Мирјана Карановић

БЕЛЕШКЕ О АУТОРКАМА

Др Сања Ранковић (1969) ради на Катедри за етномузикологију Факултета музичке уметности у Београду. На истој катедри је дипломирала 1994. године и магистрирала 2001. године. Докторску дисертацију на тему *Вокални дијалекти динарских Срба у Војводини* одбранила је 2013. године под менторством др Мирјане Закић.

Своје професионално интересовање усмерила је на питања која се баве вокалном праксом. Публиковала је две књиге и више научних радова у интернационалним и домаћим издањима. Један је од оснивача женске певачке групе „Моба" (1993), дугогодишњи сарадник Ансамбла „Коло" (од 1994. године) и покретач Одсека за традиционалну музику у МШ „Мокрањац" у Београду (1995/1996). Одржала је бројна предавања, концерте и семинаре традиционалног певања у земљи и иностранству. Ауторка је неколико концерата традиционалне музике у оквиру БЕМУС-а (2007, 2010. и 2017). Добитница је награде за успешан једногодишњи (2001) и вишегодишњи (2006) педагошки рад Удружења музичких и балетских педагога Србије.

Учествује у реализацији научноистраживачких пројеката Катедре за етномузикологију ФМУ у Београду и Матице српске у Новом Саду.

Потпредседница је Центра за истраживање и очување традиционалних игара Србије (ЦИОТИС), чланица Управног одбора Српског етномузиколошког друштва и међународне организације ICTM (International Council for Traditional Music).

Контакт: sanjaetno@gmail.com

Др **Мирјана Закић** (1960) предаје на Катедри за етномузикологи-ју Факултета музичке уметности у Београду, на коме је запослена од 1990. године. За дипломски рад *Дийле Старе Црне Горе*, који је публи-кован 1990. године, додељена јој је награда из факултетског фонда „Александар Ђорђевић". Током студија била је стипендиста Републичке заједнице наука за међународну сарадњу и усавршавала се у области етномузикологије на конзерваторијуму „П. И. Чајковски" у Москви.

Магистарски рад, *Инсирументално и вокално-инсирументално наслеђе Зайлања у свейлу традиционалног музичког мишљења*, као и док-торску дисертацију, *Обредне йесме зимског йолугођа – сисими звучних знакова у традицији југоисточне Србије* (под менторством проф. др Драгослава Девића), одбранила је на Факултету музичке уметности у Београду. Докторску дисертацију је публиковала 2009. године.

У фокусу њених научних интересовања су питања у вези са инстру-менталном музиком на ширем географском простору, обредном му-зичком праксом и музичком семиотиком. Поред три књиге, објавила је и велики број научних студија у домаћим и интернационалним на-учним часописима, монографијама и тематским зборницима. Од 1991. године континуирано учествује у реализацији научноистраживачких пројеката Катедре за етномузикологију, финансираних од стране Ми-нистарства просвете, науке и технолошког развоја Републике Србије и Министарства културе и информисања Републике Србије.

Председница је Српског етномузиколошког друштва, од оснивања 2002. године. Чланица је међународне организације ICTM (International Council for Traditional Music).

Контакт: mira.zakic@gmail.com

Др Сања Ранковић, др Мирјана Закић
СРПСКО ПЕВАЧКО НАСЛЕЂЕ
ЦЕНТРАЛНОГ ДЕЛА КОСОВА И МЕТОХИЈЕ

Издавач
МАТИЦА СРПСКА
Матице српске 1
Нови Сад

За издавача
Проф. др Драган Станић
председник Матице српске

Секретар Одбора
Др Александра Новаков

Превод резимеа
Љиљана Тубић

Лектор, коректор и израда регистра
Мр Мирјана Карановић

Технички уредник
Вукица Туцаков

Прелом
Владимир Ватић
„Графит”, Петроварадин

Штампа
„Сајнос” доо
Момчила Тапавице 2, Нови Сад

Тираж: 500

ISBN 978-86-7946-303-6

CIP – Каталогизација у публикацији
Библиотека Матице српске, Нови Сад

781.7(497.115)
398.8(=163.41)(497.115)
784.4(=163.41)(497.115)
784.4.089.6

РАНКОВИЋ, Сања, 1969-
    Српско певачко наслеђе централног дела Косова и Метохије /
Сања Ранковић, Мирјана Закић. – Нови Сад : Матица српска, 2019
(Нови Сад : Сајнос). – 312 стр. : ноте, илустр. ; 24 cm

Тираж 500. – Белешке о ауторкама: стр. 309–310. – Напомене и библиог-
рафске референце уз текст. – Библиографија: стр. 167–180. – Summary:
Serbian song heritage of the central part of Kosovo and Metohija. – Регистри.

ISBN 978-86-7946-303-6
ISMN 979-0-9014254-0-8

1. Закић, Мирјана, 1960- [аутор]
а) Етномузикологија, српска – Косово и Метохија б) Српске народне песме
– Косово и Метохија в) Народне мелодије – Косово и Метохија

COBISS.SR-ID 332399367